Weisheit meistern – Ihr Weg zu einem erfüllten Leben

Weisheit meistern

Ihr Weg zu einem erfüllten Leben

Ich J Nayak

Indien
2023

INHALT

KAPITEL 1 EINFÜHRUNG: DAS ZEITALTER VON UNS

Ich bin ein Zuhörer um des Lebens willen. Ich suche nach Weisheit und Schönheit, aber auch nach Stimmen, die nicht schreien, um zu hören. Das Buch erzählt bestimmte Aspekte davon

Ich habe aus dem Gespräch gelernt, das Generationen, Zeiten, Disziplinen und religiöse Konfessionen umfasst.

Das Abenteuer begann mit dem Jahrhundertwechsel und ist seitdem gewachsen und hat sich verändert. Auf diesen Seiten konzentriere ich mich auf die dem Leben innewohnenden Aspekte, die mich überrascht und meine Überzeugungen auseinandergerissen haben. In den folgenden Absätzen habe ich versucht zu zeigen, wie meine Ideen durch Gespräche entstanden sind, ein Hin und Her zwischen anmutigem Geist und Leben. Ich habe die Vernetzung in meinen Schriften als eine Art Landkarte der Weisheit über unsere sich verändernde Welt empfunden. Es ist ein in Worten geschriebener Fahrplan für das riesige Gebiet, auf dem wir uns alle gemeinsam befinden. Es handelt sich um eine Reihe von Hinweisen, die die Ränder genauso ernst nehmen wie das überfüllte Zentrum. Denn Veränderungen standen in der Geschichte der Menschheit schon immer am Rande und finden auch heute noch statt. Veränderungen im seismischen Umfeld des Alltags, wie sie auch in der Welt der Geophysik vorkommen, beginnen in Rissen und Zwischenräumen.

Dieses faszinierende und schillernde Jahrhundert enthüllt grundlegende Fragen, mit denen das 20. Jahrhundert glaubte, es gelöst zu haben. Die Fragen, die wir stellen, sind tiefgreifend und zivilisatorisch zugleich und definieren die Zeit, in der das Leben beginnt, und die Zeit, in der es beginnt.

Der Tod geschieht, von der Bedeutung von Familie und Ehe sowie der Bedeutung von Identität; unserer Beziehung zur Natur; unserer Verbindung zur Technologie sowie unserer Verbindungen über Technologie. Das Internet hat in seinen Anfängen die Art und Weise verändert, wie wir über das Schaffen und Führen sowie darüber, ein Teil davon zu sein, denken. Es bringt uns in eine Ära der Reformation, doch dieses Mal betrifft es alle unsere Institutionen gleichzeitig, einschließlich Bildung, Politik, Wirtschaft, Religion und so weiter. Das Interessanteste und Schwierigste in diesem Moment ist, dass wir uns bewusst sind, dass die alten Strukturen nicht funktionieren. Wie die künftigen Formen aussehen werden, können wir noch nicht abschätzen. Wir erstellen sie in „Echtzeit". Wir denken sogar das Konzept der Zeit neu.

Die Menschheit begann erstmals in dem sogenannten Achsenzeitalter, das manchmal als Achsenzeitalter bezeichnet wird, mit einem globalen Blick auf ihr Inneres zu blicken, also einige Jahrhunderte vor der Mitte des Jahrtausends, die das Gemeinsame Zeitalter darstellte. In völlig dissoziierten Kulturen einer alternativen Welt des Wandels wurde Konfuzius in China geboren und Buddha suchte nach Erleuchtung. Platon und Aristoteles befassten sich mit der Seele und dem Geist, während die hebräischen Propheten begannen, die Idee eines entstehenden Volkes Gottes niederzuschreiben. Das Streben nach innerem Frieden begann im Zusammenhang mit der schockierenden Vorstellung, dass das Wohlergehen derjenigen außerhalb des Stammes und der Verwandten – der Waise, der Fremden ebenso wie der Benachteiligten – an das Wohlergehen des Einzelnen gebunden sei. Die Menschheit hat Fragen eine Stimme gegeben, die seit jeher die Welt der Religion und Philosophie prägen. Was bedeutet es, ein Mensch zu sein? Was ist das Wichtigste im Leben? Was ist bei einem Todesfall am wichtigsten? Was können wir tun, um unseren Mitmenschen und der Welt zu dienen?

Die Fragen werden in einer Zeit immer größerer gegenseitiger Abhängigkeit mit entfernten Fremden wiedergeboren und neu formuliert. Die Frage, was Menschsein ist, ist untrennbar mit der Frage verbunden, wie wir uns gegenüber jedem unserer Mitmenschen definieren. Wir verfügen über eine Fülle von Verständnis und Weisheit sowohl physischer als auch spiritueller Instrumente, um dieser Herausforderung gerecht zu werden. Wir beobachten, wie unsere Technologie immer fortschrittlicher wird, und denken voller Ehrfurcht an ihre Fähigkeit, bewusst zu sein. Wir besitzen jederzeit das Potenzial in unserem Geist, intelligent zu werden. Weisheit bereichert unsere Intelligenz, steigert das Bewusstsein und beschleunigt den Evolutionsprozess selbst.

Die spirituellen und religiösen Traditionen haben im Laufe der Zeit Weisheit gebracht, selbst in angespannten Umgebungen können sie zu Parodien verzerrt werden. Wenn ich über diese Dinge spreche, spreche ich von den Orten, die unserer Menschlichkeit die größte Aufmerksamkeit schenken, die von anderen Disziplinen nicht erreicht wird: unsere Fähigkeit, geliebt zu werden und Freude zu empfinden, unsere Fähigkeit, unsere Feinde zu sabotieren und zu täuschen, die Unveränderlichkeit des Scheiterns und Scheitern, der Wunsch zu dienen. Ich bin beeindruckt von der tiefen Klugheit in Bezug auf die Hoffnung, die die Religion hervorruft, ihrer Verehrung für den unterbewerteten Wert der Schönheit und ihrer Ernsthaftigkeit in Bezug auf die universelle menschliche Erfahrung des Mysteriums.

Das spirituelle Leben von uns ist der Ort, an dem wir uns dem Geheimnis von uns selbst und unseren Mitmenschen stellen.

Wir haben in den letzten paar hundert Jahren dafür gekämpft, das Mysterium aus dem Westen zu beenden, aber wir haben stattdessen die scharfen Kanten der Realität bekräftigt – Lösungen, Ideen und Pläne sowie Faschismus, Kommunismus und den Imperialismus des Kapitalismus, die zwischen den dreien wechseln. In unserer trostlosen und sauren Zeit kehren wir zu der Realität zurück, die es schon seit langem gibt: der menschlichen Existenz in all ihrem Chaos und ihrer Pracht, der Grundlage, auf der unsere Hoffnungen und Ambitionen verwirklicht werden können oder scheitern. Das alte Sprichwort „Wer die Geschichte nicht kennt, ist dazu verdammt, sie zu wiederholen" reicht nicht weit. Der Kreislauf der Geschichte wiederholt sich, bis wir uns unserer eigenen Geschichte wirklich und zutiefst bewusst werden. Heute deutet die chaotische Weltwirtschaft darauf hin, dass menschliches Eingreifen im Spiel ist. Dies ist auch bei den Wetterkatastrophen der Fall. Terrorismus, der einzige „Ismus", der in der Welt nach dem Kalten Krieg noch prahlt, ist das Ergebnis menschlicher Verzweiflung überall.

Ich bin von der moralischen Gleichung überzeugt, die Einstein geschaffen hat und die genauso radikal ist wie seine mathematischen Gleichungen, wenn auch weitaus weniger bekannt. Einstein begann sein Leben mit der tiefen Überzeugung vom gesellschaftlichen Nutzen der Wissenschaft – einem Kollektiv kosmischer Bemühungen, das Stammeskonflikte und nationale Grenzen überwinden sollte. Dann wurde er Zeuge, wie sich die deutsche Wissenschaft dem Faschismus ergab. Er sah, wie Physiker und Chemieingenieure Massenvernichtungsgeräte entwickelten. Er argumentierte, dass Wissenschaftler zu seiner Zeit eine scharfe Klinge entwickelten, die in den Händen eines dreijährigen Säuglings lag. Er begann Menschen wie Gandhi oder Moses, Jesus und Buddha und Heilige zu erkennen. Franz von Assisi als „Genies der Lebenskunst". Er argumentierte, dass ihre Talente, die das Ergebnis „spiritueller Genialität" seien, wichtiger seien, um Menschenwürde, Sicherheit und Glück zu gewährleisten, als objektives Wissen.

Meine Arbeit hat mich gelehrt, dass wir überall von spirituellen Genies aus dem Alltag umgeben sind. Sie stehen am Rande und haben keinen Publizisten. Sie sind nicht auf dem Radar und kaputt. Die Art und Weise, wie wir über unseren Alltag sprechen, wird zunehmend deprimierend. In meinem Beruf als Journalist, in dem wir versuchen, unsere erste Version der Geschichte zu erstellen, nutzen wir unsere analytischsten Fähigkeiten, um die Unzulänglichkeit, Korruption, Katastrophe und das Scheitern zu untersuchen. Im Bereich des Journalismus werden „Nachrichten" als die außergewöhnlichsten Ereignisse des Tages definiert, in den meisten Fällen werden sie jedoch als die unglaublich schrecklichen Dinge interpretiert, die auf der Welt passieren. In einem 24/7-Informationszyklus ist es leicht, die Flut schlechter

Informationen als die normale Realität dessen zu betrachten, wer wir geworden sind und gegen welche Herausforderungen wir als Spezies kämpfen.

Unsere Welt ist jedoch voller Schönheit, Mut und Anmut. Ich bin mir bewusst, dass der Wunsch wächst, mit allen uns zur Verfügung stehenden Mitteln zur Transformation der Menschen beizutragen, die einen gesellschaftlichen Wandel herbeiführen kann. Das digitale Zeitalter ist zwar in vielerlei Hinsicht ein völlig moderner Wilder Westen, aber im Grunde ist es lediglich ein Bildschirm, auf dem wir den Luxus und die Möglichkeiten des Lebens in Fleisch und Blut zeigen. Die Spiritualität entwickelt sich weiter und die Nahrungsquellen werden immer zugänglicher. Die Wissenschaft offenbart Wissen über unser Gehirn und unseren Körper, eine alltägliche Form der Macht, die die Lücke zwischen dem, was wir sind, und dem, was wir werden wollen, sowohl als Individuen als auch als Menschen, schließen kann. Durch medizinische und soziale Disziplinen entwickeln wir ein völlig neues Verständnis des menschlichen Zustands. Vitalität und Vollständigkeit.

Wir können transformative, dauerhafte neue Realitäten schaffen, indem wir widerstandsfähige, transformierte Menschen werden. Es geht um den Liebhaber und den geliebten Menschen und den Bürger und den Politiker, den Sozialunternehmer und die Person, die in Not ist. Ich bin es, und damit sind auch Sie gemeint.

* * *

Bei der Anwesenheit geht es ums Zuhören. Es geht nicht darum, still zu sein. Ich interagiere mit anderen, die meine Erfahrungen teilen, und nicht nur mit meinen Fragen. Ich habe gelernt, dankbar zu sein für die Unvorhersehbarkeit des Verlaufs meines eigenen Lebens und für die Perspektive, die mir gewährt wurde. Es hat mir ein tiefes Wissen über die Randräume vermittelt, die tatsächlich das Fundament der Gesellschaft bilden, und mir Zugang zu Bereichen verschafft, in denen Macht ausgeübt wird – dem Potenzial von Ideen und der Kraft des Handelns. Ich habe die langen Bögen der Vergangenheit verstanden, die eine Inspirationsquelle für das sind, was wir als die Krisen betrachten, die wir heute erleben. Ich habe erfahren, woher wir kamen und wie wir von dort dorthin kamen, wo wir sind.

Mein Geburtsort war in den frühen Abendstunden, als die Ergebnisse der Wahlen von 1960 eintrafen, dem Jahr, in dem John F. Kennedy zum Präsidenten gewählt wurde. Ich bin in Shawnee, Oklahoma, aufgewachsen, einer kleinen Stadt mitten in einem jungen Staat zwischen Amerika und einem Land, in dem die Menschen dazu neigten, ihre Vergangenheit zu vergessen und die Geißeln ihrer Vorfahren der Vergangenheit zu überlassen. Meine Großeltern mütterlicherseits fuhren mit ihren Planwagen in das alte Indianergebiet, um im wilden Oklahoma-Staub ihr Leben aus dem Nichts aufzubauen. Mein Vater wurde von der Familie, die ich meine Großeltern nannte, adoptiert, als ich drei Jahre alt war. Für ihn und uns war es nur eine dünne, zerbrechliche Schicht.

Ich bin mit großem Verlangen aufgewachsen, war mir aber nicht sicher, wozu es dienen sollte, und hatte keine Ahnung vom Universum außerhalb von Oklahoma oder Texas. Die wichtigste Quelle sozialer Interaktion war die Southern Baptist Church, in der mein Großvater Pastor war. Das einzige Buch, das ich studieren musste, war die Bibel, weshalb ich mich oft spätabends mit den großen Fragen auseinandersetzte, die sie aufwarf, aber auch mit denen, die sie scheinbar nicht löste. Danach verbrachte ich die gesamte Sommersaison meines Abschlussjahres an der High School in einem Debattiercamp in Chicago und traf dort Menschen, die mir halfen, die Möglichkeiten des Säkularen zu verstehen. Einer von ihnen würde alles tun, um an die Brown University zu gehen, wovon ich noch nie gehört hatte, weshalb ich mich auch bewerben konnte. Der Flug nach Brown ähnelte für mich einem Flug zum Mars. Als ich ankam, fand ich einen meiner Eltern, den längst verstorbenen Präsidenten, der in meinem Schlafsaal lebte. Die Welt der Paralleluniversen, anderer Planeten und die Art von Geschichten, die ich in der Science-Fiction liebte und die Wissenschaftler jetzt als ernst betrachten – so viel über den Sprung von Shawnee und Providence schien mir eine perfekte Ergänzung zu sein.

Aufregende Sprünge, so spannend sie auch sein mögen, sind zumeist hart für die Lebewesen. Der Boden einer Grube, die ich jetzt erkennen kann, ist das erste Mal, dass ich in meinem zweiten Jahr an der Universität eine Depression erlebte. Ich fühlte mich überwältigt von all den Büchern, die ich nie gelesen hatte, den Zielen, an denen ich noch nie gewesen war. Ich dachte, ich würde meine Klassenkameraden in dieser abgeschiedenen Welt nie einholen können. Ich beschloss jedoch, mich auf die Möglichkeiten zu stürzen, die sich mir nun boten. Ich belegte einen Deutschkurs, reiste quer durch Europa zurück und flog dann zum zweiten Mal zum Mars: Ich konnte ein Semester lang an einem unwirklichen Austauschprogramm in Rostock teilnehmen, der kommunistischen ostdeutschen Stadt Rostock an der Ostküste Ostsee.

In Rostock wurde ich – intellektuell und emotional – von der Teilung Deutschlands im Besonderen und der Welt im Allgemeinen in Kommunismus und Kapitalismus, geopolitisches Gutes und geopolitisches Böse erfasst. Mich faszinierte die Botschaft aus der Mitte des 20. Jahrhunderts, dass sich alle entscheidenden Fragen in der politischen Arena befanden und dort auch alle legitimen Lösungen zur Verfügung standen. Ich legte meine Gedanken über Gott beiseite und begann, die Welt mit Respekt durch die Medien und das politische System zu schützen.

Nach dem College studierte ich in der ruhigen westdeutschen Hauptstadt Bonn und zog später als Korrespondent der New York Times in das geteilte Berlin. Mir wurde weder ein nachhaltiges Einkommen noch irgendeine Art von Nebenverdienst garantiert. Aber es war eine geschäftige Zeit in ganz Mitteleuropa, und ich zeichnete Geschichten per Fernschreiber in Ostdeutschland und mithilfe der innovativen neuen Modemtechnologie auf, die aus dem Westen kam. Nach 18 Monaten bekam ich eine Stelle im Außenministerium, das im Grunde ein Regierungszweig im Nachkriegs-Viermächteabkommen war

Die Mauer wurde eingestürzt. Ich war an der Entwicklung von Beziehungen innerhalb der Berliner Mauer beteiligt und hatte den Auftrag, diese aufrechtzuerhalten. Überall zwischen den Menschen, die in den Achtzigern über die „innerdeutsche Grenze" wanderten, kam es zu einer Vermehrung menschlicher Bindungen. Umweltschützer erwachten, als die menschlichen Interaktionen und die Umwelt, die sie mit ihrer Kirche, Kunst und Politik teilten, auf faszinierende Weise subversiv aufeinander prallten Wege; junge Menschen, die erwachsen werden, die Welt der kommunistischen Propaganda am Tag und das westliche Fernsehen in der Nacht. schizophren, kulturell verwirrt und unvorstellbar aufgeregt zu sein.

Ich hatte das Glück, spannende Jobs im Westen zu bekommen und wurde schließlich Stabschef des neu ernannten amerikanischen Botschafters, der ein Atomwaffenexperte war. Der Beruf, den ich schuf, war mein Personalausweis. Ich habe in Berlin viel gelernt, was sich in dem völlig anderen Berufsweg widerspiegelt, auf dem ich mich derzeit befinde. Damals gab es keine Diskussionen über Religion, Geist oder andere Bedeutungen, die nicht politisch waren. Das geopolitische Drama war jedoch im Moment und an diesem Ort ein existenzielles Problem. Als Kind war ich von dieser Leidenschaft fasziniert. Die deutsche Geschichte war ein Labyrinth aus Schichten und für Menschen jeden Alters so intensiv, mit einer gewaltigen, unerschütterlichen Last. Seine Dämonen waren in jedem Raum präsent, wurden identifiziert und unaufhörlich bekämpft.

Was mich am Ende noch mehr faszinierte als die Politik, die Berlin dominierte, war das gewaltige soziale Experiment, zu dem es geworden war. Die Stadt, die ein Volk und eine gemeinsame Sprache war, sowie Geschichte und Kultur waren in zwei völlig gegensätzliche Weltanschauungen und Perspektiven gespalten, die fest verwurzelt waren, als ich zum ersten Mal nach Berlin kam. Ich war beeindruckt von den Menschen auf beiden Seiten der Mauer, die mitten in der Seele dieser Stadt verliefen.

Allerdings zog es mich in dem verzweifelten Versuch, meine geistige Gesundheit zu bewahren, in den Osten und in den Osten, wo er gefährdet sein könnte und mein Leben und mein Geist vitaler und energiegeladener waren. Diese Erkenntnis erschütterte meine Wahrnehmung meiner persönlichen Entwicklung und Bildung und ließ mich erkennen, dass es möglich ist, im Westen viel Freiheit zu genießen und ein einsames Leben zu führen. Es war mir auch möglich, im Osten „nichts zu haben" und ein Umfeld der Intimität, Schönheit und Würde zu führen.

Als am 9. November 1989, meinem neunundzwanzigsten Geburtstag, mit der Öffnung der Mauer begonnen wurde, hätte sich niemand vorstellen können, dass sie fallen würde oder dass der Eiserne Vorhang fallen würde. Wir beschränken unsere Erzählung dieser Vorfälle auf den Bereich der Raketen und der Diplomatie und des faszinierenden Charismas von Reagan und Gorbatschow. Jeder von ihnen spielte sicherlich eine wichtige Rolle in dem Drama, ebenso wie die Strategen und Diplomaten, die um ihn herum waren. Allerdings haben sie die Situation nur bis zu einem gewissen Grad verstanden. Die Mauer wurde schließlich im Handumdrehen zertrümmert, nicht mit einem Knall, und der Schrecken verschwand mit einem Schlag im ganzen Land. Ich war zu Fuß oder mit dem Auto durch den Checkpoint Charlie gegangen

viele Male, während er seine Absurdität als Quelle der Autorität anerkennt. Am Abend wurde die Mauer gestürzt, nachdem der Bürokrat während einer Pressekonferenz einen Patzer begangen hatte, und die ganze Stadt war fröhlich durch die Mauer gestürzt. Grenzschutzbeamte schlossen sich ihnen an. Es war wirklich so einfach. Es gibt Bereiche in unserem Leben, über die wir nicht nachdenken oder die wir nicht einmal angehen können und die mehr Potenzial für Veränderungen bieten, als wir uns jemals vorstellen können.

Meine Erfahrungen in Berlin führten mich zu den Fragen, die ich seitdem gestellt habe. Wie sprechen wir mit den rohen, lebenswichtigen, lebensspendenden und herzzerreißenden Orten in uns, damit wir sie achtsam besser verstehen, die Lektionen, die sie uns vermitteln, in die Praxis umsetzen und ihre Weisheit für unser gemeinsames Leben nutzen können?

Es war die Theologie, mit der ich mich in meinen Dreißigern zu beschäftigen begann. Sie bot eine Vielzahl theologischer Vokabeln und Werkzeuge, um die Art von Fragen zu stellen. Während das öffentliche Auftreten der Theologie im Laufe der Zeit mit abstrakten Vorstellungen von Gott und Kämpfen um Gott in Verbindung gebracht wurde, bin ich dankbar für ihre reiche Tradition, sich mit der überwältigend komplizierten Natur des Menschen, seiner Handlungen und seines menschlichen

Wesens auseinanderzusetzen. Es hat die Entwicklung von Eigenschaften hervorgehoben, die für mein jüngeres Ich, das von der Theologie beeindruckt war, verdächtig und fromm, aber auch idealistisch klingen konnten: Ganzheitlichkeit, die über den Fortschritt hinausgeht; Hoffnung, die über Pragmatik hinausgeht; Liebe jenseits der Grenzen der Realpolitik.

Auf den folgenden Seiten folgen Menschen und Stimmen, die diese Möglichkeit in der aktuellen Transformation, die wir gerade erleben, erkennen können. In diesem Buch steckt jede Menge Poesie, weil sie schön und essenziell ist und weil es auch tiefere Motive gibt, die ich erforschen werde. Es gibt auch viel Wissenschaft. Mein Gesprächsleben ist erfüllt von der Weisheit von Neurowissenschaftlern, Physikern, Biologen und Neurowissenschaftlern, die Fragen stellen und Entdeckungen machen, die Licht auf Fragen der Moral werfen, die einst Philosophen und Theologen vorbehalten waren.

Die Hauptstütze auf diesen Seiten ist die Sprache, die zur Beschreibung von Tugend verwendet wird, ein vielleicht altmodischer Begriff, aber ich habe festgestellt, dass er junge Menschen anzieht, die sofort die Notwendigkeit konkreter Disziplinen erkennen, die den Wunsch in Taten umwandeln. Unsere religiösen Traditionen verkörperten im Laufe der Jahrhunderte Tugenden. Sie sind nicht das Werk von Heiligen oder Helden, sondern Instrumente für ein Berufsleben. Sie sind ein Stück Weisheit über menschliches Verhalten, das die Neurowissenschaft mit neuen Bildern und Worten untersucht, die wir üben können. Was wir tun und lernen, verwandeln wir in etwas. Was beim Spielen auf dem Klavier oder beim Kicken eines Fußballs der Fall ist, gilt auch für unsere Fähigkeit, die Welt auf destruktive und gedankenlose Weise oder auf anmutige und großzügige Weise zu erkunden. Ich konnte positive Eigenschaften erkennen und

Rituale als spirituelle Techniken, die uns helfen, in Raum und Zeit unser Bestes in Blut und Fleisch zu geben.

Es gibt bestimmte Tugenden, die einem sofort in den Sinn kommen und die das Ergebnis eines einzigen Tages oder eines ganzen Lebens sein können – Liebe, Vergebung, Mitgefühl. Es sind die subtilen Veränderungen im Denken und Verhalten, die dies ermöglichen, indem wir die Rohstoffe loslassen, aus denen unser Leben besteht.

Ich habe meine Gedanken in fünf Kategorien von Grundelementen gegliedert, den grundlegenden Aspekten des täglichen Lebens, von denen ich überzeugt bin, dass sie die Grundlage für Weisheit bilden. Mein Verständnis und meine Erfahrung in diesen Angelegenheiten haben sich völlig verändert.

Das erste sind Worte. Wir haben den Glauben an die Wahrheit der Tatsachen verloren, um uns die ganze Geschichte zu liefern oder unseren Lesern sogar die ganze Wahrheit über uns selbst und die Welt zu offenbaren. Wir werden oft ausgegrenzt und sind erstaunt über das, was in unserem Alltag als Diskurs gilt. Auch die Worte, die wir für Tugend halten, werden durch übermäßigen Gebrauch und Klischees sabotiert. Ich untersuche die reale Bedeutung, die in „schimmernden Worten" liegt, in der Wortpoesie der Schriftstellerin Elizabeth Alexander. Ich bin davon überzeugt, dass es möglich ist, unsere tiefsten Überzeugungen und Leidenschaften auf eine Weise auszudrücken, die die Vorstellungskraft erweitert, anstatt sie zu verschließen. Ich teile meine Erfahrungen darüber, wie wichtig es ist, mehr Fragen zu stellen. Die Welt von heute braucht die lebendigste und transformierendste Sprache, die Sie und ich schaffen können. Wir können sofort damit beginnen, die Gespräche zu führen, die wir gerne hören würden, und die Geschichte unserer Zeit auf eine neue Art und Weise zu erzählen.

Der dritte bezieht sich auf das Physische. Der Körper ist der Ort, an dem jede Tugend existiert oder stirbt. Dies hat jedoch in meinem Leben eine andere Bedeutung als für die Welt der Religion in meiner Jugend. Die neuesten wissenschaftlichen Erkenntnisse offenbaren ein Bild zur Heilung und Regeneration, das genauso realisierbar ist wie zuvor. Während wir lernen, sind unsere physischen Körper mehr als nur physisch. Sie tragen Schmerz, Freude und Erinnerungen in sich, aber auch unsere Fähigkeit, die Welt und einander zu öffnen und zu schließen. Es gibt tiefe Verbindungen zwischen Schönheit, Freude und Weisheit. Und das lernen wir wieder ganz praktisch, angefangen bei der Auswahl der Lebensmittel. Ich bin zu der Überzeugung gelangt, dass unsere Fähigkeit, über uns selbst hinauszugehen – Geheimnisse zu erfahren oder für andere präsent zu sein – davon abhängt, wie vollständig wir mit all seinen Fehlern und seiner Anmut in unseren Körper eingepflanzt sind.

Der dritte ist Liebe. Es ist das einzige Ziel, das groß genug ist, um die enorme menschliche Interaktion und die Herausforderungen des 21. Jahrhunderts zu bewältigen. „Liebe" ist ein anderes Wort, das etwas (oder mehr) zerstört ist. Wir vergessen oft, dass es da ist.

Wir bezeichnen es als etwas, an dem wir teilhaben und aus dem wir herauskommen können. Es handelt sich um ein Stück Weisheit über den Zustand des Menschen und darüber, wozu wir fähig sind, eine Eigenschaft und Lebensweise, die wir gerade erst zu entdecken begonnen haben. Menschen, die im Laufe der Geschichte die Welt um ihre Achse verändert haben, haben die Menschheit dazu gedrängt, die Liebe anzunehmen. Wir müssen diese Herausforderung jetzt in unserem eigenen Leben leidenschaftlicher annehmen und lernen, was es bedeutet, etwas Praktisches, Kreatives zu lieben und es als gesellschaftlichen Nutzen und nicht nur als privaten Nutzen zu ertragen. Es geht nicht mehr nur um Politik, wie man sagt, sondern fast alles hat einen bürgerlichen Wert. Überall, wo ich hingehe, höre ich, dass der Begriff Liebe als ein Bedürfnis für unser gemeinsames Leben erwähnt wird. Ich teile, was ich darüber höre, wie Liebe sein könnte, wenn wir uns mit Fragen der Rasse und des wirtschaftlichen Wohlergehens auseinandersetzen. Auch unser wachsendes Verständnis des Gehirns ist Teil dieser Geschichte. Ein fantastischer neuer Freund, der sich von Angst und Fürsorge löst und unsere inhärente Zugehörigkeit zueinander versteht.

Das vierte Element ist der Glaube. Mein Leben begann mit der Auseinandersetzung mit dem Thema Glauben. Meine Fragen haben sich weiterentwickelt, als sich mein Glaube zu Beginn des 21. Jahrhunderts veränderte. Die Weisheit der spirituellen Vergangenheit steht uns jetzt wie nie zuvor zur Verfügung und wir können uns nun dafür entscheiden, unser persönliches spirituelles Leben selbst zu gestalten. Dies führt gewissermaßen zu einer Wiederentdeckung der tiefsten Aspekte der Tradition im Interesse des gesamten Planeten. Meine Gedanken und Sorgen werden durch Gespräche mit Physikern sowie das Aufkommen des Nichtreligiösen bereichert. Das Paradoxe an den Zusammenhängen, die mich interessieren, besteht darin, wie unsere Technologie ein Bewusstsein dafür eröffnet, dass die buchstäbliche Welt nicht alles ist, was es gibt, und dass der reiche Wortschatz der Mathematiker und Wissenschaftler voller Schönheit und Geheimnis ist. Ich glaube, dass die Erfahrung des Mysteriums eine normale menschliche Erfahrung ist, zu der auch die Geburt und das Erleben von Liebe und Tod gehören. Ein gesteigertes Bewusstsein für die Sprache des Mysteriums und die inhärente Tugend, Fragen über die Grenzen von Unglauben und Glauben oder Wissenschaft oder Glauben hinweg zu stellen, kann uns helfen, unsere eigenen persönlichen Wahrheiten und Talente mit Freude auszuleben und gleichzeitig die Existenz anderer anzuerkennen. Ich weiß nicht, wie Religion in einem Jahrhundert aussehen wird, aber die Entwicklung des Glaubens wird unser Leben zum Besseren verändern.

Der fünfte ist Hoffnung. Gespräche in meinem Leben führten mich dazu, die Bedeutung der Hoffnung neu zu definieren. Ich definiere Hoffnung als etwas, das sich von Idealismus oder Optimismus unterscheidet. Es ist nicht mit Wunschdenken verbunden. Es spiegelt auf Schritt und Tritt die reale Welt wider und liebt die Wahrheit. Es ist aufgeschlossen und beeindruckt von der Dunkelheit, die sich unweigerlich in das grelle Licht der Welt eindringt und es manchmal zu erobern scheint. Hoffnung ist, wie alle Tugenden, eine Wahl, die schließlich zur Gewohnheit wird und sich in ein spirituelles Muskelgedächtnis verwandelt. Es ist eine erneuerbare Ressource, die Ihnen hilft, das Leben so zu leben, wie es ist.

Nicht so, wie wir es sehen wollen. Ich werde einige der schönen Gesichter und Geschichten beschreiben, die ich als Teil der Erzählung unserer Zeit gesehen habe, und darauf hinweisen, wozu wir fähig sind, genau wie jede andere Geschichte von Verfall und Gefahr.

Der jesuitische Paläontologe Pierre Teilhard de Chardin ist die Inspiration für dieses Werk, insbesondere wenn ich über die Hoffnung der Menschheit nachdenke. Zu seinen Lebzeiten begeisterte er sich für die wissenschaftliche Revolution, intellektuelle Strenge sowie eine fesselnde, weitreichende Vision des menschlichen Geistes. „Eine Interpretation des Universums", schrieb er, „bleibt unbefriedigend, es sei denn, sie deckt sowohl das Innere als auch das Äußere der Dinge ab, den Geist ebenso wie die Materie." Beim Ausgraben des alten Fossils des „Peking-Menschen" in China und der Vorstellung, wie die Zukunft der Menschheit unsere moderne Seele und Psyche ausgraben wird – nur um als primitiv angesehen zu werden. Er sagte voraus, dass wir die Biosphäre und die Noosphäre abdecken würden – den Bereich, in dem der menschliche Intellekt, sein Wissen und seine Handlungsfähigkeit liegen. Er sagte voraus, dass es dem Internet ähnlich sein würde. Er glaubte, dass das Internet der Katalysator für die nächste Evolutionsstufe sein wird, nämlich eine Evolution des Bewusstseins und des Geistes. Dies ist eine enorme und aufregende Vision, um sich die künftigen Herausforderungen vorzustellen, die wir gerade in der Gegenwart erleben könnten.

Teilhard glaubte jedoch an eine langsame, tiefe geologische Zeit, und das sollten wir auch tun. Eine langfristige Sicht auf die Zeit wird uns helfen, unser Verständnis unserer eigenen Existenz und der Welt um uns herum wiederzuerlangen. Wir befinden uns noch im Jugendstadium unserer Spezies und sind noch lange nicht im vollen Besitz unserer Fähigkeiten. Die Welt des 21. Jahrhunderts ähnelt der heutigen Welt der Gehirne von Teenagern, die extrem ungleichmäßig, manchmal innovativ und kreativ, manchmal gefährlich und destruktiv sind.

In Amerika gibt es viele Aspekte unseres öffentlichen Lebens, die eher für die Jugend als für das Erwachsenenalter geeignet sind. Wir beteiligen uns nicht an den Aktivitäten, die Erwachsene lernen können, wie etwa, uns zu beruhigen und weniger egozentrisch zu werden. Der Großteil der Medien und der Politik führt uns in eine negative und narzisstische Richtung. Wir reduzieren große moralische Fragen auf „Themen", vereinfachen sie auf zwei Seiten und erlauben den Medien und Politikern, sie als widersprüchliche Extreme darzustellen. Allerdings sehen die meisten von uns die Welt nicht auf diese Weise und so funktioniert die Welt auch nicht. Ich bin mir nicht sicher, ob es so etwas wie ein kulturelles „Zentrum" gibt oder ob es überhaupt faszinierend ist, wenn es existiert. Aber sowohl links von der Mitte als auch mitten in der weiten Mitte und im Zentrum unseres Lebens haben wir alle Fragen, die nicht unsere Antworten sind, ein bisschen Faszination für unsere Überzeugungen. Dieses Buch richtet sich an diejenigen, die die großen Fragen beantworten möchten.

unseres Lebens, die in der Lage sind, mutig zu denken und zu handeln, neue Realitäten in der Welt, in der wir leben, der Gegenwart zu schaffen, und dies mit Eifer und Freude zu tun.

Ich habe noch keinen Menschen kennengelernt, der nicht in der Lage ist, ein Gefühl der Freude zu finden, wenn es nicht einfach ist, und der nicht in der Lage ist, frei und sogar über sich selbst zu lächeln und zu lachen. Humor steht bei mir ganz oben auf der Liste meiner Tugenden, kombiniert mit Demut und Mitgefühl sowie der Fähigkeit, sich anzupassen, wenn es die beste Wahl ist. Es ist eine Tugend, die dafür sorgt, dass wir uns im Vergleich zu allen anderen Tugenden wohler fühlen. Desmond Tutu, von dem ich glaubte, dass er unbestreitbar ist, glaubt, dass Gott eine angeborene Fähigkeit zum Lachen hat. Die Wissenschaft hilft uns, den Humor des Gehirns als Ausdruck von Kreativität zu sehen, unwahrscheinliche Verbindungen herzustellen und diese Verbindungen mit Begeisterung anzunehmen. Deshalb glaube und hoffe ich, dass auf diesen Seiten gelegentlich ein Lächeln auf der Stimme zu hören ist. Außerdem bringe ich hier mehrere Stimmen mit, kleine Gesprächsfetzen, die meine Gedanken ausfüllen und formen, so wie sie es immer wieder in meiner Arbeit und meinem Leben sind.

Ich bin nicht schockiert über den Gedanken, dass in einem so komplexen Universum wie unserem unlogische und schreckliche Dinge geschehen, in denen intelligente Wesen wie wir das Sagen haben. Allerdings ermutigt mich die Tatsache, dass das Unerwartete das Einzige ist, was konstant bleibt.

Wir sind nie verantwortlich und haben nicht wirklich die Kontrolle. Nichts wird so sein, wie wir es uns vorgestellt haben. Unsere größten Ziele werden nicht erreicht, und die schlechtesten Vorhersagen werden es auch sein. Ich bin begeistert von der fesselnden und erlösenden Wahrheit, für die jedes meiner Gespräche eine nuancierte Erinnerung daran ist, dass wir von den Dingen erschaffen werden, die uns zerbrechen lassen. Die Geburt selbst ist ein Sieg durch einen blutigen, gefährlichen Prozess. Das Gehen wird erst dann erlernt, wenn die Gefahr eines Sturzes besteht, und das gilt – mit der entsprechend komplizierteren Dynamik, ein Leben lang. Ich habe viele Variationen zu diesem Thema gehört – den Kampf mit der Krankheit, der dazu führt, dass der Mensch zurückbleibt, und der Schmerz der Kindheit, der zur Berufung führt

– die körperliche Behinderung, die Vollständigkeit und ein Bewusstsein für die Gesamtheit der Welt ermöglicht. Es gibt Ihre eigenen persönlichen Geschichten über die dramatischen und alltäglichen Momente, in denen der Durchbruch zu einem tieferen Verständnis von Ihnen und einem Teil des Geschenks, das Sie dem Universum anbieten, gescheitert ist. Hier beginnen Sie, Weisheit zu entwickeln.

Was für den Einzelnen gilt, gilt auch für jeden. Unsere Herausforderungen sind nicht schmerzhafter als die verheerenden Kriege und Depressionen des vergangenen Jahrhunderts. Unsere demografischen, wirtschaftlichen und ökologischen Probleme sind tatsächlich lebenswichtig. Ich glaube, wir spüren dies in unserem Körper, obwohl dies keine Geschichte ist, die auf einem Konsens über die Konturen basiert. Die globale Krise und das Ausmaß der Einsätze, die wir spielen, könnten der Anfang vom Ende unserer Zivilisation sein.

Das haben wir gesehen. Dies könnte der Grund sein, warum Menschen perverserweise die eigentliche Aufgabe übernehmen müssen, die darin besteht, die menschliche Verfassung effektiv und intelligent anzugehen und dann mit ihrer Entwicklung zu beginnen.

Ich glaube, es ist eine wesentliche Tatsache unseres Lebens, dass Worte wichtig sind. Es ist so offensichtlich, dass wir es mehrmals am Tag übersehen können. Die Worte, die wir sprechen, definieren die Art und Weise, wie wir

kennen unsere eigenen Wahrnehmungen, wie wir die Welt um uns herum wahrnehmen und was wir mit anderen Menschen tun. Seit Genesis durch die indigenen Lieder Australiens haben die Menschen immer verstanden, dass die Benennung der Schlüssel zum Verständnis aller Dinge des Lebens ist. Die Rabbiner der Vergangenheit betrachteten Texte, Bücher und die Buchstaben bestimmter Wörter als Lebewesen. Worte sind die Grundlage von Welten.

Wir haben eine Entscheidung getroffen, die in dem Jahrzehnt, in dem ich geboren wurde, eine zu geringe Phrase war – das Wort – Toleranz –, um die Gesellschaft zu schaffen, in der wir heute leben möchten. Wir öffneten uns für die Rassenunterschiede, die es schon lange gab, unterschiedlich, aber gleich, und für die neue Verschmelzung verschiedener Ethnien, Religionen und Glaubensrichtungen. Allerdings ist Toleranz nicht immer willkommen. Es duldet, lässt zu und verwöhnt. Im medizinischen Lexikon geht es um die Einschränkungen, die das Leben in einer negativen Umgebung mit sich bringt. Toleranz war nur ein erster Schritt, der Pluralismus ermöglichte, und Pluralismus ist wie alle anderen Konzepte eine Quelle der Illusion, die Kontrolle zu haben. Es erfordert nicht, dass wir uns um Fremde sorgen. Es verlangt nicht von uns, uns zu treffen, neugierig aufeinander zu sein und voneinander berührt oder erstaunt zu sein.

Hier sind ein paar Worte, in die ich verliebt bin, Worte, die Präsenz ausdrücken und nicht ein Mittel zum Ziel sind: nährend, erbaulich, erlösend, mutig, großzügig, charmant und neugierig, abenteuerlustig, sanft. Ich habe mein Berufsleben begonnen

Das Leben von Journalisten ähnelt stark dem Umgang mit Worten. Das 20. Jahrhundert war eine Zeit der Krise und Eindämmung, der Realpolitik. In der damaligen Zeit und darüber hinaus waren uns bestimmte Wörter, die wir am meisten brauchten, für ein paar Seitenleisten in den Nachrichten vorbehalten. Sie wurden verworfen und wurden zu Klischees. Frieden ist ein seltsam gespaltenes Thema. Gerechtigkeit ist ein bisschen politisch. Ich wundere mich nicht über die Vorstellung, dass es darum geht, „Vielfalt zu feiern", indem man sie auf ein hohes Podest stellt, sondern dass man ihre Unordnung und das Tiefste ignoriert. Ich verbinde die Worte des täglichen Lebens mit dem gesellschaftlichen Leben, da wir in den letzten

Generationen unsere Wahrnehmung des öffentlichen Lebens verzerrt haben, die sich zu eng auf das politische Leben konzentriert. Ich füge immer schnell Qualifikationsmerkmale hinzu, wenn ich Wörter wie „Höflichkeit" verwende – Wörter wie zum Beispiel Ehrfurcht gebietend, Wörter wie „oder muskulös" oder „aufregend" –, weil es möglich ist, zu freundlich, höflich und höflich zu sein.

Wörter sind nur Behälter auf einer Ebene, aber das ist der Kernpunkt. Die Verbindung zwischen Bedeutungen und Wörtern ähnelt der Synergie zwischen Spiritualität und Religion. Wörter werden von Menschen geschaffen und von Menschen manipuliert. Sie spiegeln alle unsere Unvollkommenheiten und Fehler wider. Sie unterdrücken oder verstärken die Wahrheiten, für deren Vermittlung sie geschaffen wurden. Wir machen sie oft kaputt und lassen sie fallen. Sie werden immer wieder erneuert.

Sehen Sie sich diesen Austausch mit der Autorin und Elizabeth Alexander an

Wir wollen was. Wir sind auf der Suche nach Wahrsagern. Wir sind auf der Suche nach der Wahrheit. Es gibt ständig viel Unsinn. Die Aufführung politischer Reden, von Reden, die Sie in den Nachrichten sehen, kommt Ihnen nicht oft so vor, als ob es eine Gedankenblase darüber geben sollte, die sagt: „Was ich wirklich sagen müsste, wenn ich die Chance hätte, das ist ..." ."

Elizabeth Alexander war die Dichterin, die das Gedicht zum Zeitpunkt der ersten Amtseinführung Obamas schrieb, und gehört zu meinen Top-Autoren, die sich mit dem Mangel an „offizieller Sprache und offiziellem Diskurs" befassen. Das von ihr verfasste Gedicht, das sie im Januar 2009 in der Washington Mall vorlas, handelte von dem nebulösen, erstaunlichen Zusammenspiel von Worten und Realität. Zwei Jahre später kontaktierte ich sie für ein Gespräch, in einer Zeit der politischen Ära, in der die Sprache wild wurde. Dann wurde die Abgeordnete Gabrielle Giffords angeschossen und verwundet, und mehrere andere wurden bei ihrem Tod getötet.

öffentliche Versammlungen vor dem Lebensmittelgeschäft in Arizona. Ich befürchtete, dass ein Auftritt mit einem Dichter in einer Zeit nationaler Verwüstung bestenfalls etwas naiv oder im schlimmsten Fall naiv sein könnte. Stattdessen war es eine Flut der gleichen freudigen Dankbarkeit, die ich in mir verspüre, wenn Poesie in mein Leben tritt und verlangt, dass ich sie in meinen Geist eindringen lasse.

Wir sind hungrig und warten darauf, eine neue Sprache zu lernen, mit der wir miteinander kommunizieren können; Das ist es, was Elizabeth Alexander nennt.

Hören Sie sich dieses Gespräch zwischen dem Schöpfer und Elizabeth Alexander an

Als Mutter gewinne ich jeden Tag so viel. Meine Jungs sind jetzt 11 und 12 Jahre alt und man kann beobachten, wie Kinder spüren, wenn sie überrascht werden. Sie fühlen sich auch zu einer Sprache hingezogen, die glänzt, oder zu einzelnen Wörtern, die Kraft haben. Sie werden Sie bitten, ein schillerndes Wort zu wiederholen, wenn sie es zum ersten Mal hören. Es ist in ihren Augen deutlich zu erkennen.

Wir haben auch einen kleinen Sohn. Fällt Ihnen einer dieser Begriffe ein?

Eigentlich würden sie, wenn sie heute hier wären, gerne getäuscht und getäuscht werden. Manchmal fragen mich Leute, wenn sie Gedichte lesen, die ein „Ich" enthalten, das autobiografisch zu sein scheint – die Leute interessieren sich für die Details. Was genau ist Ihnen dabei aufgefallen? Hast du es verursacht? Ich versuche zu vermitteln, dass, selbst wenn ich mich von persönlichen Erfahrungen inspirieren lasse, die Realität eines Gedichts weit über die Frage hinausgeht, ob es tatsächlich stattgefunden hat oder nicht. Was wichtig ist, ist die zugrunde liegende Wahrheit, von der ich glaube, dass sie die Kraft der Poesie ist.

Wenn Sie sprechen, denke ich an das Gedicht „Ars Poetica #100: I Believe", das Sie geschrieben haben, insbesondere an diese Sätze:

Poesie ist das, was Sie finden können.

im Dreck um die Ecke

Hören Sie den Busfahrer, Gott

In die feineren Details kommt man nur durch die Details.

um von hier aus auf die andere Seite zu gelangen.

Poesie (und jetzt steigt meine Lautäußerung)

Liebe ist nicht alles, was es scheint. Ist das alles Liebe und Liebe?

Der Tod des Hundes tut mir leid. ist verstorben.

Poesie (hier kann ich meine Stimme am lautesten hören)

Menschliche Stimmen sind die Stimme einer Person.

Sind wir füreinander nicht von Interesse?

Daher glaube ich, dass die Essenz dieses Gedichts nicht in den wahren Ereignissen oder Vorfällen liegt, sondern eher in der Frage: Sind wir wirklich aneinander interessiert? Für mich bedeutet das nicht, dass sie die Schuhe trägt, dass ich ihre Schuhe mag, oder dass sie einen interessanten Job hat. Es ist viel mehr als das. Sind wir Menschen, die in einer Gemeinschaft leben? Kommunizieren wir miteinander? Achten wir aufeinander? Wollen wir Freunde werden? Überbrücken Sie eine möglicherweise große Kluft zwischen Menschen. Wenn ich meine Kinder anschaue und denke, obwohl ich dich kenne, weiß ich nicht, was in deinen Gedanken vorgeht. Allerdings möchte ich meine Kinder so genau kennenlernen. Aus diesem Grund ist es so emotional, wenn man mit seinen Lieben zusammen ist. Ich glaube jedoch, dass es eine effektive Möglichkeit ist, auf der ganzen Welt zu sein. Wenn wir es nicht mit einer Sprache tun, die präzise, extrem und sehr präzise ist – nicht zu gekonnt, aber präzise – kommunizieren wir dann wirklich miteinander?

* * *

Nachdem ich Mitte der 1990er Jahre auf einem der seltsamen und ungeplanten Wege des Lebens nach Minnesota gezogen war, begann ich, die Kunst des Plauderns über die grundlegenden Fakten bei Benediktinermönchen aus der St. John's Abbey in Collegeville zu erlernen. Die im amerikanischen Leben vorherrschende religiöse Strenge erreichte ihren Höhepunkt

Toxizität, angeheizt durch die mediale Gier nach Stimmen, die für Unterhaltung sorgten. Ich war noch frisch von meinem Theologiestudium und war mir sehr bewusst, dass wir über äußerst begrenzte Kenntnisse und Vokabular verfügten, um über Themen zu sprechen, die in der Öffentlichkeit wichtig sind. Die Benediktiner gründeten in den 1960er Jahren ein abgelegenes, aber riesiges Institut zur Durchführung „ökumenischer und kultureller Forschung". Die Vorstellung, dass es eine Beziehung zwischen Katholiken und Protestanten gäbe, war ein unvorstellbar mutiger Schachzug. Es war der Nährboden für religiöse gegenseitige Befruchtung in der zweiten Periode des 20. Jahrhunderts.

Bei den Gründern der ökumenischen Einrichtung wurde Alzheimer diagnostiziert. Manche wurden einfach älter. Sie baten mich, einen mündlichen Bericht darüber aufzuzeichnen, was an diesem besonderen Ort geschehen war und was sich zugetragen hatte. Viele weit entfernte Leben waren hier in Kontakt gekommen und hatten dann Einfluss darauf, wie ihre Religion eine Beziehung zum religiösen Gegenteil aufbauen konnte. Dazu gehörten römisch-katholische und ostorthodoxe, presbyterianische und nazarenische Heiligkeits- und Pfingstler. Einer von ihnen war Tom Stransky, ein prominenter Präsident eines evangelischen Priesterseminars und ordinierter Paulistenpastor, der während des Zweiten Vatikanischen Konzils als Verbindungsmann des Papstes zu nicht-katholischen Beobachtern fungierte und jetzt sein eigenes Ökumenisches Tantur-Institut leitete, einen Ort, der ein Ort war der christlichen, jüdischen und muslimischen Interaktion mitten auf der Straße, die zwischen Jerusalem und Bethlehem verlief.

Die Verbindung zwischen diesen Religionsfremden war außergewöhnlich. Es war eine direkte Folge meiner Erfahrungen in Berlin, dass es in unserem Leben mehr Veränderungen geben wird, als wir uns vorstellen können. Sie alle blieben auf die gleiche Art und Weise und inbrünstig in ihrem Glauben, wie sie es schon seit langer Zeit waren. Doch die Freude an Neugier, Respekt und Bewunderung, die sie in den Gedanken und Reisen des anderen erlangten, veränderte die Welt tiefgreifend. Es machte die Lehre menschlicher. Es hat ihre Wertschätzung für ihre eigenen Traditionen neu entfacht und den Menschen auch ein Gefühl des Staunens über die verschiedenen Traditionen vermittelt, die sie in die Welt bringen. Sie haben diese neuen Denkweisen angenommen und sich in ihre Häuser und Gemeinschaften integriert. Der große Religionshistoriker Martin Marty hat gesagt, dass der Übergang Amerikas von einer protestantischen Mehrheit zu einer katholischen Mehrheit zu den reibungslosesten Übergängen in der Geschichte der Menschheit gehörte. Viele Kapitel der Geschichte, und das, was in Collegeville geschah, ist nur eines davon.

Pater Kilian McDonnell, ein Mönch aus der St. John's Abbey, der die ökumenische Institution gründete, war nach seiner Kindheit in den Wäldern von South Dakota ein weltreisender theologischer Botschafter. „Es war nicht das Ende der Welt", pflegte der Mönch über die Stadt zu sagen, in der er lebte.

„Aber man konnte es von dort aus sehen." Es war ein Jahrzehnt später, nachdem ich ihn kennengelernt hatte und als er 70 war, wurde der Dichter ein ziemlich erfolgreicher veröffentlichter Dichter. Mein persönlicher Favorit seiner Werke ist dieses:

Perfektion, Perfektion

Ich habe es perfektioniert.

Ich habe meine Taschen ins Auto gelegt,

Ich bin hier raus.

Gegangen.

So sicher wie der Regen

wird dich nass machen.

Perfektion wird Ihnen gehören

In.

Es ist nicht so Tau

Auf dem Gras des Sommers

um Freiheit und Grün zu bieten

Freude.

Perfektion ist eine Wohltat

die Tugend der Barmherzigkeit

Withers war davon entzückt

Geburt.

Wenn der Krieg halb begonnen hat,

Kalte Redlichkeit ist ein Gedanke

„Es ist nicht möglich zu gewinnen, das ist eine Tatsache, was bedeutet, dass es kein Spiel ist", räumt er ein

Krieg.

Ich habe meine Kündigung eingereicht

Ich habe meine Schlüssel zurückgegeben,

Ich habe meine Abfindung unterschrieben, ich

aufhören.

Einige Vorschläge, die ich hätte machen können:

Die perfekte gemeißelte Form von

Michelangelos atemberaubender David

schielt,

die Venus von Milo

hat keine Arme,

Die Freiheitsglocke ist

geknackt.

Pater Kilian und seine Familie lehrten mich die Kunst, bedeutungsvolle Wörter in den Farben und der Komplexität, dem nebulösen Material unseres Lebens, zu begraben. Die Wahrheit des Tiefgründigen entzieht sich ebenso wie die Sprache der Tugend dem Zugriff von Formeln. Es ist ein schneller Prozess der Verfestigung und kann in Abstraktion oder Klischee verwandelt werden. Wenn Sie jedoch eine spirituelle Perspektive auf ein Ereignis oder eine Erfahrung anwenden, entsteht ein Bild; Schreiben Sie den Ort auf, an dem es in Ihrem Wesen verankert ist, und es wird die Art und Weise verändern, wie Sie es und andere Menschen, die zuhören, erzählen.

In Collegeville begann die Diskussion über ein enormes, heikles theologisches Thema, indem man es als Frage formulierte und dann alle am Tisch aufforderte, diese Frage anhand der Erzählung ihres Lebens zu beantworten. Was ist Gott? Gebet? Wie lässt sich das Problem des Bösen am besten angehen? Was ist das Wesentliche der christlichen Hoffnung? Vielleicht widerspreche ich Ihnen, denn es stellt sich heraus, dass es nicht meine Meinung ist, aber ich stimme mit dem überein, was Sie erlebt haben. Wenn ich verstehe, was Sie erlebt haben, dass Sie und ich in einer Beziehung sind, die Komplexität der Position des anderen erkennen und offener zuhören. Die

Unterschiede in unseren Ansichten werden wahrscheinlich bestehen bleiben, aber sie definieren nicht die Grenzen zwischen uns.

In St. John's hatten wir die Gelegenheit, unsere Geschichten zu teilen und andere Geschichten zu hören, und Tage, um zu erkunden, was wir über die gestellten Fragen „Warum", „Was kommt als nächstes" und „So was" gelernt haben, und diese dann gemeinsam zu diskutieren . Es ist mir gelungen, die grundlegende Weisheit dieses Modells beizubehalten und sie an verschiedenen Orten und in verschiedenen Zeiten zu destillieren. Ich begleite Menschen, die zwischen den Dingen, die sie wissen, wer sie sind, ihrem Glauben und ihrer Lebensweise und dem, was sie uns daraus lehren können, hin und her gehen. Meine häufigste Eröffnungsfrage – ob Atheist oder Wissenschaftler, Eltern, Dichter, Atheist oder religiös Gesinnter – lautet: Gab es einen spirituellen oder religiösen Hintergrund in Ihrer Kindheit, egal wie Sie ihn jetzt definieren würden? ? Es ist wichtig anzumerken, dass sich dies stark von der weniger offensichtlichen, beängstigenden Frage unterscheidet, die ich niemals stellen würde: Erzählen Sie mir heute von Ihrem spirituellen Leben. Dieser Aspekt, der für uns persönlich ist, ist wie alles, was wir zu erklären versuchen, aber er ist das komplette Gegenteil dieser Fragen. Der sachkundige Quäkerautor und Lehrer Parker Palmer, mein geliebter Freund und Mentor, vergleicht unsere Seelen mit wilden Tieren, die im Hinterland der Psyche leben und bei Konfrontation wahrscheinlich fliehen.

„Der Begriff „Seele" gehört zu den vielen Wörtern, die auf eine Weise verwendet werden, die viele von uns beunruhigt. Die meisten Menschen, die ich gefunden habe, haben eine Geschichte über die spirituellen Wurzeln ihrer Kindheit zu erzählen. Diese einfache Frage lädt zu einer offenen Frage ein Ehrliche Erinnerung, die alle Nuancen, Kreativität und Klarheit würdigt, die wir über das Konzept des Wortes „Seele ist" oder „Geist" bedeutet, gesammelt haben. Sie weckt einen Teil in uns, der von den Nuancen von Gewissheiten, von Erfahrungen, von Träumen und Ängsten beeinflusst wird . Es ist ein Ort, an dem wir uns an Anfragen ebenso deutlich erinnern wie an die Antworten, denen wir vielleicht ein Leben lang gefolgt sind, und die wir mit der entsprechenden Ermutigung möglicherweise mit anderen Menschen teilen können. Ebenso wichtig ist, dass es die Grundlage für zukünftige Gespräche mit ihnen bildet Eine Haltung, die nachdenklicher und weniger formell ist als die typische Erwachsenenhaltung, die wir in den Augen anderer einnehmen. Sie führt auch ganz natürlich auf geraden oder schlängelnden Wegen zur Quelle der Neugier, die sich zur Leidenschaft des Erwachsenseins und der Berufung entwickelt.

Ich habe Antworten gehört, die in einem Wort zusammengefasst waren und dann weiter sagten: „Liebe" und „Einsamkeit". Vieles, was Menschen über die Religion ihrer Jugend sagen, basiert sowohl auf Abwesenheit als auch auf Präsenz. Die Mutter war beispielsweise diejenige, die die Familie in die Kirche brachte, während der Vater zu Hause blieb und Zeitung las. Der Name des zeitungslesenden Vaters ist wie jedes andere Ritual innerhalb der Mauern der Religion in das Gefüge zukünftiger religiöser Überlegungen eingebettet. Ich habe mit Wissenschaftlern gesprochen, die über ihre Entdeckungen gesprochen haben, dass die Mathematik die Farbmuster auf der Oberfläche des Ölteppichs sowie die Bewegungen von Sternen erklären kann, und wie diese Entdeckung beeindruckend war und ihnen ein Gefühl für einen zugrunde liegenden Zweck vermittelte Es war transzendent, dass es eine Möglichkeit bot, herauszufinden, wie das Universum funktioniert und wie wir hineinpassen. Ich habe ein Gespräch mit einem Neuropsychologen geführt, der als aufstrebender Freiwilliger für die Special Olympics begann, über das Konzept zu rätseln, was den Geist einzigartig und schön macht. Ich hatte das Vergnügen, den in Frankreich geborenen tibetischen buddhistischen Mönch und leidenschaftlichen Fotografen zu treffen, der seine Karriere als Atheist und Molekularbiologe begann. Sein Leben wurde durch Bilder von Mönchsgesichtern verändert, Bilder, die ein überraschendes Modell für eine Schönheit offenbarten , harmonisches und strahlendes Leben.

Es gibt viele erfreuliche, grundlegende, lebensspendende Motive, die Kraft persönlicher Erzählungen in allen Bereichen der Medien und unserer Kultur zu entdecken. Die Konversationskunst, von der ich hier spreche, ist mit der Kunst der Konversation verwandt, aber sie ist subtiler und geht in eine andere Richtung – wir teilen unsere Geschichten, um zu verstehen, wer wir sind und wer wir werden möchten. Ich glaube, dass jede große Geschichte mit einem anregenden Austausch beginnt, den wir miteinander führen können: Was ist die Frage? Wie

Wie wirkt sich das auf Ihre Sichtweise und Ihr Leben aus? Welche Auswirkungen hat das auf mein Denken und Leben? Ich glaube, dass wir in der Lage sind, uns weiterzuentwickeln, Worte mit größerer Kraft zu nutzen und die Geschichte unserer Zeit frisch zu erzählen.

Eines meiner Lieblingsbeispiele dafür ist ein früheres Gespräch, das ich mit einer weisen Frau und Ärztin, Rachel Naomi Remen, geführt habe. Ihre Worte veränderten meine Art, mich durch die Welt zu bewegen, und seitdem habe ich nie mehr zurückgeschaut. Sie begann, den Prozess der Krebsbehandlung und dann den Gegenstand der medizinischen Ausbildung in Frage zu stellen, nachdem sie erkannt hatte, dass jede Krankheit eine Geschichte ist. Bei jemandem wird Krebs, Diabetes oder eine Herzerkrankung diagnostiziert. Die Besonderheiten im Leben eines Menschen machen jedoch jeden Fall einer Krebs-, Herzerkrankung oder Diabetes einzigartig und jede Behandlung anders. Als ich über die spirituellen Auswirkungen ihrer Existenz nachdachte, erzählte sie mir ihre Geschichte von ihrem chassidischen

Großvater, einem Rabbiner, sowie vom Geburtstag der Welt – dem Hintergrund der kraftvollen und anspruchsvollen jüdischen Anweisungen „Repariere die Welt". "

Sehen Sie sich diesen Austausch zwischen der Autorin und Rachel Naomi Remen an.

Es war mein Geburtstagsgeschenk an mich selbst, diese Geschichte. Am Anfang gab es nur das Ein Sof, die Quelle allen Lebens. Im Laufe der Geschichte und zu einem bestimmten Zeitpunkt tauchte die Welt, die das Universum tausender Dinge darstellt, wie ein riesiger Lichtstrahl aus den Tiefen der heiligen Dunkelheit auf. Dann ereignete sich, möglicherweise aufgrund der Tatsache, dass es sich hier um die Geschichte einer jüdischen Erzählung handelt, ein Unfall und die Gefäße, die alle Lichter dieser Welt und des gesamten Universums enthielten, zerfielen. Die gesamte Welt sowie das strahlende Licht im Universum wurden in eine Million Lichtfragmente zerstreut. Sie fielen auf bestimmte Personen- und Ereignisarten, weshalb sie bis heute im Dunkeln bleiben.

Laut meinem Vater reagiert die gesamte Menschheit auf diese Katastrophe. Wir sind hier, weil wir die Fähigkeit haben, das verborgene Licht in allem und jedem zu sehen und es mit der Zeit ans Licht zu bringen und zu offenbaren und so die ursprüngliche Vollständigkeit des Universums wiederherzustellen. Es ist

eine wichtige Geschichte in unserer heutigen Zeit. Diese Mission ist als „tikkun olam" bekannt, was hebräisch ist. Es ist der Prozess der Wiederherstellung der Welt.

Das ist natürlich die Arbeit einer Gruppe. Es ist eine kollektive Anstrengung, die alle Geborenen und alle Lebenden sowie alle, die noch geboren werden, einbezieht. Wir alle sind Heiler auf der Welt. Diese Geschichte gibt uns einen Eindruck von den Möglichkeiten. Es geht nicht darum, die Welt durch eine signifikante Wirkung zu sanieren. Es geht darum, die Welt um Ihr Leben herum und um Sie herum zu reparieren.

Die Welt, die dir nahe ist.

Darin liegt unsere Macht. Ja. Viele fühlen sich in diesen Zeiten hilflos.

Rechts. Wenn Sie jedoch aus heiterem Himmel den Ausdruck „die Welt heilen" verwenden, ist das wie ein Traum oder ein Traum, der völlig unerreichbar ist.

Es ist eine alte Geschichte aus dem 14. Jahrhundert und bietet eine neue Perspektive auf unsere Macht. Ich denke, es könnte das Potenzial haben, ein entscheidender

Faktor für unsere gegenwärtigen Umstände zu sein, und es ist ein entscheidender Faktor. Ich bin jedoch kein politisch denkender Mensch im herkömmlichen Sinne des Wortes. Ich glaube jedoch, dass wir alle das Gefühl haben, nicht ausreichend zu sein, um etwas in der Welt zu bewirken, und von uns verlangt wird, reicher zu werden , mächtiger oder gebildeter oder anders als die Menschen, die wir sind. Laut dieser Geschichte ist es genau das, was erforderlich ist. Es ist interessant, ein wenig darüber nachzudenken: Was wäre, wenn wir genau das wären, was benötigt wird? Was würde passieren? Was würde ich tun, wenn ich genau das wäre, was zur Heilung der Welt nötig wäre?

Ich erzählte meinem siebenjährigen Sohn diese Geschichte über die Erschaffung des Universums sowie über Funken und heilige Luft, die herausflogen. Er hörte so aufmerksam zu und erklärte dann: „Das gefällt mir."

Diese Geschichte wurde mir erzählt, schauen wir sie uns an, vor etwa 63 Jahren. Und meine Reaktion darauf war dieselbe. Es ist das Wesentliche an Geschichten. Sie berühren etwas Menschliches in unserem Körper und bleiben möglicherweise unverändert. Vielleicht ist dies der Grund dafür, dass die wichtigsten Informationen durch Geschichten geteilt werden. Das ist es, was eine Kultur zusammenhält. Jede Kultur hat eine Geschichte zu erzählen und jeder, der ihr angehört, teilt diese Geschichte. Die Welt besteht aus Geschichten und nicht aus Fakten.

Auch wenn wir unsere eigenen Fakten erfinden, müssen wir uns dennoch dabei helfen, die Wahrheit herauszufinden.

Eigentlich sind es die Fakten, die den Großteil der Geschichte ausmachen, falls Sie es so sehen möchten. Zu den Fakten gehört zum Beispiel, dass ich seit 52 Jahren an Morbus Crohn leide. Ich habe unter acht großen Operationen gelitten. Das sagt Ihnen jedoch nichts über meine Geschichte und die Dinge, die mir dadurch widerfahren sind. Wie es ist, eine solche Erkrankung zu haben und die Stärke des Menschseins zu entdecken. Erkennen Sie, dass sich bei einer Krise wie dem 11. September die gesamten Vereinigten Staaten den Geschichten zugewandt haben? In der Gegend, in der ich war, was geschah, was geschah in diesen Gebäuden, was war das Schicksal derer, die zu den Bewohnern der Gebäude gehörten. Nur so können wir die Welt durch das Nacherzählen der Geschichten verstehen. Es besteht eine gute Chance, dass in der Gegend einige Menschen getötet wurden. Die Geschichten erzählen von der Erstaunlichkeit des Menschseins und der Zerbrechlichkeit des Menschseins.

Ich glaube, Sie schaffen einen interessanten Kontrast, indem Sie darauf hinweisen, dass wir in unserer Gesellschaft und in unseren Unterhaltungs- und Informationsformen auf alle möglichen Geschichten stoßen, diese Geschichten jedoch immer einen Anfang und ein Ende haben werden. Sie sagen auch, dass die Geschichten in unserem Leben, die Geschichten, die uns sagen, wie sie in unserem Leben verwendet werden, Zeit brauchen. Die wahren Geschichten brauchen Zeit.

Es gibt ein weit verbreitetes Sprichwort, dass wir zum Leben manchmal mehr als nur Nahrung brauchen. Sie informieren uns über die Person, die wir sind.

sind, was auf uns zukommt und was wir verlangen könnten. Außerdem erinnern sie uns daran, dass wir nicht die Einzigen sind, die uns gegenüberstehen. Wenn ich zum Beispiel sage, dass eine Geschichte noch nicht fertig ist, besteht ein Teil der Geschichte darin, Ihrem Kind die Geschichte von der Geburt der ganzen Welt zu erzählen. Es ist auch ein Teil der Geschichte meines Großvaters, nicht wahr? Ihr Sohn hatte nicht das Vergnügen, den Mann zu treffen, der mein Vater war, aber vielleicht wird mein Großvater in gewisser Weise in sein Leben eingebunden. Ich bin mir nicht sicher, ob es sich um eine kleine Menge handelt oder nicht, aber auf diese Weise kann man nicht sagen, dass eine Geschichte jemals abgeschlossen werden kann.

Die Sache mit den Rohsubstanzen von Spirituosen ist, dass sie sich ständig verändern. Die Art und Weise, wie Sie die Vergangenheit betrachten, hängt von den Dingen ab, die Sie heute sehen können. Ich habe zuvor viel geschrieben und meine Antwort auf die Frage nach den spirituellen Wurzeln meines Lebens hätte damit beginnen können, eine Geschichte über das Leben meines Großvaters, eines Predigers der Southern Baptist, und seinen Einfluss auf mich zu erzählen. Auf diesen Seiten wird es viele Informationen über den Mann geben. An diesem Punkt meines eigenen Lebens bin ich mir sehr bewusst, dass der Verlust des Gespürs für die Familiengeschichte meines Vaters die spirituelle Grundlage seiner frühen Jahre war und ein riesiges schwarzes Loch in meiner Mitte war. Es ist eine tolle Analogie zu sagen, dass Zeit und Raum aufeinander kollabierten. Es gab kein Licht, um hinein- oder hinauszugehen. Er wurde ohne Vorankündigung zur Adoption freigegeben, ebenso wie eine ältere Schwester und ein kleiner Bruder. Ich bin mir nicht sicher, ob die ersten paar Jahre seines Lebens so waren wie davor, aber ich würde vermuten, dass sie die schwierigsten waren. Mein Vater sagte, er hätte überhaupt kein Interesse an seinen Geschwistern oder Brüdern oder seiner Mutter, obwohl er sich meiner Meinung nach an ihre Namen erinnerte. Als er reifer war, versuchte seine Mutter, ihn zurückzunehmen. Er erzählte die Geschichte unvoreingenommen. Gelegentlich hatte er schreckliche Albträume, in denen er schrie, was meiner Nacht ein gefährliches Gefühl verlieh und mich glauben ließ, dass seine Mutter auf dem Weg war, ihn mitzunehmen.

Als ich ein Kind war, gab es in meiner Familie keine Diskussion über diese Themen. In unserem Haushalt gab es viele Fragen, die aber nie gestellt wurden. Natürlich beeinflussten uns die unbenannte Realität und die unbeantworteten Fragen von innen heraus auf eine Weise, die ich erst nach langer Zeit begreifen konnte. Während des Schreibprozesses dieses Buches begann ich, die Leidenschaft meines Wunsches, über die Dinge zu sprechen, die heute auf der ganzen Welt wichtig sind, bis zu den Anfängen meiner persönlichen Geschichte zu verfolgen. Das ist auf seine Art sowohl ironisch als auch schön. Jedes Jahr habe ich Gespräche nach Gesprächen geführt und andere dazu ermutigt, die Schnittmenge ihrer größten Stärken zu entdecken

Ziele und die beste Weisheit aus der realen Welt, Orten und Zeiten, aus der Zeit zwischen Vergangenheit und Gegenwart, von der Wunde bis zur Gegenwart. In der Gegenwart, in der ich dabei bin, das Gelernte an andere weiterzugeben, kann ich dieses Wissen zum ersten Mal vollständig und für mich selbst erhalten.

* * *

Für den Fall, dass ich meine Metapher zu weit ausdehne, fühlen mich die schwarzen Löcher unseres Lebens angezogen – schmerzhafte, komplexe, peinliche Themen, die wir überhaupt nicht diskutieren können, zusätzlich zu den Argumenten, die wir immer wieder auf die gleiche Weise proben. wobei die genauen beiden Seiten die Begriffe „Gewinnen" oder „Verlieren" definieren, je nachdem, auf welcher Seite Sie stehen. Es handelt sich um vorhersehbare Sackgassen. Die Kunst, neue Gespräche anzustoßen und neue Ausgangspunkte und daraus resultierende Ergebnisse in unserem alltäglichen Streiten zu schaffen, ist kein Hexenwerk. Es ist jedoch notwendig, bestimmte Verhaltensweisen zu ändern oder zu beseitigen, die sich so eingebürgert haben, dass sie der einzige Weg sind, sie zu erreichen. Wir wurden dazu ausgebildet, Fürsprecher für das zu werden, was uns am Herzen liegt. Es ist eine gute Sache und ein Wert in der Welt der Zivilgesellschaft, allerdings könnte es den Entscheidungsprozess behindern, sich umeinander zu kümmern.

Zuhören ist eine weit verbreitete soziale Kunst, aber es ist eine Fähigkeit, die wir vergessen haben und die wir lernen müssen. Zuhören bedeutet mehr, als nur dem Gesprächspartner zuzuhören, bis Sie in der Lage sind, das auszusprechen, was Sie sagen möchten. Ich bin ein Fan dessen, was Rachel Naomi Remen jungen Ärzten anwendet, um zu erklären, was sie tun müssen: „großzügiges Zuhören". Großzügiges Zuhören wird von Neugier angetrieben, einer Tugend, die wir in uns selbst fördern und kultivieren können, um sie angeboren zu machen. Es erfordert ein gewisses Maß an Verletzlichkeit, die Fähigkeit, zu staunen und sich von vorgefassten Meinungen zu lösen und sich auf die Ungewissheit einzulassen. Die Person, die zuhört, versucht, die Bedeutung hinter den Worten eines anderen zu verstehen und die beste Version von sich selbst und den besten persönlichen Gedanken und Fragen hervorzurufen.

Großzügiges Zuhören führt tatsächlich zu besseren Fragen. Es gibt keine Wahrheit an dem, was uns im Klassenzimmer beigebracht wurde; Es ist eine Kunst, eine schlechte Frage zu stellen. Wenn es um die amerikanische Gesellschaft geht, investieren wir in viele Antworten und Wettbewerbe sowie in Fragen, die wütend, irritierend oder verlockend sind. Journalismus ist eine Obsession mit „schwierigen" Fragen, bei denen es sich meist um eine Vermutung handelt, die als Untersuchung und Kampfsuche getarnt ist. Ich habe lange Zeit Fragen wie die Frage „Spiritueller Hintergrund Ihres Lebens" aus unserer produzierten Show gestrichen, weil ich befürchtete, dass sie weich klingen könnte, aber ich wusste, welche Auswirkungen sie auf jede andere Frage hatte, die folgte. Die Qualität einer Frage kann ich nur anhand der Offenheit und der Beredsamkeit beurteilen, die sie hervorruft.

Wenn ich etwas anderes als das gelernt habe, habe ich die Macht einer Frage gelernt: Sie kann ein mächtiges Werkzeug und ein wirkungsvoller Sprachgebrauch sein. Sie führen zu ähnlichen Antworten. Die Antworten spiegeln die Fragen wider, die sie aufwerfen oder beantworten. Daher kann eine einfache Frage zwar genau das sein, was erforderlich ist, um zum Kern des Problems vorzudringen, es ist jedoch schwierig, eine grundlegende Frage mit mehr als einer einfachen Antwort zu beantworten. Es ist schwierig, die Spannung einer Frage zu überwinden. Es ist auch schwierig, eine großzügige Frage abzulehnen. Jeder von uns verfügt über die Fähigkeit, Fragen zu stellen, die Integrität, Ehrlichkeit und Offenheit erfordern. Es hat etwas Heiliges und Erbauliches, die richtigen Fragen zu stellen.

Ein weiterer Vorteil offener Fragen, die Werkzeuge der Bürger- und Sozialkunst sind, auf die möglicherweise nicht sofort oder gar keine Antworten erforderlich sind. Sie könnten zur Prüfung angesprochen und darüber nachgedacht werden, aber nicht. Die tiefgreifenden und gesellschaftlichen Probleme, mit denen wir heute konfrontiert sind, lassen sich wahrscheinlich nicht so schnell durch Antworten lösen, mit denen wir zufrieden sein können.

Poesie Rainer Maria Rilke, der vor langer Zeit, als ich in Berlin war, mein Freund in Zeit und Raum war, war ein Befürworter des Stellens von Fragen, Fragen, die leben:

Beantworten Sie die Fragen vollständig, als wären sie in Räumen eingeschlossen oder in einer anderen Sprache verfasst. Suchen Sie nicht nach Lösungen, die Ihnen heute möglicherweise nicht zur Verfügung stehen, da Sie nicht in der Lage sind, die Fragen zu leben. Es geht darum, Ihr Leben zu leben. Nehmen Sie sich noch heute die Zeit, die Fragen zu beantworten. Vielleicht arbeiten Sie sich etwas später in der nahen Zukunft langsam und ohne es zu merken an die Antwort heran.

Ich würde Elizabeth Alexanders Frage gerne in Gedichtform formulieren: „Sind wir nicht füreinander von Interesse?" in Bürgerversammlungen oder in den Sälen des Kongresses und lassen Sie es eine Weile herumschweben.

Unsere Kultur des Streitens über die Themen durch widersprüchliche Meinungen geht mit dem Wunsch einher, eine Lösung zu finden. Wir möchten, dass andere Menschen erkennen, dass wir Recht haben. Wir können eine Debatte einberufen oder sicherstellen, dass wir uns einig sind, oder eine Stimme abgeben und fortfahren. Eine andere Möglichkeit besteht darin, einen alternativen Ansatz für den Zweck des Gesprächs zu wählen, der darin besteht, die Suche anzuregen, nicht nach der richtigen Seite und wer Unrecht hat, sondern nach den Argumenten, die es auf beiden Seiten gibt, und nicht nach der Frage, ob wir einer Meinung sind oder nicht , darüber, was in menschlicher Hinsicht für uns alle auf dem Spiel steht. Da kann man etwas gewinnen

in der Lage sein, wahrheitsgemäß zu sprechen und respektvoll und respektvoll miteinander zu reden, ohne zu versuchen, eine Einigung zu finden, die alle schwierigen Fragen offen lässt.

Ich habe die Erfahrung gemacht, dass ich an den schwierigsten Blitzableiter-Diskussionen beteiligt war, die unsere Familien und unsere Institutionen zerrissen haben. Die Neudefinition der Fragen, die uns vorantreiben, kann zu neuen Gesprächen führen. Wir sind in der Lage, die übliche Rhetorik zu vermeiden und die unvermeidliche Stagnation zu vermeiden. Frances Kissling ist als langjährige Leiterin von Catholics for Choice vor allem als Pro-Choice-Aktivistin bekannt. Weniger bekannt ist, dass sie, nachdem sie sich vor etwa einem Jahrzehnt von den Katholiken für die Wahl entschieden hatte, die Entscheidung traf, ihre Zeit darauf zu verwenden, zu studieren, was es bedeutet, in Echtzeit mit ihren politischen Gegnern in Kontakt zu stehen. Ich habe mich einmal mit ihr und dem evangelischen Ethikphilosophen David Gushee in einem Gespräch über Abtreibung getroffen. Unser Ziel war es herauszufinden, was im Hinblick auf die Menschenrechte bei all den Themen zu beachten ist, die wir im Zusammenhang mit der Abtreibung diskutieren, und warum es ein so umstrittenes und widersprüchliches Thema ist. Wir waren nahe daran, die Begriffe „Pro-Choice" und „Pro-Life" völlig zu meiden. Die Diskussion war auf eine neue Art groß und chaotisch. Es war unangenehm, aber auch aufregend, weil es ein Neuland eröffnete, das wir vor Beginn der Diskussion noch nie erkundet hatten: ob die sexuelle Revolution für unsere Gesellschaft von Vorteil war oder nicht und was wir tun können, um unsere Verbindung zu humanisieren und zu vertiefen zur Sexualität sowohl im öffentlichen als auch im privaten Raum. Den Leuten wurde klar, dass wir gerne über diese Themen nachdenken würden, aber dies wurde von den üblichen und abgedroschenen Argumenten verdeckt.

Manchmal kann eine Stimme der Weisheit, die schon seit einiger Zeit existiert und sich verändert und ähnliche menschliche Geschichten aus verschiedenen Blickwinkeln erlebt hat, mehr Tiefe bieten als jede zweiseitige Debatte. Frances Kissling ist für mich eine dieser Stimmen. Sie ist in dem speziellen Bereich der reproduktiven Rechte bestens aufgehoben, doch das, was sie gelernt hat, kann auf jeden Aspekt des Lebens angewendet werden. Sie hat auch auf bestimmte Wörter verzichtet, auf die wir instinktiv als Grundlage für den Dialog zurückgreifen, beispielsweise auf die Suche nach einer gemeinsamen Basis inmitten tiefgreifender Unterschiede. Sie sagt aus:

Hören Sie sich dieses Gespräch mit der Autorin und Frances Kissling an

Ich glaube, dass es eine gemeinsame Basis zwischen Menschen gibt, die keine tiefgreifenden Meinungsverschiedenheiten haben. In der Politik kann man auf Kompromisse stoßen. Die Kunst der Politik ist das Mögliche. Zu glauben, dass man die Nationale Konferenz der Katholischen Bischöfe und die Nationale Organisation der Frauen als selbstverständlich betrachtet und sie zu einer gemeinsamen Einigung in Bezug auf Abtreibung kommen, ist jedoch nicht machbar. Das wird nicht passieren. Eine Verlängerung ist möglich. Aber ich denke, diejenigen, die nicht einer Meinung sind, kommen zusammen, um besser zu verstehen, warum sie so glauben, und das führt zu großartigen Ergebnissen. Allerdings ist der Konsensdruck nicht förderlich für ein wirkliches Kennenlernen. Und wir sind nicht in der Lage, einander zu verstehen.

Die extreme Polarisierung in Bezug auf Abtreibung, bei der sich die Menschen seit Jahrzehnten gegenseitig beschimpfen und verprügeln, spiegelt sicherlich nicht ein Maß an Vertrauen wider, das es den Menschen ermöglicht, ein gegenseitiges Verständnis zu finden. Daher müssen Sie mit der Vorstellung beginnen, dass es einige wenige Menschen gibt, aber nicht alle, die davon profitieren können, zu verstehen, warum andere so denken, wie sie es tun. Einige davon sind die Grundidee der Humanisierung: dass das Individuum eine reale Person ist, kein Tyrann, nicht böswillig motiviert, und dass man vielleicht für einige die Verunglimpfungen, die uns vorgeworfen werden, überwinden kann. Davon bin ich ein großer Fan.

Ich habe in den letzten 10 Jahren viel gelernt und meine Meinung zu bestimmten Aspekten der Abtreibung geändert, weil ich die Überzeugungen und Meinungen derer, die nicht mit meinen Ansichten übereinstimmen, besser einschätzen kann. Letztendlich bin ich daran interessiert, Wege zu finden, einige ihrer Werte zu bewahren, aber meine eigenen nicht zu opfern. Das ist für mich die Situation, die eingetreten ist.

Das ist natürlich ganz anders als dieser hektische Druck, den wir meiner Meinung nach in unserer Gesellschaft haben, und ein Hinweis darauf, eine gemeinsame Basis zu finden oder auf derselben Seite zu sein, denken Sie? Es geht nicht darum, auf derselben Seite zu sein.

Nein, nein. Aber wie Sie vielleicht schon erraten haben, hat Sidney Callahan, der grundsätzlich ein Pro-Life-Verfechter ist, vor langer Zeit erklärt, dass das Kennzeichen einer zivilen Diskussion die Fähigkeit ist, anzuerkennen, was für die Person, mit der man nicht einverstanden ist, richtig ist.

Ich würde gerne einen Artikel lesen, den Sie geschrieben haben. Sie haben eine Reihe von Eigenschaften beschrieben, die Ihrer Meinung nach notwendig sind, um konstruktive, zukunftsorientierte Ansätze für ein kontroverses Problem zu entwickeln. Eine der Eigenschaften, die mir auffiel, war „die Bereitschaft, verletzlich zu sein, wenn man mit denen konfrontiert wird, die man leidenschaftlich ablehnt.“

Ich glaube, das ist die schwierigste Aufgabe. Für uns alle unter diesen Umständen ist es sehr schwierig zuzugeben, dass wir beispielsweise nicht alle Lösungen für dieses Problem haben. Ich bin mir nicht sicher, ob wir in der Gesellschaft, in der wir leben, alle Antworten auf das Thema Abtreibung haben, unabhängig davon, ob es um das Thema Abtreibung an sich geht oder um die Frage, wie wir unsere Meinungsverschiedenheiten über Abtreibung lösen können. Und die Bereitschaft, das zuzugeben, ist äußerst, sehr schwierig.

Was bereitet Ihnen an Ihrer eigenen Situation Probleme? Was reizt Sie an der Position einer anderen Person? In welchen Bereichen zweifeln Sie? Ich habe kürzlich mit jemandem gesprochen: Ich bin mir nicht sicher, wie man über 35 Jahre lang an etwas arbeiten kann, das so schwierig ist wie dieses, und dabei seine Meinung zu keinem Thema ändert. Was wir getan haben, war nicht effektiv. Ich glaube, dass man anfälliger für Verletzlichkeit ist, wenn einem klar wird, dass das, was man getan hat, einen nicht dorthin gebracht hat, wo man sein möchte. Daher ist ein Teil der Verletzlichkeit auch ein wenig Hilflosigkeit. Wenn Sie glauben, dass Sie keine Hilfe benötigen und denken, dass alles perfekt ist, sind Sie nicht verwundbar. Es gibt keinen Grund für Sie, ein Risiko einzugehen.

Was haben Sie darüber gelernt, wie gesellschaftlicher Wandel stattfindet? Wie werden Ihrer Meinung nach die Fortschritte in den kommenden Jahren aussehen?

Das ist schwer zu beantworten. Welche Lektionen habe ich gelernt? Für jede Transformation ist es wichtig, mit einer positiven Einstellung und mit Begeisterung für Veränderungen auf andere zuzugehen. Es ist unmöglich, jemand anderen zu ändern. Ich bin einer der härtesten Kämpfer. Seien wir konkret. Ich habe den Ruf, in Debatten ein Dauerbrenner zu sein, und ich liebe den Nervenkitzel eines Kampfes und gewinne gerne. Was ich jedoch gelernt habe, ist, dass Sie es schon einmal gehört haben. Vereinfacht ausgedrückt ist es möglich, mit Essig mehr Fliegen zu fangen als mit Honig. Es ist ein toller Satz.

Ich habe die Erfahrung gemacht, dass Menschen, die in der Mitte stehen, nicht die großen Veränderer sein werden. Sie müssen bereit sein, sich in die Mitte zu stellen und Risiken einzugehen, um Veränderungen herbeizuführen. Darüber hinaus muss man die Unterschiede mit der Vorstellung betrachten, dass in beiden etwas Gutes steckt. Das ist es. Wenn es uns nicht gelingt, einen Weg zu finden, dies zu erreichen, und wenn es keine Möglichkeit gibt, die Kluft zu finden, die einige auf beiden Seiten hat, die es ablehnen, eine Seite als Bedrohung zu betrachten, wird der Konflikt noch eine Weile andauern. Der Druck ist groß und es ist viel einfacher, mit dem Chor zu sprechen, anstatt denen zuzuhören, die nicht mit Ihren Ansichten übereinstimmen. Der Chor existiert bereits und erfordert keine Anwesenheit.

* * *

Die Kluft, dass die Menschen auf beiden Seiten die eine Seite überhaupt nicht als böse ansehen, ist der Ort, an dem ich sein möchte und den ich gerne vergrößern möchte.

Es gibt keinen Ort, an dem Worte deutlicher spalten und ein sanfteres Instrument der Heilung sind, wenn wir uns unserer natürlichen Umgebung stellen. Auf jedem Kontinent gibt es immer weniger Menschen, die nicht direkt unter Umweltinstabilität leiden. Das Einzige, worüber wir in der öffentlichen Debatte sprechen müssen, ist eine angespannte Debatte über den „Klimawandel" – eine Debatte, die reale Konsequenzen hat, aber letztendlich ablenkend ist. Es vermittelt Bestürzung und Wut über die ohnehin schon überwältigende Lawine negativer Umweltnachrichten. Es lässt die spirituellen und spirituellen Aspekte des Umgangs mit unserer ökologischen Zukunft auf dem Planeten außer Acht. Ist dies wie bei jedem anderen Thema die grundlegende Frage, ob Menschen lernen können, ihr persönliches Wohlbefinden im

Verhältnis zum Wohlbefinden anderer in einem größeren und umfassenderen Sinne zu sehen?

größere Kreise, die über Familien und Stämme hinausgehen? Die Natur ist die Grundlage und der Hintergrund unseres täglichen Lebens und wird in die Vergessenheit gedrängt. Der Prozess der Wiederherstellung und Pflege verweist auf universelle lebensspendende Erfahrungen wie Essen, Kinder haben, den Ort annehmen, aus dem man kommt, und das Schöne inmitten der Schönheit erkennen. Dies ist die Art von gesprochener Sprache, die ich von Menschen höre, die die Arbeit tun, die in der Welt getan werden muss, die sie berühren und fühlen können. Die Sprache ist eine Sprache, die die Bedeutung des Verhaltens verändert und die Notwendigkeit, zu handeln, aus dem Bereich der Schuld heraus und in eine positivere Richtung lenkt.

Viele von ihnen sind religiös. In den konservativen christlichen Kreisen gibt es eine faszinierende Geschichte, die sich im krassen Gegensatz zu den lauten Stimmen in den Nachrichten abspielt. Es ist eine Geschichte von Veränderungen in der Sprache, die sich beschleunigen und zu Veränderungen in den Gedanken und Herzen führen. Es gab eine Reue gegenüber den Worten, die Schaden angerichtet haben, eine Abkehr von den klassischen biblischen Worten, die auf lineare Weise buchstäblich absorbiert wurden und die Beziehung der westlichen Zivilisation zur natürlichen Welt sowohl in der Nähe als auch in der Ferne geprägt haben. Seine King-James-Version von Gottes Segen für die Menschheit in der Genesis wurde von christlichen Industriellen und Kolonisatoren sowie Forschern als frommer Schlachtruf interpretiert: „Seid fruchtbar und vermehrt euch, und füllt die Erde und unterwerft sie; und herrscht über die Fische von." das Meer und über die Vögel des Himmels und über alles Lebewesen, das sich auf der Erde bewegt.

Heute werden diese identischen Zeilen interpretiert und nachgestellt. Als ich in den 1990er Jahren an der Yale Divinity School war, studierte ich die hebräische Bibel bei einer Professorin namens Ellen Davis, die in jedem Buch auf eine Sprache hinwies, die den Respekt vor dem Land zum Ausdruck brachte. Nach einem Jahrzehnt erzählte sie mir, dass sie auf diese Erfahrung schlecht vorbereitet war und wie sie jahrelang ihr Leben und ihre Wissenschaft veränderte.

Sehen Sie sich diesen Austausch mit der Autorin und Ellen Davis an

Ich habe zum ersten Mal einen Vortrag über die hebräische Bibel, das Alte Testament, gehalten. Am Ende meines ersten Semesters sagte ein Assistent der Assistenten meiner Doktoranden im Klassenzimmer, als wir die Abschlussprüfung schrieben: „Sie müssen eine Frage zum Thema Land stellen." Dann fragte ich:

"Warum?" Und er antwortete: „Weil du die ganze Zeit darüber redest." Ich war mir dessen nicht bewusst, ich war mir nur bewusst, dass ich jedes Buch der Bibel durchgelesen habe. Ich würde jetzt sagen, dass es offensichtlich ist, dass ich jeden Tag über Land spreche, denn es ist unmöglich, mehr als ein paar Kapitel zu lesen, ohne einen Bezug zu Wasser, Land und seiner Gesundheit, seiner schlechten Gesundheit oder dem Mangel an fruchtbaren Böden zu haben und Wasser. Allerdings war das damals eine Überraschung für mich.

Im selben Moment machte ich einen Ausflug nach Kalifornien in einen Teil Kaliforniens in der Nähe des Ortes, an dem ich aufgewachsen bin. Allerdings war er weit genug entfernt, dass ich ihn schon lange nicht mehr besucht hatte. Ich war erstaunt über die Veränderungen, die in meinen Erinnerungen stattgefunden hatten. Dann erkannte ich den großen Unterschied zwischen der außergewöhnlichen Aufmerksamkeit, die biblische Autoren der fragilen Landschaft widmen, in der sie leben, und der Unwissenheit, die wir in unserer Kultur oder zu dieser Zeit in Bezug auf unsere Landnutzung haben. Kalifornien und Israel sind sich in ihren Landschaften sehr ähnlich. Beide sind zerbrechlich und halbtrocken. Deshalb hatte ich das Gefühl, dass die Zeit in gewisser Weise zusammenbrach. Es gab eine ärgerliche Analogie zwischen der Sorgfalt, die dem Land geschenkt wird, das in der Bibel als Vorbild gilt, und dem Mangel daran, den ich auf meiner eigenen Ebene sah.

In der Zwischenzeit stelle ich fest, dass ich beim Lesen von Kapiteln und Absätzen, über die ich schon früher geschrieben oder über die ich mehrfach Vorträge gehalten habe, sie im Kontext dessen betrachte, was sie uns über das Land, auf dem wir leben, und dessen Gesundheit sagen Ich sehe, dass Dinge auf mich zukommen, die ich zuvor übersehen hatte. Mir sind viele Dinge klar, die ich nie zu verstehen versucht habe.

Wie entkommt man der Genesis, die die Sprache und insbesondere „Herrschaft" unterwirft? Was ist Ihrer Meinung nach in der Art und Weise, wie wir den Text übersetzt und verwendet haben, nicht klar?

Das hebräische Wort „Kampf" ist ein sehr starkes Wort, das ich als „geschickte Beherrschung der Kreaturen üben" interpretiere. Die Idee der fachmännischen Meisterschaft impliziert so etwas wie ein Handwerk oder die Ausübung menschlicher Tätigkeit. Obwohl sie aus der Sicht fast aller Bibelschreiber die Existenz von

Menschen nicht leugnen. Nicht jeder einzelne, aber fast jeder nimmt einen einzigartigen Platz der Macht und Verpflichtung innerhalb des Universums ein. Die Voraussetzung für die Ausübung unserer geschickten Meisterschaft wird jedoch durch den vorherigen Segen in den vorherigen Versen für die Geschöpfe des Meeres und des Himmels dargelegt. Sie sollen auch produktiv sein und sich vermehren. Was auch immer es für uns bedeutet, geschickte Meisterschaft zu praktizieren, kann daher den vorherigen Segen nicht rückgängig machen. Ich finde das ziemlich überzeugend für uns, da wir in das sechste große Zeitalter des Aussterbens dieser Art eintreten.

Es ist wichtig zu beachten, dass Genesis 1 in Ihren Worten ein liturgisches Gedicht ist. Was bedeutet das für die Art und Weise, wie wir lesen, was es zu vermitteln versucht und was es uns sagt?

Poesie ist die Sprache, die in unserem Herzen spricht. In diesem Fall verwende ich den biblischen Begriff Herz. Das Wort, das dem Wort in der modernen Sprache am nächsten kommt, ist das der Vorstellungskraft. Das Herz ist, wie in der biblischen Biologie beschrieben, das Zentrum unserer Emotionen und auch unseres Geistes. Diese beiden Aspekte können nicht getrennt werden. Die poetische Sprache ist präzise. Es ist detailliert und realistisch, aber es handelt sich nicht um eine bloße Tatsachendiskussion. Daher ist es wichtig zu beachten, dass sowohl der Anfang als auch das zweite Kapitel der Bibel uns auf verschiedene Weise über unsere Position in der Welt informieren und uns über das komplexe Beziehungsgeflecht informieren, in das wir als Spezies hineingeboren werden. Wir sind Geschöpfe, die an einem bestimmten Ort platziert wurden. Wir sind in einer bestimmten Reihenfolge. Dies ist ein anderer Ansatz, über uns selbst nachzudenken, als das, was wir normalerweise als eine wörtliche Lektüre der Bibel betrachten. Meiner Meinung nach ist es eine wenig inspirierende Art, die Bibel zu studieren.

Im Laufe der Jahre, in denen Sie sich mit diesem Thema beschäftigt haben, haben Sie gemeinsam mit Wendell Berry geschrieben und zusammengearbeitet. Sie haben über Poesie der Sorge und des Verlusts geschrieben, indem Sie sie als „die Poesie der Kreaturen" beschrieben haben.

Ein erster Bezugspunkt für mich bei der Betrachtung von uns selbst als Wesen ist die Beobachtung von Rowan Williams, dem ehemaligen Erzbischof von Canterbury und Canterbury, der erklärte, dass „die Kunst, Geschöpfe zu sein, heute fast eine verlorene Kunst ist." Die Idee, dass wir lernen müssen, dass wir kompetent sein und gebildet sein müssen, um zu den Geschöpfen zu werden. In Wirklichkeit sind wir tatsächlich Geschöpfe. Unter Lebewesen verstehen wir alle Menschen, die keine Menschen sind.

Das ist die Macht, die wir über unsere Mitgeschöpfe genießen.

Aus diesem Grund bevorzuge ich die Bedeutung „die Ausübung geschickter Meisterschaft" anstelle von „Herrschaft", weil sie die Kunst des Menschseins suggeriert. Es ist üblich, eine Bedienungsanleitung, ein Lehrbuch oder alles andere, was Sie lesen möchten, ohne großen Fokus nachzuschlagen. Sie überfliegen es einfach, bis Sie den Kern des Problems entdecken. Aber auf diese Weise kann man keine Gedichte schreiben. Poesie verlangsamt Ihren Herzschlag. In unserer modernen Welt sollte alles, was uns langsam macht, wertgeschätzt werden und vielleicht als Geschenk oder sogar als Ruf Gottes.

Ellen war die erste Person, die mich in die Welt der Umweltreligionen einführte, von deren Existenz ich noch nicht einmal wusste. Cal DeWitt, eine seiner berühmtesten Persönlichkeiten, ist ein Biologe und Wissenschaftler, der seit mehr als drei Jahren in den Feuchtgebieten rund um das ländliche Dunn, Wisconsin, eine gesunde Gemeinschaft aufbaut und dort lebt. Er ist auch ein evangelischer Christ.

Hören Sie sich dieses Gespräch zwischen dem Schöpfer und Calvin DeWitt an

Als Sie damit in Ihrer Nachbarschaft, der Stadt, in der Sie vor über 30 Jahren in Wisconsin leben, zum ersten Mal damit begannen, galten sie wahrscheinlich als etwas Radikales.

Ganz sicher. Wir wurden als seltsam angesehen, weil es eigentlich kein Problem gab, obwohl ich glaube, dass man es aufdecken könnte, wenn man versuchen würde, es zu lokalisieren. Was wir jedoch taten, war einen Blick in unsere Stadt zu werfen. Wir machten eine Bestandsaufnahme von allem, was sich dort befand, darunter Bauernhöfe und Sümpfe, Quellen und Sumpfgebiete, alte Orte, Indianerpfade, Gebäude und unsere Tabakfarmen. Was geschah, nachdem wir diese äußerst sorgfältige und umfangreiche Bestandsaufnahme durchgeführt hatten, zeigte uns, dass wir in die Gegend verliebt waren. Wir wussten nicht einmal, wo wir waren. Wir zogen einfach ein und aus, ohne die Schönheit der Welt um uns herum zu kennen.

Ich mag die Cal DeWitt-Definition von Religion als „Die Leidenschaft, auf der Erde richtig zu leben und ein rechtes Leben zu verbreiten." Auf seinem eigenen Rasen gibt es siebzig Pflanzenarten. Er beschreibt ihn voller Freude als „eine vielschichtige Umgebung für ein lebendiges Pflanzen- und Tierleben". Er erzählt, wie einmal während der Migrationssaison dreitausend Rotkehlchen auf seinen Rasen kamen, um sich an Regenwürmern zu erfreuen, „weil ich so viele produziere, nicht weil ich es versuche, sondern weil das passiert." Cal DeWitt war maßgeblich daran beteiligt, die kritischen evangelischen Befürworter von Gesetzen wie dem Endangered Species Act von 1996 hervorzubringen. Sein von ihm gegründetes Au Sable Institute of Environmental Studies, das 25 Jahre lang betrieben wurde, entwickelte Lehrpläne und Lehrpläne für christliche Universitäten und Hochschulen. Er öffnet meinen Geist für menschliche Ökosysteme, die vor dem grellen Glanz rassistischer Spannungen verborgen sind und ins Leben gesät werden, ähnlich wie die Besuche von Rotkehlchen in seinem Garten. Er erklärt die grundlegende Bedeutung, die der Konvertierung als theologischer Tugend des evangelischen Christentums für einen flexiblen sozialen Wandel in der realen Welt zukommt.

Hören Sie sich dieses Gespräch mit dem Autor und Calvin DeWitt an

In der evangelischen Welt gibt es tiefe Zweifel an der Autorität der Menschen und die Weisheit der Bibel ist die Quelle unseres Lebens, unserer Arbeit und unserer täglichen Praxis. Wenn also die Lektüre der Bibel offenbart, dass die Sorge um die Schöpfung ein wesentlicher Aspekt der menschlichen Verantwortung ist und wir dies hinausgezögert haben, dann ist es Zeit für eine Neubekehrung. Die Evangelikalen sind an die Vorstellung gewöhnt

Im Namen des Konvertierungsprozesses geht es darum, ihre Meinung zu ändern. Ich habe dies Anfang bis Mitte der 1970er Jahre im Zusammenhang mit der Welthungerproblematik beobachtet. Brot für die Welt wurde von Christen zusammen mit anderen Organisationen gegründet, die zur Linderung des Hungers beitrugen. Es war bemerkenswert und ähnelte stark der aktuellen Situation an Orten wie Vineyard Boise, und die Vineyard-Kirche befindet sich in Idaho. Es ist Pfingsten. Die Pfarrerin von Vineyard Boise, Tri Robinson, hat eine Tochter, die an Umweltkursen teilnahm und ihren Vater drängte, sich zu den Umweltproblemen zu äußern. Tri Robinson ist eine konservative republikanische Rancherin. Was er tat, war, mit Hilfe ihrer Tochter zu erkennen, dass er etwas dagegen unternehmen musste. Er brauchte ein Jahr Bibelstudium, um herauszufinden, wie er dies auf biblische Weise ausdrücken konnte. Mit ein wenig Beklommenheit und vielen Gebeten hielt er eine Ansprache darüber, wie wichtig es sei, ein guter Hüter der Schöpfung zu sein. Unglaublicherweise kam die Menge im allerersten Moment seines Lebens zusammen und spendete dem Prediger stehende Ovationen.

Sie führen regelmäßig Programme durch, um invasive Arten auszurotten, Materialien zu recyceln und sogar Bergwanderer mitzunehmen, um Wanderwege zu bauen. Sie verfügen außerdem über eine Speisekammer, die nicht nur als persönliche Küche fungiert, sondern auch 23 zusätzliche Speisekammern bietet. Die Gegend ist lebendig und lebendig. Es ist auch offensichtlich, dass die Zahl der Mitglieder in der Kirche dramatisch zunimmt, weil es alle Arten von Umweltschützern gibt, die enteignet sind und darauf warten, dass die Kirche handelt, und hier ist es. Es passiert gerade. Pass auf.

Cal DeWitt entdeckt „Verwaltung" und „Dienst" in den Wurzeln des Wortes, das in der King-James-Bibel mit „Herrschaft" wiedergegeben wird. Wie Ellen Davis und die gesamte Welt der Transformation, in der er ein integraler Bestandteil ist und von der er ein Teil ist, verändern die Worte, die er verwendet, sein Leben. Er hat auch Zeit damit verbracht, sich neugierig mit der Bedeutung von „Umwelt" zu beschäftigen. Das Wort entstand, erzählt er mir, aus der Schöpfung des Begriffs „umgeben" durch Chaucer. Das Wort war ein kreativer Effekt der Festlegung von Grenzen zwischen uns und der natürlichen Welt. Zwischen uns, der natürlichen Welt und auch untereinander, was in der Welt der „Schöpfung" nicht möglich war. Sprachlich gesehen hatten wir durch Chaucer die Sprache Chaucers konstruiert, eine Methode, um eine Barriere zwischen uns zu schaffen. „Was ist also das Wichtigste an der Wiederbelebung?

von Wörtern wie von Wörtern wie von Wörtern wie „Erschaffung" von Begriffen wie „Erschaffung" und „sich um die Schöpfung kümmern", sagt er, „besteht darin, dass es diese beiden Wörter zusammenbringt."

Im Jahr 2002 organisierte DeWitt zusammen mit einem britischen Physiker namens Sir John Houghton eine Veranstaltung, die in ihrer Bedeutung einen Wendepunkt darstellte, um die konservative evangelische Führung mit der schwierigen Wissenschaft hinter dem Klimawandel vertraut zu machen. Der frühere Hauptvertreter der National Association of Evangelicals für Washington, D.C., Richard Cizik, sagte, die Gruppe sei nach dem Treffen „zur Wissenschaft des Klimawandels konvertiert" worden. Cizik setzte sich zusammen mit anderen weiterhin dafür ein, das Bewusstsein für solche Anliegen in Kirchen im ganzen Land zu schärfen. Dies ging einher mit der Entwicklung einer neuen Generation von Gläubigen, die glaubten, dass der Schutz der Umwelt eine offensichtliche Pflicht sei. In diesen Gemeinden wird weiterhin über die Natur Gottes gesprochen. Was sich in der Kirche The Vineyard Boise ereignete, geschah auch anderswo. Die Kinder haben ihre Pastoren und Eltern herausgefordert und Bibeln wurden herausgeholt und untersucht. Es findet eine Reflexion und Aktion über die generativen Verpflichtungen des Glaubens an die Schöpfung statt. Der Ausdruck „schöpfungsbezogene Fürsorge" ist heute ein anregender Ausdruck und eine Quelle praktischer Notwendigkeit, selbst für diejenigen, die keine wissenschaftlichen Erklärungen für die anstehenden Probleme akzeptieren. „Die Lehre Jesu: ‚Siehe die Lilien des Feldes, sieh die Vögel der

Lüfte' wird hier wirklich gut umgesetzt", sagt Cal DeWitt über sein Sumpfgebiet, „und das Betrachten ist so viel anders, als nur Arten auf einer Lebensliste abzuhaken." ."

Es ist leicht, den Begriff „Creation Care" als eine Form des Kreationismus zu verwechseln, der das Gegenteil von dem ist, was er ist. In Wirklichkeit wird diese Sprache von der einen Seite des Kulturkampfes kritisiert und von der anderen Seite wird der Klimawandel kritisiert. In der Leere in der Mitte, wenn die Menschen auf beiden Seiten einander nicht als Bedrohung sehen, entdecken wir wieder die Fähigkeit der Worte, uns einander näher und voneinander zu bringen. Gleichzeitig kehren wir zu dem Bedürfnis nach Moral zurück, um sicherzustellen, dass wir einen gehorsamen Tonfall annehmen, den Zweck, den wir in das legen, was wir sagen; das Selbstvertrauen und die Freundlichkeit, die wir an die Orte bringen, an denen wir unser Leben verbringen. Der Zweck des Lernens, anders zu sprechen, besteht darin, das Leben anders zu leben. Es ist Tanz und lebendige Kunst.

ENDNOTIZEN

Marie Howe

Poesie ist das Werk von Maria Howes extravaganter und vorbehaltloser Betrachtungsweise des gesprochenen Wortes und der Stille, die wir einhalten. Sie ist eine Dichterin und Performerin, die die Strenge einer katholischen Kindheit und das universelle Familiendrama und die täglichen Routinen, die uns nähren, in sich vereint. Ihr vielleicht bekanntestes Werk ist ihre Gedichtsammlung „What you Do for the Living Do", über den Tod ihres Bruders John an AIDS im Alter von 28 Jahren.

Hören Sie sich dieses Gespräch zwischen der Autorin und Marie Howe an

Ich hatte keine Ahnung, dass man ein Dichter war und noch lebte. Als Jugendlicher lese ich die klassischen Harvard Classics. Sie waren im Wohnzimmer. Ich würde diese Bücher durchstöbern, die herumgeschmuggelt wurden, und versuchen, eine Sprache zu finden, die ausreicht, um erlebt zu werden, oder eine Sprache zu finden, die das Unverständliche aufnehmen kann. Einige aus der Messe taten genau das. Gleichnisse können diese Wirkung haben, wie Sie sehen werden. Ich bin ein großer Fan von Gleichnissen und Geschichten über Noah, Abraham und Isaak und viele andere erstaunliche alte Geschichten. Ich habe festgestellt, dass es sich um Gedichte handelt. Sie sind voller Geheimnisse und Komplexität. Eine Geschichte ist überall, aber wir wissen auch, dass die Wahrheit nicht die einzige Geschichte ist. Die wahre Geschichte ist nicht artikulierbar. Das ist es, was ich daran liebe. Mir gefallen die Abstände zwischen den Ereignissen.

Und da Sie erst etwas später in Ihrem Leben den Beruf der Poesie kennengelernt haben, frage ich mich, welche Erfahrungen Sie gemacht haben und wie Sie darüber nachgedacht haben, was Ihnen an Poesie gefällt, was wir mit anderen Sprachen nicht erreichen können und was es dient in unserem Leben?

Nun, Poesie ist die Wahrheit, die nicht ausgedrückt werden kann. Es ist keine Paraphrase. Es ist keine Übersetzung. Die wunderbare Poesie, die ich genieße, ist ein Mysterium, um am Leben zu sein. Es handelt sich um eine wortbasierte Sammlung, die sich wie eine Selbstverständlichkeit anfühlt. Es gibt fantastische, großartige und großartige Prosa, weißt du, wunderschöne Prosa. Sie und ich können heute wahrscheinlich einige davon verwenden. Poesie ist eine Art tranceähnlicher Charakter. Es ist wie ein Erlebnis. Meine Tochter war zu Hause, als es passierte.

der Tag und sie machte diese schnelle Sache. „Lass mich nicht mit den Fingern in einer Z-Formation schnippen/Erklärung/Sprich mit der Hand, sprich mit dem Handgelenk/Oh, Mädchen, du wurdest gerade gedisst." Es war wie ein Gegenzauber für ein gemeines Mädchen. Ich dachte, das ist es, womit wir alle durchkommen können, ein paar Gegenzauber. Poesie, wenn man über ihre Ursprünge nachdenkt, sind das.

Worte, die Magie erzeugen.

Absolut. Es ist möglich, dass das erste Gedicht ein Lied enthielt, das eine Mutter ihrem Kind vorsang, oder den Zauberspruch „Alles ist in Ordnung", „Alles ist in Ordnung" und „Alles ist in Ordnung". Waren hier. Machen Sie sich bereit, schlafen zu gehen. Oder wir baten um Regen, oder wir dankten Gott den Maisgöttern oder sangen den Hirschen, die wir jagen wollten. Es ist beschwörend. Es ist, als würden seine Wurzeln niemals vom heiligen Boden entfernt werden.

Ich liebe die letzte Zeile Ihres Gedichts „Die Wiese":

„... Belagert, Mensch, dein Kampf beim Aufwachen besteht darin, zwischen den Sätzen auszuwählen, die gerade auf deiner Zunge verweilen, und zu erkennen, dass mittendrin und völlig neu der Satz ist, der dich für immer verändern könnte." Es ist ein fantastischer Ansatz, darüber nachzudenken, wie Sprache funktioniert und wie komplex sie in unserem Leben entstanden ist.

Die Sprache von heute ist fast alles, was in dieser heutigen Welt vom Handeln übrig geblieben ist. Für viele von uns hat sich zumindest das, was wir tun, in das geändert, was wir sagen, und die Moral unseres Lebens manifestiert sich in den Dingen, die wir mehr sagen, als wir tatsächlich tun.

John Paul Lederach

Über drei Jahrzehnte lang war John Paul Lederach vier bis fünf Monate vor Ort und begleitete Krisen von Tod und Leben in mehr als 25 Ländern und auf fünf Kontinenten. Er gehört heute zu den am meisten bewunderten Mediatoren, ist Ausbilder von Notre Dame und lebt seit jeher in den Vereinigten Staaten.

Mennonite ist ein Symbol für ein lebenslanges Engagement für die Friedenskonsolidierung.

Schauen Sie sich diesen Austausch zwischen John Paul Lederach an.

Die Verbindung zu Poesie, Frieden und dem Aufbau von Beziehungen hat mich in den letzten Jahren sehr fasziniert. Eine der Erkenntnisse und ein wichtiger Bereich meiner persönlichen Praxis war die Erforschung der Bedeutung einer Art Haiku-Wertschätzung der Komplexität. Das ist meiner Meinung nach die Fähigkeit, das Schwierige verstehen zu können. In gewisser Weise versucht der Haikuist immer, die gesamte Tiefe der menschlichen Interaktion einzufangen, jedoch in den kleinsten Worten, die er kann. Das ist faszinierend. Ich bin ein großer Haiku-Fan und besinne mich auf die Wurzeln des Haikus in den Kursen, die von japanischen Dichtern geleitet wurden. Die Art und Weise, wie sie die Arbeit, die sie schrieben, verstanden, drehte sich darum, sich in einer bestimmten Umgebung zu befinden, insbesondere im natürlichen Kontext. Sie verbanden unsere menschlichen Erfahrungen und die Schönheit der Natur mit einem Stil, der die Zeit, die Jahreszeit und die menschliche Erfahrung in einer sehr kurzen fünf Silbe, sieben Silbe, fünf Silbe wirklich vermitteln konnte. Oliver Wendell Holmes schrieb einmal: „Ich würde mich nicht für die Einfachheit auf dieser Seite der Komplexität interessieren, aber ich würde mein Leben für die Einfachheit auf der anderen Seite der Komplexität geben."

Das mag ich sehr gern.

Das ist es, was die Haikuisten suchen. Also probiere ich einiges aus. Einer davon ist, dass mir der Zusammenhang zwischen der natürlichen Welt und dem Aufenthalt in ihr sowie der Dinge, die passieren, wenn wir uns in Gewaltsituationen befinden, bewusster geworden bin. Für mich ist es gewissermaßen ein Reset. Der andere ist

Wenn ich zu meinem Arbeitsplatz reise, schaue ich mir deshalb die Gespräche der Leute an, um Haiku zu finden. Was mir auffällt, ist, dass es oft eine Möglichkeit ist, diese Einfachheit inmitten der Komplexität einzufangen, wenn jemand etwas sagt und jeder ein Aha-Erlebnis über das Gesagte hat. Es erscheint oft recht ähnlich, aber es liegt nicht in der Form eines Haiku vor. Ich kann Ihnen ein paar davon geben, wenn Sie möchten.

Ja.

Ich betrachte sie als Gedichte in Gesprächen.

Sieben Jahre nach der Unterzeichnung des Karfreitagsabkommens nahm ich an einem Bildungsseminar in Nordirland teil. Die Bevölkerung war zwar zufrieden mit der Umsetzung des Abkommens, glaubte jedoch, es sei ein Zeichen dafür, dass Nordirland in seinen religiösen und politischen Spannungen versteinert sei. Es war klar, dass sich die Dinge nicht ändern ließen und dass es möglicherweise nicht viel besser werden würde. In einem Gespräch beim Abendessen teilte einer meiner Kollegen aus Nordirland, mit dem ich saß, diesen Gedanken und ich brachte ihn in die Form eines Haiku. Ich gebe meinen Haikus nicht immer Namen und dieser heißt „Rainbow's End?"

Er könnte das sagen

kann so hoch sein, wie man sein wird

Friedliche Bigotterie.

Ein anderer. Ich hatte einige Gelegenheiten, mit einer ethnischen Gruppe aus Burma zu arbeiten. Sie werden als ethnische Minderheiten bezeichnet, obwohl sie die Mehrheit bilden. Das bedeutet, dass sie keine Burmesen sind. Sie verfügen auch über Streitkräfte und kämpfen viele davon seit Jahren und Jahrzehnten gegen das gegenwärtige Regime. Ich habe mit einer ausgewählten Gruppe von Menschen zusammengearbeitet, die aus eigenen Gründen als Vermittler für Shuttles hinzugezogen wurden. Sie versuchten, eine Vereinbarung zwischen Einzelpersonen, die der burmesischen Regierung angehörten, sowie verschiedenen ethnischen Gruppen zu diskutieren, zu eröffnen oder zu initiieren. Es gab kleine Gruppen von Einzelpersonen aus jeder der ethnischen Gruppen von sieben oder acht Personen.

Gruppen. Im Jahr 2003 saß ich zum ersten Mal länger als eine Woche da und lauschte ihren Erzählungen. Aus der Sicht eines unvoreingenommenen Vermittlers eine der schwierigsten Geschichten, die ich je gehört habe.

Ich erinnere mich an eine Gruppe, die sich in unmittelbarer Nähe der Grenze zwischen Bangladesch und Burma befand und dem Kommandeur einer Panzergruppe, die sich auf der gegenüberliegenden Seite befand, Informationen über die Grenzen übermitteln musste. Es gelang ihnen jedoch nicht, direkt über die Grenze in die Region zu gelangen. Sie mussten bis nach Yangon, der Hauptstadt, fahren. Yangon einreisen und dann einen Reisepass besorgen. Jeder Reisepass muss nach jedem Besuch zurückgegeben werden. Danach würden sie in ein anderes Land fliegen, um eine Nachricht zu senden. Dann den ganzen Weg zurück, um die Botschaft voranzubringen. Oftmals trafen sie sich mit lokalen Führern oder Gruppen, die die Inhaftierten wochenlang festhielten, bis sie feststellen konnten, ob sie legitim waren.

Die Perspektive, die man in solchen Situationen erhält, ist erstaunlich angesichts der Herausforderungen, mit denen sie konfrontiert sind. Die Gruppe, mit der ich interagierte, nennt ihre Gruppe „The Mediators Fellowship". Aus diesem Grund habe ich bei meiner Abreise aus Yangon ein kurzes Haiku mit dem Titel „Ratschläge der Mediators Fellowship" geschrieben.

Machen Sie sich nicht die Mühe, den Berg zu fragen

Um sich zu bewegen, muss man sich nur bewegen, einfach nehmen

bei jedem Besuch.

Suchen Sie ein zweites?

Ja!

Tadschikistan. Dies wurde aus dem Tadschikischen ins Englische zurückübersetzt und die Art und Weise, wie es in der Übersetzung gesungen wurde, schien ein nahezu perfektes Haiku zu sein. Es gibt einige sehr seltsame Grenzen innerhalb Zentralasiens, die von Stalin festgelegt wurden und winzige Teile der großen Gruppen hervorgebracht haben. Jedes Land stellt einen unbedeutenden Teil der Bevölkerung des anderen Landes dar.

Einige der größten Städte einer Art liegen in Ländern, in denen es keine Bevölkerung gibt. Dies ist das Gedicht, das veröffentlicht wurde:

Götter und Menschen lieben Karten

Sie zeichnen Grenzen mit dem Stift, mit dem sie Grenzen zeichnen

Gespaltene Leben, wie eine Axt.

Ann Hamilton

Eine Philosophin namens Simone Weil definierte Gebet als „völlig ungemischte Aufmerksamkeit". Die Künstlerin Ann Hamilton verkörpert diese Idee mit ihren raumgreifenden Kunstwerken, die alle Sinne zusammenbringen, um den Wunsch vieler von uns zu erfüllen, ihrer Meinung nach „allein zusammen zu sein".

Hören Sie sich dieses Gespräch zwischen den Autoren und Ann Hamilton an

Eine meiner Freundinnen, eine großartige Autorin, Susan Stewart, sagte, dass das Hören die Art und Weise ist, wie wir uns fühlen, wenn wir getrennt sind. Was ist nicht schön? So beginne ich meine Projekte auf unterschiedliche Weise: Ich versuche einfach herauszufinden, was aus etwas werden soll. oder um die beste Frage zu identifizieren. Zuhören ist eindeutig eine besondere Sache in Gesprächen. Es ist für mich eine Übung in meiner Reaktion auf Räume. Die Gefühlsqualität der Struktur eines Raumes enthält bereits alle diese Informationen. Der Raum hört dir zu.

Ich glaube, dass Zuhören eine Fähigkeit ist, die wir üben müssen, da unsere täglichen Räume nicht als Hörraum konzipiert sind.

Wir sind verbunden. Es fällt mir wirklich schwer, irgendwelche Kopfhörer oder Sonnenbrillen zu tragen, weil ich Angst habe, dass ich nirgends da bin. Ich bin nicht da. Es gibt ein paar

Filter läuft. Die Frage ist jedoch, wie achten Sie auf Ihre eigene Stimme?

Ihnen gefällt die Sprache, die als „Macher" bezeichnet wird ... Genauso sehr, oder vielleicht auch als „Künstler". Und ich habe selbst beobachtet, dass diese Art von Sprache auch auf alle anderen anwendbar ist . Künstler sind spezialisiert und spezialisiert, doch das Schaffen ist etwas, das wir alle auf unsere eigene Art und Weise und sogar in unserem Familienleben tun.

Es gibt unzählige Möglichkeiten, es zuzubereiten. Es macht mir Spaß, das Wörterbuch zu lesen. Zum Beispiel enthält das Oxford English Dictionary, ich weiß nicht wie viele Seiten, die dem Thema „machen" und „machen" und all seinen Möglichkeiten gewidmet sind. Es ist, als würde man eine Bestandsaufnahme aller auf der Welt verfügbaren Substanzen erstellen, die man in irgendeiner Weise verändern könnte. Es ist eine großartige Möglichkeit, sich für den Rest Ihres Lebens zu unterhalten. Wir sind geblendet von den Möglichkeiten, die wir haben. Deshalb habe ich diese kleinen Tricks, die ich selbst anwende, um diese Möglichkeiten aufzudecken. Jeder sollte es versuchen.

Ich interessiere mich wirklich für die Idee, ein Wörterbuch zu lesen. Darüber habe ich nie nachgedacht.

Wow, das ist so wunderschön. So wie Materialien eine Geschichte des Tieres oder der Technologie, die sie erschaffen hat, oder des Ortes, von dem sie auf der Erde stammen, haben, so haben auch Worte all diese Geschichten. Es gibt einen Grund dafür, dass bestimmte Wörter wirksam sind, und das liegt an den Geschichten, die sie uns erzählen. Deshalb ist es unerlässlich, es auf die Ebene der Anerkennung zu heben.

Vincent Harding

Ich hatte das Privileg, Vincent Harding zu interviewen und kennenzulernen, der 2014 im Alter von zweiundachtzig Jahren verstarb. Er und seine Frau Rosemarie waren maßgeblich daran beteiligt, Martin Luther King Jr. dabei zu helfen, das Konzept und die Praxis der Gewaltlosigkeit im Mennonite Center of Atlanta zu entwickeln, und er half King auch dabei, sein Buch zu schreiben

Eine kontroverse Rede über den Vietnamkrieg. Vincent Harding verbrachte die Jahrzehnte von seinem Tod bis zum Leben damit, Jugendliche mit ihren Bürgerrechtsveteranen und Ältesten in Kontakt zu bringen. Er teilte auch ihre Erfahrungen mit, er beschrieb sie nicht als Charaktere aus den Geschichtsbüchern, sondern als „lebendig und lebendig und großartig".

Hören Sie sich dieses Gespräch des Autors mit Vincent Harding an

Ich bin fasziniert von dem Höhepunkt spiritueller und moralischer Vorstellungskraft, der sich aus Ihren verschiedenen Erfahrungen entwickelt hat, und natürlich auch aus dem Kampf um die Bürgerrechte. Die Begriffe Zivilität und Höflichkeit werden in Amerika derzeit häufig verwendet. Sie haben deutlich gemacht, dass es nicht korrekt war, den Wandel, an dem Sie in den 1960er Jahren beteiligt waren, auf „Bürgerrechte" zu reduzieren, und dass das Wort „Zivilität" nicht groß genug ist. Was ich höre, ist, dass viele Leute denken, dass Höflichkeit auch in der Gegenwart kein passendes Wort sei.

Unglaublicherweise hatte ich noch nicht den Zusammenhang, den Sie mit meinen eigenen Gedanken herstellen, hergestellt, und das ist großartig. Deshalb müssen wir alle zusammen sein. Ich bin zunehmend davon überzeugt, dass wir nicht darüber diskutieren, wie wir zivilere Diskussionen führen können. Was wir im sozialen Kontext insbesondere diskutieren, ist die Frage, wie man ein inklusives Gespräch führen kann. Das ist es, was wir brauchen. Wir sind keine Experten darin, eine emanzipierte Nation zu schaffen, die aus vielen, vielen verschiedenen Völkern mit unterschiedlichem Hintergrund, vielfältigen Verbindungen und Überzeugungen sowie unterschiedlichen Erfahrungen besteht. Es ist wichtig zu verstehen, dass wir trotz aller Verletzungen, die wir einander zugefügt haben, einen offenen und ehrlichen Dialog fortsetzen können, der uns in gewisser Weise dazu ermutigt, die besten Argumente des anderen zu berücksichtigen und die wertvollsten Beiträge herauszufinden Wie verbinden Sie diese Elemente, um eine bessere Einheit zu bilden?

Sie haben von Anfang an gesagt, dass es bei der Frage, wie man demokratisch sein kann, tatsächlich darum geht, sich mit der Frage zu befassen, wie man im Konzept einer „perfekteren Union" lebt. Ich denke, das ist nützlich, um das Wort zugänglicher zu machen.

Ich für meinen Teil, Krista, wirft auch die Frage auf, was uns wirklich zu Menschen macht. Demokratie ist nur eine weitere Möglichkeit, dieses Thema zu diskutieren. Religion ist eine weitere Möglichkeit, das Thema zu diskutieren. Welche Rolle spielen wir in der Welt? Und ist der Zweck an unsere Verpflichtungen gegenüber uns selbst und gegenüber der Welt als Ganzes gebunden? Auf den ersten Blick scheint dies alles eine Mischung verschiedener Sprachen zu sein, die versuchen, dasselbe zu begreifen.

Vergessen wir nicht, dass die Gemeinschaft, die maßgeblich zur Entstehung von King beigetragen hat und die er gefördert hat, eins war und im Leben der Spiritualität und Religion verwurzelt war. Es waren ihre Lebensweisen. Jeder um ihn herum verstand zum Beispiel, dass er diese alte schöne Sprache äußerst ernst nahm, als er erklärte, dass er nicht nur Gleichheit oder Rechte wolle. Was er anstrebte, war die Entwicklung der „geliebten Gemeinschaft". Er sah all die Dinge, die unserer höchsten menschlichen Entwicklung und unserer größten kollektiven Entwicklung im Weg standen, wie die Rassentrennung und die Vorherrschaft der Weißen.

Mit seiner Entscheidung, Maßnahmen zu ergreifen, um diesen Gesetzen und Methoden ein Ende zu setzen, tat er dies nicht aus Bürgerrechten, sondern aus tiefer spiritueller Verpflichtung heraus. Menschen wie Jimmy Baldwin und andere, Malcolm, konnten sich eine Zeit lang nicht vorstellen, was Martin für diese Möglichkeiten gesehen haben könnte. Ich glaube jedoch, dass Martin es sah, weil er mit einem Auge voller Mitgefühl und Liebe blickte. Dieses Auge ermöglicht es uns, Dinge zu beobachten, die sonst übersehen würden.

Sie haben erklärt, dass die Geschichten von Bürgerrechtsaktivisten, die der Gesellschaft geholfen haben und immer noch danach streben, sich zu verbessern, für Jugendliche, denen Sie begegnen, am interessantesten und lehrreichsten sind.

Meine persönliche Erfahrung, Krista, ist, dass es tief in uns etwas gibt, das von der Geschichte seiner selbst abhängt. Geschichten sind die Quelle der Nährung dafür, dass es ohne eine Geschichte unmöglich ist, für uns selbst und füreinander echte Menschen zu werden. Und ohne Wege zu finden, es mit anderen zu teilen, zu kommunizieren und weiterzuentwickeln, um jungen Menschen zu helfen, ihre eigenen Geschichten zu erzählen. Wir fordern auch die Jüngeren dazu auf, nach den Älteren zu suchen, um nach denen zu suchen, die dort gewesen sind, und nicht nach den Berühmtheiten und nicht nach den Fernsehstars, sondern nach den Menschen, die andere nicht kennen und die ein so wundervolles Leben hatten. Finden Sie sie, verbringen Sie dann Zeit mit ihnen und lernen Sie, die richtigen Fragen zu stellen, damit offene Stellen entstehen. Ich glaube, dass die Nation nicht in Bestform sein wird, bis wir Methoden finden, um diesen Prozess des Teilens der Geschichten der Älteren effizienter zu institutionalisieren.

Wenn Sie sagen, dass Menschen ein natürliches Bedürfnis nach Geschichten haben, beweisen Sie mit Ihrer Arbeit, dass Menschen auch wissen, wie man mit Geschichten umgeht, finden Sie nicht auch? Um auf die gleiche Weise sicherzustellen, erklären Sie, dass die Kinder, mit denen Sie arbeiten, verstehen, wie sie diese Geschichten als Werkzeuge und Teil der Ermächtigung in der heutigen Welt nutzen können.

Ja, sie sind Werkzeuge für das Beste aus ihrer Arbeit. Es ist ein idealer Zeitpunkt für unsere Jugendlichen und andere, sich zu fragen: Warum sind wir hier? Sind wir aus einem anderen Grund hier als dem Wettbewerb mit China oder dem Streben nach den effektivsten technologischen Fortschritten? Gibt es Dinge, für die wir geschaffen sind oder die wir erreichen sollen? Jimmy Baldwin sprach immer davon, dass wir „uns selbst erreichen", die Person finden, die wir sind, worum es bei uns geht, und das einander mitteilen.

Wenn eine Mutter und ihr Baby auf dem Schoß anfangen, Geschichten zu erzählen, geht es nicht nur darum, Informationen weiterzugeben. Die meiste Zeit, wohin ich auch gehe, wenn ich spreche, beginne ich damit, die Leute zu bitten, einige ihrer Geschichten zu erzählen. Es ist faszinierend zu sehen, was Menschen über ihr eigenes Leben, ihre Beziehungen und ihr Leben lernen.

Gemeinschaft. Dies zeigt sich selbst in einigen der seltsamsten Situationen. Es ist wunderbar.

Walter Brüggemann

Der Titel von Walter Brüggemann ist seit drei Jahren ein Synonym für den Begriff „prophetische Vorstellungskraft" christlicher Prediger und Lehrer. Wenn Sie bei ihm sitzen, werden Sie Teil der wilden Wahrheitsfindung und des wilden Optimismus der Tradition, mit der er vertraut ist. Er ist ein lebendiges Beispiel dafür, dass es in unserer modernen, chaotischen Welt eine „prophetische Vorstellungskraft" gibt. Propheten, sagt er, seien schon immer Dichter gewesen.

Hören Sie sich dieses Gespräch des Autors mit Walter Brüggemann an

In der offeneren theologischen Tradition, in der ich aufgewachsen bin, sprachen wir nur über die Rolle der Propheten als moralische Führer. Der Fokus lag nicht auf dem künstlerischen oder ästhetischen Aspekt ihres Unterrichts. Es ist jedoch die einzige Möglichkeit, über den Tellerrand hinaus zu denken. Mit anderen Worten: Das liberale Streben nach Gerechtigkeit ist nur eine Ideologie, die nicht die Kraft hat, sich zu verändern. Das ist der Grund, warum die Poesie so bemerkenswert ist – sie ist so dunkel, dass sie nicht auf die Form einer Formel reduziert werden kann. Für Liberale, denen Gerechtigkeit am Herzen liegt, besteht ein großer Reiz darin, sie dann auf eine Formel zu reduzieren. . .

. . . einen anderen Ismus machen.

Das ist richtig. Dann erscheint die Poesie und dann bricht sie auf.

Es ist die Kraft der Sprache und der Formen der Sprache. Ihr Text enthält Worte, die aus prophetischen Schriften stammen, aber nicht prophetisch sind.

ist ein Teil der modernen Sprache. Klage ist eine davon. Lassen Sie mich etwas über Klagen wissen.

Klagen ist ein wichtiger Teil meines Studiums und meiner Obsession. Es ist das Buch der Klagelieder, eine Sammlung von Gedichten, die um die Zerstörung Jerusalems trauern, das zerstört wurde. Allerdings besteht das Buch der Psalmen zu etwa einem Drittel oder zumindest einem Drittel des Buches der Psalmen aus Liedern oder Gebeten für Trauer, Verlust, Trauer und Wut, was bedeutet, dass ein großer Teil dessen, was wir wissen, darin besteht die alttestamentliche Glaubenserfahrung wird uns genommen. Das Faszinierende ist, dass in der Institution Kirche mit dem Lektionar und den Liturgien das Klageritual abgeschafft wurde.

Wir wissen nicht, was wir mit diesen beunruhigenden Passagen tun sollen.

Wir wollen nicht. Letztlich kann Jerusalem als alttestamentliches Äquivalent zum 11. September angesehen werden. Das ist ihr 11. September.

In den Tagen nach dem 11. September sprach ich mit mehreren Menschen, darunter einem Rabbiner und einem evangelischen Theologen, die mir die Eröffnungszeile aus „Lamentations" vorlasen: „Wie einsam sitzt die Stadt."

Es passt genau richtig. Wir haben die traurigen Aspekte vernachlässigt und sind nicht in der Lage, mit dem Verlust umzugehen, den wir in unserer Welt erleiden. Wir tun immer wieder so, als würde uns nichts passieren.

Wir neigen dazu, an Muster und Kontinuitäten zu denken, an die Vorhersehbarkeit von Schemata und Plänen. In der Bibel konzentrieren wir uns weitgehend auf Gottes Fähigkeit, diese Pläne aufzubrechen und die Formeln zu durchbrechen. Wenn es sich um positive Unterbrechungen handelt, bezeichnet die Bibel sie als Wunder. Normalerweise verwenden wir diesen Ausdruck nicht für negative Ereignisse. Was er jedoch eigentlich impliziert, ist, dass die Realität unseres Lebens und die reale Realität Gottes nicht in unseren Rationalisierungsplänen widergespiegelt werden. Es spielt keine Rolle, ob man es durch die Linse Gottes diskutieren möchte oder nicht, es ist eine Frage der persönlichen Entscheidung.

Dennoch ist es die Realität des Lebens, dass unser Leben eine Plattform für jede Art von Störung ist, wenn sich die Dinge nicht so entwickeln, wie wir es uns vorgestellt haben.

Das größere Argument, das Sie diskutiert haben, ist die literarische, ästhetisch-poetische Sensibilität der prophetischen Tradition. Es ist so, dass die Worte einzigartig und transformativ sind. Es entfernt diese Stimme aus der politischen Box. Ich bin mir sehr bewusst, dass es viele Worte gibt, die von religiösen Menschen verehrt werden und für sie von wesentlicher Bedeutung sind – das Wort Gerechtigkeit, Frieden und Frieden.

Die Worte selbst sind fleckig. Sie stecken voller persönlichem und politischem Ballast, nicht wahr? Sie sind entweder liberal oder konservativ oder Teil einer Ideologie.

Ich habe zunehmend darüber nachgedacht, wie erstaunlich es für mich ist, dass alttestamentliche Propheten kaum jemals über das Thema „Problem" sprechen. Was sie tun, ist, hinter die Themen zu gehen, die den Menschen in der Gegenwart Anlass zur Sorge geben, und hin zu grundlegenderen Überzeugungen, die in einer schwer fassbaren Sprache aufgedeckt werden können. Ein Großteil der kirchlichen Institutionen beschäftigt sich mit den Themen. Wenn wir uns auf Themen konzentrieren, verlieren wir die Kraft der Transformation. Es heißt dann Ideologie gegen Ideologie, was für niemanden das beste Ergebnis bringt.

Können Sie sich einen Fall vorstellen, in dem Sie miterlebt haben, wie ein religiöser Führer oder eine Gemeinschaft die Regeln missachtet hat? Du meinst, über die Basis hinausgehen?

Ja, Martin Luther King tat es gelegentlich. Ich glaube, dass er auf seinem Höhepunkt ein biblischer Dichter war. Wenn Sie nur an die Zeile „Ich habe einen Traum" denken, ist sie wie im Flug verflogen. Er diskutierte nicht über die Möglichkeit, ein Bürgerrechtsgesetz zu erlassen, aber es war sein Traum. Es kommt von Zeit zu Zeit ähnlich vor.

Ziel ist es, das Problem neu zu definieren, damit wir die Realität unserer Gesellschaft, die direkt vor uns liegt, noch einmal erleben können, aber aus einer neuen Perspektive.

Materie ist mit Ozean, Baum und Himmel verbunden; Fleisch und Blut machen uns zu einem Teil dieser Realität; Diese Wahrheit zu akzeptieren ist sowohl befreiend als auch tröstlich.

Geist und Seele sind untrennbar miteinander verbunden; Unser Verständnis schränkte nur ihre Koexistenz ein. Emotionen und Erinnerungen von Verzweiflung bis Freude prägen uns alle; von knochentiefer Liebe, Herzschmerz oder dem „verhärteten Herzen" des Pharao – Worte, die wir schon lange verwendet hatten und die jetzt keine sinnvolle Interpretation mehr haben. Unser Gehirn schafft physische Pfade; Körper dienen als verkörperte Sehnsucht und Freude sowie Angst.
Die Medizin wurde immer mehr zu einer Kunst, in der wir unsere Teile und nicht unser Ganzes behandeln. Die Religion spaltete uns weiter durch hochmystische Vorstellungen, dass unsere Seelen in Körpern gefangen seien, sowie durch Theologien, die Fleisch und Sünde ununterscheidbar machten. Seltsamerweise spielte sogar die Aufklärung eine Rolle bei diesem Trend; Descartes beobachtete mit seiner berühmten Aussage „Ich denke, also bin ich", wie die neue Wissenschaft versuchte, die Realität mit mathematischen Mitteln zu beschreiben und dabei Raum für Fantasie und Geist ließ. Leider wurde dieser Satz später zu einem Zitat der Aufklärung und reduzierte das, was uns menschlich macht, während gleichzeitig die spirituellen Elemente als Teil dieser Gleichung abgeschwächt wurden.
Schmecken, Fühlen, Riechen, Sehen und Hören sind meine Sinne, die in meinem Kopf zusammenkommen, um meine Erfahrungen und meine Lebensgeschichte zu formen; Mein Leben bewegt sich im Einklang mit diesen Empfindungen, wie sie im Book of Common Prayer in poetischerer Sprache beschrieben werden – und formt so, wer ich bin!

Philosophen und Ärzte hatten nie die Absicht, uns weiter zu polarisieren, doch genau das ist passiert. Als Menschen treiben wir große Wahrheiten instinktiv auf die Spitze, um dieses chaotische Leben, das wir führen, mit Wünschen, Bedürfnissen und Löchern, die durch Übermaß gefüllt sind, zu kontrollieren. Jetzt kommen wir jedoch wieder auf den Boden der Tatsachen zurück; Unsere Sehnsucht nach Ganzheit wieder mit der Physiologie, die wir so gut kennen, und den Neuronen, die dieses Wissen liefern, zu verbinden, ist Macht. Körperliches, emotionales und spirituelles Wohlbefinden sind alle stärker miteinander verknüpft, als wir es uns vorgestellt haben, und dieses Wissen gibt Macht über beides.
Religion war für den größten Teil der Geschichte eine immersive Ganzkörpererfahrung: Wir tanzten und sangen sowie lachten und weinten, während wir die Abläufe des Lebens durch Rituale ritualisierten, zu denen Tanzen und Singen,

Lachen und Weinen, gemeinsames Brotbrechen in gemeinschaftlichen Liturgien oder einfach nur gehörten knien und die Hände falten, um zu beten oder das Brot zu brechen; ritualisierte Liturgien zum Trauern, Sammeln oder Feiern – diese Handlungen schaffen viszerale Behälter für Zeit und Haltung; Sie sind wie physische Begleiterscheinungen der Poesie, die einen großen symbolischen Wert haben; Rituale tragen dazu bei, Emotionen freizusetzen und gleichzeitig Erinnerungen durch kollektive Zeit zu verkörpern – sie schaffen viszerale Behälter von Zeit und Körperhaltung, die Erinnerungen durch gemeinschaftliches zeitbasiertes Handeln verkörpern, die viszerale Behälter von Zeit und Körperhaltung schaffen, die ihrer Bedeutung dienen und gleichzeitig für Kontinuität über Zeit und Körperhaltung hinweg sorgen ;

Und alle Traditionen, die uns Sinn und Moral verleihen, haben ein inkarniertes Herz: Der Buddhismus bietet seine Lehrer, der Hinduismus seine Gottheiten; Propheten des Judentums und des Islam, die sich im Laufe der Zeit verkörpern; während das Christentum verkündet, dass Gott mit uns in die physische Existenz eintritt und Freuden, Sorgen, Glanzlichter und ständige Rückkehr in die Hilflosigkeit gleichermaßen teilt.

Die protestantische Welt meiner Kindheit verwandelte den Gottesdienst in ein Erlebnis, bei dem der Rücken gerade auf einer unbequemen Bank sitzt und der Blick geradeaus gerichtet ist. Als ich in meinen Zwanzigern wieder ernsthaft über Religion nachdachte, tauchten zunächst alle heiligen Gestalten an der Oberfläche auf, die mich faszinierten, um eine klare Grenze zwischen Körperlichkeit und Spiritualität zu modellieren; Mittlerweile sehe ich die Dinge jedoch aus einer anderen Perspektive: Mystiker lehnen solch eine zurückhaltende, sichere Körperlichkeit ab, wenn sie in rohem Zustand in Fleisch und Blut eintauchen – etwa als Buddha seinen Palast verließ, um im Freien zu leben, wo er erwachte, um die Bandbreite menschlichen Leidens zu spüren, oder als Julian von Norwich die allein in ihrer Zelle lebte – wo sie mit allerlei menschlichem Leid erwachte;

Diese antiken Schriftsteller reagierten auf den Schwarzen Tod mit Todes- und Passionsspielen und versuchten, Gott durch diese Taten zu verstehen. Es gab auch die Schriften von Bruder Lawrence, dessen Praxis der Gegenwart Gottes darin bestand, selbst alltägliche körperliche Aufgaben als heilige Handlungen auszuführen, wie zum Beispiel das Abwaschen aller Gerichte als Teil seiner täglichen Praxis der Gegenwart Gottes.

Rumi schrieb über Derwische, die sich drehen, um während der Bewegung das Gleichgewicht zu halten, und ich kann bestätigen, dass die Gehmeditation mit Thich Nhat Hanh einem das Gefühl vermittelt, Körper, Atem und Geist wirklich lebendig zu sein.

Der Buddhismus in seinen verschiedenen Variationen hat eine ausgefeilte Herz-Geist-Psychologie entwickelt, die beide in seinen Ursprungssprachen nie trennt.

Über Jahrtausende hinweg hat man sich auf kontemplative Disziplinen konzentriert, um den Geist als tägliche Praxis zu erforschen und zu beruhigen. Als Modernität und Kolonialismus die Tradition selbst bedrohten, machten die Mönche, die als Bewahrer fungierten, diese Praktiken für jedermann zugänglich. Und als Reaktion auf die sozialen Unruhen in den 1960er Jahren begannen junge Menschen aus dem Westen, nach Indien und Burma zu reisen, um Meditationstechniken zu erlernen. Ich habe einige dieser Pioniere interviewt: Sharon Salzberg, Joseph Goldstein, Sylvia Boorstein und Mirabai Bush – neben vielen anderen – als sie nicht als Prediger, sondern als Importeure spiritueller Technologien nach Hause zurückkehrten, die in der heutigen modernen Welt unmittelbare Lösungen bieten können.

Jon Kabat-Zinn kam zum ersten Mal mit Meditation in Berührung, als er am MIT Molekularbiologie studierte. Laut Kabat-Zinn sind Wissenschaftler ausgezeichnete Meditierende, weil sie sich wohl fühlen, wenn sie wissen, was sie nicht wissen – was er als besonders hilfreich empfand, um die Energien in Einklang zu bringen, die in seiner Kindheit unbehaglich nebeneinander existierten, da die Eltern von Wissenschaftlern und Malern unbehaglich zusammenlebten . Im Laufe der Zeit hatte er das Gefühl, dass das, was er gelernt hatte, für die Heilung von Krankheiten und den Stressabbau zugänglich und relevant sein sollte. in den 1980er Jahren gründete er das, was als „Mindfulness Based Stress Reduction" bekannt wurde; Er leistet einen wesentlichen Beitrag zur Transformation der westlichen Medizin, die bis heute andauert.

Hören Sie sich diesen Austausch zwischen Jon Kabat-Zinn und Dr. Amy LeFever an Diese Technologien oder intrapsychischen Technologien – wie auch immer Sie sie nennen – bieten uns die Möglichkeit, uns immer wieder mit dem Tiefsten und Besten in uns selbst zu verbinden. Dies ist nicht länger etwas, das nur durch Harvard-Kurse oder jahrzehntelange Arbeit in den Weinbergen erreicht werden kann – Sie besitzen bereits alles, auch durch Achtsamkeitsübungen wie Sitzmeditation, Körperscan im Liegen, achtsames Hatha-Yoga oder jede andere formelle oder informelle Form – das ist es das Leben selbst, das Hören, Sehen, Riechen, Schmecken, Berühren und „Beobachten" umfasst.

Ihre Analogie veranschaulicht perfekt, worum es geht: Jeder Moment, den wir nicht als wichtig erkennen, ist für immer verloren, so Thoreau in Walden: „Erst der Tag dämmert, zu dem wir erwachen."

Erst der Tag dämmert, zu dem wir erwachen. Dieses Zitat aus Waldens drittletzter Zeile beschreibt seine Verwirklichung in Concord im Jahr 1844 – die oft als idyllisch angesehen wird – während eines idyllischen Lebens in der Landwirtschaft und Friedensstiftung zu seiner Zeit. Walden beschrieb das Leben der Bewohner und Bauern dort tatsächlich als ein Leben der stillen Verzweiflung, nicht so anders als die

Art und Weise, wie wir heute E-Mail oder Internet als Ablenkung von uns selbst wahrnehmen.

Der Mensch lebt in einem Zustand, der als Homo Sapiens Sapiens bekannt ist. Dieser Name kommt vom lateinischen sapere und bedeutet „schmecken" oder „wissen". Mit anderen Worten: Wir wissen, dass wir es wissen, und das ist Teil dessen, was uns ausmacht. Um diesen Titel wirklich zu besitzen, müssen wir vielleicht das Bewusstsein für das Bewusstsein selbst als unseren Führer als Menschen kultivieren.
An jedem Punkt unseres Lebens müssen wir Entscheidungen darüber treffen, in was wir investieren und wo wir leben, wohin wir unsere Kinder zur Schule schicken und wer an unserem Esstisch sitzen soll. Im Wesentlichen ist jeder Moment wichtig, wenn man das Leben so lebt, wie es sollte.

Je mehr wir diese Lektionen lernen, desto wahrscheinlicher ist es, dass wir nicht dem Tod entgegenlaufen, sondern uns dem Leben öffnen. Es gibt einen enormen Unterschied zwischen diesen beiden Wegen und alle verfügbaren wissenschaftlichen Beweise deuten darauf hin, dass sich das Gehirn von Menschen, wenn sie sich auf diese Weise für Leben statt Tod entscheiden, sowohl in Bezug auf Form und Funktion als auch in Bezug auf die Reaktionen des Immunsystems und die Regulierung der Körpertemperatur letztendlich dramatisch verändert Wir kümmern uns um das, was für uns körperlich und psychisch am wichtigsten ist, einschließlich der Verbesserung der Beziehungen zu Freunden, Angehörigen und uns selbst.

Mein Großvater, ein Prediger der Southern Baptist, hatte eine Fülle von Energie, ein ansteckendes Lachen und eine überwältigende Leidenschaft für meine Großmutter. Seine Anwesenheit war ein Gegenmittel zu seiner Theologie, die auf einem repressiven Regelwerk beruhte: Trinken, Rauchen und sexuelle Beziehungen waren nicht erlaubt – Tanzen, Kartenspielen, Schwimmen und das Tragen von Shorts waren jedoch verbotene Verhaltensweisen. In seinen Predigten stellte er die Welt als einen von Natur aus tückischen Ort und unseren Körper als potenzielle Eintrittspforte für Gefahren dar. Später wurde mir klar, dass hinter seinen Regeln eine Intelligenz steckte; Jeder von ihnen deutete eine bevorstehende Talfahrt zu seinen Lebzeiten an. Mein Großvater wuchs im hart umkämpften Grenzland von Oklahoma auf, lange bevor „Twelve Steps" zum Mainstream wurde – bevor Süchte wie Glücksspiel oder Alkoholismus nicht mehr als Todesurteile angesehen wurden, bevor sexuelle Aktivitäten ohne Angst vor einer Schwangerschaft stattfinden konnten, bevor uneheliche Geburten an der Tagesordnung waren und … bevor eine Abtreibung verheerende Auswirkungen auf das Leben haben könnte.

Wie meine Eltern verachtete ich seine Regeln. Sie machten in unserer Welt der Geburtenkontrolle und der Überbrückung von Nächten mit dem Alkoholismus durch

Paare keinen Sinn mehr, da seine Auswirkungen nachließen, doch wir verloren eine wesentliche Demut gegenüber der Natur, die die Generation meines Großvaters gut genug kannte, um sie zu erkennen und zu respektieren. Stattdessen lebten wir eine Vision aus der Mitte des Jahrhunderts, die Natur durch Richtlinien und Vorschriften zu kontrollieren, um ihre wilde Seite im Großen und im Kleinen zu verwalten. Heimat und Umwelt waren voneinander abhängige Bereiche: Bevölkerungskontrolle und Reduzierung der Umweltverschmutzung waren von zentraler Bedeutung bei der Armutsbekämpfung; Zu Hause haben wir die Elemente Feuer, Luft, Wasser und Erde durch Mikrowellen und Klimaanlagen unterdrückt, um Fast Food zu kreieren. Meine Mutter studierte Hauswirtschaft, wie ihre gesamte Generation; Sie wurden Zeuge, wie das Abendessen aus Kisten und Dosen aus erster Hand auftauchte. Bequemlichkeit wurde im Amerika der Nachkriegszeit zur neuen Tugend und setzte sich über alle Weisheiten des Körpers hinweg.

Heute glaube ich, dass unsere Sinne der ultimative Test für unsere Seele sind. Während Ihnen das aus den Worten meines Großvaters vielleicht bekannt vorkommt, beinhaltet es heute auch eine umfassende und innige Liebe zu unserem Körper, die ihm fremd wäre; zusammen mit dem Bewusstsein, dass Freude eine absolute Tugend und Bequemlichkeit nur eine Illusion ist; Vertrauen Sie darauf, dass die Weisheit Ihres Körpers von größter Bedeutung ist und selbst unter normalen Bedingungen leicht zu erkennen ist. Bequemlichkeit ist nur eine vorübergehende Erleichterung, während Arbeit real bleibt – und doch bleibt Vergnügen auch real, wenn bei Entscheidungsprozessen und Konsequenzen Vorrang eingeräumt wird und diese Belastungen von Prozess und Konsequenzen verlagert werden; Die Arbeit bleibt real, während das Vergnügen trotz dieser Tatsachen real bleibt – auf alte/neue Weise können wir das Vergnügen achtsamer berücksichtigen und auf dem Vergnügen als idealer Tugend bestehen!
Aristoteles betrachtete Vergnügen als Maß für Integrität; Das gilt auch für die Bibel in ihrer Darstellung der Menschheit. Sobald aus dem Chaos Ordnung geschaffen ist, versetzt uns Genesis Kapitel zwei in Eden – eine Umgebung voller Freude – wo gerechtes Verlangen an erster Stelle steht. Ein wunderschöner Garten voller Bäume, die „das Auge erfreuen", bringt köstliche Früchte hervor; Ellen Davis hat mir geholfen zu erkennen, dass es im alltäglichen menschlichen Leben weniger um sexuelle Befriedigung und sündiges Verhalten geht, sondern mehr um den Lebensunterhalt als Teil der Existenz als Teil des Lebens selbst.

Der Schwerpunkt liegt auf der Fruchtbarkeit der Erde. „Das Land soll Gras hervorbringen", heißt es auf Hebräisch. „Samentragende Pflanzen und Obstbäume aller Art auf der Erde sollen Früchte mit Samen tragen" und dieses Thema setzt sich in einem weiteren Vers fort. Ständig wird betont, dass unser Planet Erde ein autonomes, sich selbst erhaltendes System der Fruchtbarkeit und Fruchtbarkeit ist, das alle Lebewesen – einschließlich der Menschheit – unterstützt. Gott erinnert die Menschheit am Ende von Kapitel 2, kurz nachdem sie mit der Ausübung geschickter Meisterschaft beauftragt wurde, daran, dass jede samentragende Pflanze auf der Erde und jeder fruchttragende Baum ihre Nahrungsquelle sein wird; Tiere und Vögel auch."

Alles Leben auf der Erde hat nun Zugang zu Nahrungsmitteln in Form von grünen Pflanzen zum Verzehr, sodass garantiert ist, dass jeder über Nahrung verfügt.

Zumindest verstehe ich das so: Dies könnte unser bester und erster Hinweis darauf sein, was es für den Menschen bedeutet, unter anderen Lebewesen eine Expertendominanz auszuüben: dass der Mensch die einzige Spezies ist, die sich darüber im Klaren ist, dass jeder Nahrung zum Überleben braucht.

Deshalb erscheint es mir in diesem Jahrhundert richtig und passend, dass dies einer der Ausgangspunkte ist, an dem wir beginnen, uns bewusst zu werden, wer wir sind und was für ein Leben wir führen. Da wir mit Nahrungsmittel- und Ernährungskrisen konfrontiert sind, müssen unsere Antworten eine Untersuchung der Vorteile von Land für Ökosysteme und Wirtschaft gleichermaßen einschließen. Im Mittelpunkt all dieser Analysen steht die Erkenntnis, dass Geschmack als Indikator für moralische Güte dienen kann – sei es die Frische von Produkten, das Leben oder Sterben von Tieren oder die Vitalität von Böden. Während unsere Ära des sorglosen Essens zu Ende geht, entdecken wir die erhabene Freude am Anbau und der sorgfältigen Zubereitung wieder – und entdecken, wie sich Wissen, Weisheit und Geschmack überschneiden. Dan Barber ist ein energiegeladener Mensch und leidenschaftlicher Verfechter von „Vom Bauernhof auf den Tisch", bei dem grundlegende menschliche Erfahrungen durch Essen wieder miteinander verbunden werden.

Hören Sie sich diese Diskussion zwischen dem Autor Dan Barber und Dan Baker an.

Meine Mutter starb, als ich noch sehr jung war, und mein Vater war die einzige Quelle für die Essenszubereitung. Seine Bemühungen blieben weit hinter seinen Fähigkeiten zurück – oft bereitete er Rühreier zu, die hart, verbrannt und unzureichend gekocht waren; Während dieser Episoden von Mandelentzündungen, als ich 15 war, bereitete meine Tante, eine erfahrene Köchin, liebevoll Essen aus französischer Butter vom Markt zu, die über einem Wasserbad geschlagen wurde, mit frisch zubereiteten Rühreiern! Dieses Gericht bleibt meine lebhafteste Kindheitserinnerung.
„Gott, dieses Essen ist etwas Persönliches. Das sind echte Rühreier, die von echten Menschen gemacht werden! Das ist Liebe." Man könnte argumentieren, dass ich meinen Vater missachtet habe, aber in Wirklichkeit haben seine Eier mir geholfen, die Eier meiner Tante noch mehr zu schätzen!

Dan Barber behauptet, dass ethische Entscheidungen beim Essen oft mit genussvollen Optionen einhergehen. Ich habe ihn im Rahmen des Essens-, Spirituosen- und Kunstfestivals einer Synagoge in Indianapolis interviewt; Eines seiner Restaurants befindet sich auf einem bewirtschafteten Bauernhof im Bundesstaat New York – hier bietet er Eve stattdessen eine erlösende Karotte an.

Hören Sie sich den Austausch zwischen Dan Barber und dem Autor an.

Angenehme Dinge und köstliche Aromen überschneiden sich oft – das ist die Freude an dem, was ich tue! Leckeres Essen zuzubereiten und gleichzeitig auf großartige Aromen zu achten, war schon immer meine Leidenschaft, daher gehen sie natürlich mit guten ökologischen Überlegungen einher. Es scheint offensichtlich, doch wir vergessen oft, dass es da ist. Amerikanische Verbraucher erlebten eine längere Zeit, in der wir sogar die offensichtlichste Tatsache vergessen hatten – dass köstliche Karotten und Lammfleisch Entscheidungen auf der Weide und auf dem Feld erfordern, die sowohl ethisch bewusst als auch umweltfreundlich sind. Man kann einfach kein unethisch gezüchtetes Lammgericht mit unachtsam gezüchteten Karotten kombinieren; Selbst unseren größten Köchen würde das schwerfallen.

Ein Beispiel, das wir kürzlich demonstriert haben: Wir haben im Februar Mokum-Karotten angebaut, sie geerntet und direkt in die Küche gebracht, wo wir mit einem Refraktometer einen Brix- oder Zuckertest durchgeführt haben, um den Zuckergehalt in Teilen pro Milliarde zu messen.
Refraktometermessungen registrierten diese Mokum-Karotte bei 13,8. Aus Neugier haben wir eine Brix-Messung an einer anderen Karotte durchgeführt, die in unserem Restaurant als Brühe verwendet wird; eine, die Sie vielleicht bei Whole Foods finden, oder eine ähnliche, hochwertige Bio-Karotte. Was wurde am Brix gemessen? 0,0: für Zucker nicht nachweisbar! Diese Offenbarung verwirrte mich völlig, da ich wusste, dass es einen offensichtlichen Unterschied geben würde; Schließlich kann ich den Unterschied selbst schmecken. Aber war das so unerwartet dramatisch?

„Als es für mich an der Zeit war, einen Pflanzenphysiologen auszuwählen, stellte sich schnell einer heraus, in den ich mich verliebt hatte: Er ist auch ein Amateurdichter! Was er mir erzählte, war ziemlich poetisch und doch direkt relevant: Die Karotte wandelt ihre Stärke in Zucker um, weil sie hart ist." Wenn es einfriert, möchte es keine Eiskristallisierung, die zu seinem Tod führen würde; was Sie als Süße schmecken, kann tatsächlich ein Indikator dafür sein, dass das Wurzelgemüse Ihnen mitteilt, dass es den Wunsch hat, unter diesen harten Bedingungen nicht zu sterben.
Übrigens gibt es einen interessanten Zusammenhang zwischen dem Brix-Gehalt und der Nährstoffdichte – ein interessantes Phänomen, wenn man genauer darüber nachdenkt – und dem Verlangen unseres Körpers nach schmackhaften Lebensmitteln

mit hohem Brix-Gehalt, wie sie beispielsweise auf Bauernhöfen produziert werden – und deren Nährstoffdichte. Wenn wir uns für etwas entscheiden, bei dem zuckerhaltige Süße unser Hauptziel ist, treffen wir möglicherweise auch Entscheidungen, die sich für sie als ökologisch sinnvoll erweisen!

Sie behaupten, Sie seien kein Ethiker, doch Ihre Diskussion bezieht sich auf etwas Lebensspendendes mit ethischem Wert.

Sobald ich Rabbiner werde, wird Ethik meine Priorität sein.

Aber diese Handlungen haben innerhalb der jüdischen Tradition einen moralischen Wert.

In der Tat wahr. Ich finde es äußerst glücklich, dass sich meine gesamte Philosophie um Vergnügen dreht. Ein Verfechter solcher Anliegen zu sein, ist eine äußerst lohnende Erfahrung, wissen Sie?
Sobald Sie sich nach den besten Lebensmitteln sehnen, ist das per Definition Ihr Wunsch nach einem verantwortungsvollen Umgang mit unserer Umwelt – das ist es, was Nachhaltigkeit ausmacht!

Mein Großvater kaufte eine Farm, nachdem er sich vom Predigen, der Viehzucht, dem Ernten von Pekannüssen von Bäumen und dem Anlegen eines Gemüsegartens zurückgezogen hatte. Ich erinnere mich noch daran, wie ich seine erstaunlichen Zwiebeln probiert habe, die ein unvergessliches Geschmackserlebnis bleiben. Eine der vielen Erinnerungen, die für mich jetzt eine so große Bedeutung haben und eine sehr spirituelle Bedeutung haben.

* Ich fühle mich zum jüdischen Konzept der Seele (nephesh) hingezogen, die nicht präexistent ist, sondern im Entstehen begriffen ist und sich durch Körperlichkeit und zwischenmenschliche Erfahrung formt. Dies deutet darauf hin, dass unser Körper unsere Seelen beanspruchen muss, um sie beanspruchen zu können; Unser Körper ist die Quelle von Tugend oder Laster, Zugangspunkte zum Mysterium – es scheint kontraintuitiv, macht aber irgendwie vollkommen Sinn: über uns hinaus und über uns hinauszugehen.

Unser Körper zeigt uns die Wahrheit des Lebens, die unser Geist nicht kann, nämlich, dass wir in jedem Moment ebenso viel Sanftheit wie Standhaftigkeit brauchen; immer auf die Fürsorge und Zärtlichkeit anderer angewiesen. Das Leben entwickelt sich ständig weiter; Kein Moment steht still, kein Atem wird für selbstverständlich gehalten. Niemals perfekt, am Leben zu sein bedeutet, sich ständig mit Unordnung und Überraschungen auseinanderzusetzen, die im Laufe seines Lebens auftauchen;

Die Art und Weise, wie wir uns dieser Realität des niemals sicheren und dauerhaften Stillstands gegenüber öffnen oder verschließen, ist das Schlüsselmaterial der Weisheit. So viele weise Lehrer unter uns erkennen die Wahrheiten des Lebens aus einer Krankheits- oder Krisensituation heraus, in der ihre Wahrheit transparenter denn je wird. Sie tauchen nicht geheilt, sondern vollständiger als zuvor auf und verkörpern mystische Ideen, die fremd schienen, sich aber als gesunder Menschenverstand herausstellten. Im Kern geht es im Leben um Verluste, die sowohl subtil als auch katastrophal sind – Krebs, Autounfälle –, aber auch darum, zu lieben und wieder aufzustehen, nachdem ein Verlust oder Tod eingetreten ist – Altern, Verlust der Liebe, sterbende Träume, Kinder, die das Haus verlassen … Trauer und Freude existieren nebeneinander als voneinander getrennte Durchgänge; Beides existiert nicht als voneinander getrennte Erfahrungskanäle …
Jeder Schritt, den wir unternehmen, hilft uns, trotz all ihrer Fehler und Anmut tiefer in uns selbst zu verwurzeln.

Matthew Sanford hat einen der lebendigsten Körper, den ich je gesehen habe, und ist ein hervorragender Yogalehrer. Er sitzt seit dreißig Jahren im Rollstuhl, seit er mit vierzehn Jahren von der Hüfte abwärts gelähmt war, nachdem bei einem Autounfall auf einer Straße in Missouri beide Eltern ums Leben kamen. Zunächst versuchte er auf Anraten von Ärzten und Therapeuten, Bodybuilder-Arme anstelle von Beinen zu entwickeln – was sich schließlich als wirkungslos erwies. Yoga half ihm, alle Aspekte seines Körpers zurückzugewinnen, und bestand darauf, dass er heilen konnte, auch wenn seine Beine dazu nicht in der Lage waren. Seitdem ist er Pionier des adaptiven Yoga für Menschen mit Behinderungen, Veteranen und junge Frauen mit Magersucht. Seiner Meinung nach hat er noch nie jemanden getroffen, der sich mehr in seinem Körper fühlt, ohne mitfühlender gegenüber allen Lebensformen geworden zu sein – eine erstaunliche Aussage, die aber irgendwie vollkommen Sinn ergibt!

Hören Sie sich diesen Austausch zwischen Matthew Sanford und dem Autor Eric Rehberg an.

Mein Sechsjähriger weint und braucht meine Umarmung nicht nur aus Liebe, sondern um seiner Erfahrung Grenzen zu setzen – um zu wissen, dass jedes Unbehagen sein ganzes Wesen nicht einschränkt und eine Umarmung ihm daher hilft, wieder in sich selbst zu finden und Ängste zu lindern oder Spannung, die er fühlt. Mit einer Umarmung kehrt er schnell wieder zu sich selbst zurück.

Als Matthew begann, Yoga zu praktizieren, bemerkte er, dass seine bewusste Erinnerung an den Unfall mit der Zeit zwar verblasst war, sein Körper sich jedoch immer noch an die Auswirkungen erinnerte; Dies deckt sich mit einer neuen Herausforderung in der Stress- und Traumabiologie: Erfahrungen können sich in unserem Körper festsetzen und dort behandelt werden. Ihm zufolge ist Matthews Reise eine Reise, die wir alle unternehmen; Er ist den anderen knapp voraus, wenn es darum geht, früher als die meisten anderen an seine körperlichen Grenzen zu stoßen und deren Verfall schneller zu erleben.

Hören Sie sich dieses Gespräch zwischen Matthew Sanford und dem Autor Paul Duguid an.

Sie beschreiben also, wie im Laufe der Zeit und nach allen Arten von Operationen und Verletzungen, einschließlich anfänglicher und späterer Traumata, Heilung in vielen Formen erfolgen kann, die über das bloße Wiedergehen hinausgehen. Irgendwann während all dem wurde Ihnen klar, dass Heilung viele verschiedene Formen annehmen kann, die über die körperliche hinausgehen. Wenn die Leute sagen: „Mein Körper lässt mich im Stich", was all Ihre Kollegen in den Vierzigern inzwischen zu häufig sagen – jeder, den ich kenne, hat ähnliche Beobachtungen gemacht – ob sein Sehvermögen nachlässt, die Knie nachlassen, Rückenprobleme usw.

Und das sage ich mit Bedauern, denn als 13-Jähriger habe ich meinen Körper ausgenutzt, indem ich ihn allen möglichen Traumata ausgesetzt habe. Eine Lektion, die mich seitdem beeindruckt hat, ist die Tatsache, dass es mein Körper war, der mich am Leben hielt; Das Leben ist etwas, worin es sein Bestes gibt.
Mein Körper verlangte nicht danach, hart getroffen und zerbrochen zu werden, seine Wirbelsäule wurde in Stücke gerissen und mehrere Knochen gebrochen, doch er erholte sich und formierte sich schnell neu, um weiterhin ein erfülltes und aktives Leben zu führen. Nur ein Teil von mir konnte nicht heilen – ein oder zwei Zentimeter des Rückenmarks konnten sich nach dem Vorfall nicht regenerieren – und dennoch gelang es mir, normal zu funktionieren, bei Bedarf neue Zellen zu produzieren und darauf hinzuarbeiten, so lange wie möglich zu leben.

Pranayama oder Yoga-Atmung kann dabei helfen, das Gleichgewicht, die Kraft und die Flexibilität in Yoga-Posen zu verbessern. Wenn Sie diese Form der Atemübung in Posen praktizieren, die Sie nicht direkt spüren, ermöglicht Pranayama Ihrem Atem, Räume zu füllen, die Sie nicht spüren können; Nicht nur der Bizeps, den man wirklich beugen kann. Ihr Gleichgewicht erhöht sich, die Kraft wird gestärkt und die Flexibilität erweitert; Ganz zu schweigen davon, dass man seinen Körper ehrt, ohne daraus eine ethische Lektion zu machen – ich persönlich bevorzuge „Gnade".

Erkennen Sie die Anmut Ihres Körpers
Oder erkennen Sie, dass selbst die Teile von Ihnen, die Sie nicht als anmutig erkennen, an sich anmutig sind – übersehen Sie sie nicht als verloren oder abwesend; Sie sind Teil Ihrer Stärke, Faser und Widerstandsfähigkeit. Ähnlich wie bei der Holzmaserung,

bei der es nicht nur eine Art gibt, sondern beide Arten, die Stärke verleihen; Inklusion macht die Welt leichter und einfacher, wenn mehr von dir selbst hier einbezogen wird.

Diese Arbeit kann hart sein. Geduld und Ausdauer sind gefragt. Ich wünschte, es gäbe eine magische Einsicht, die alles einfach machen würde; Leider funktioniert es wie alles andere. Meine Gedanken kreisen oft um die Fortschritte meines Körpers in Richtung Ruhe: Wo die Haut gegen alte Druckstellen oder alte Verletzungen ankämpft und ich versuche, nicht zu denken: „Oh, das hält nicht!", stattdessen scheint mein Körper bei diesem Versuch hart zu arbeiten . Stattdessen sage ich mir: „Mann! Es ist harte Arbeit. Mein Körper lässt nicht los."
Mein Körper heilt vielleicht nicht so effizient, aber das Mitgefühl, das ich mir selbst und anderen entgegenbringen kann, heilt meinen physischen Körper auf andere Weise.

Teilhard de Chardin erkannte einen wesentlichen Teil des Bildes nicht: Die spirituelle Evolution würde die biologische Bedeutung nicht verringern, sondern verstärken, was uns dazu zwingen würde, bewusster und respektvoller mit unserem Körper umzugehen. Einige von uns machen Fortschritte auf diesem Weg durch Laufen, Walken, Kampfsporttraining, Gartenarbeit oder Kochen – oder auf viele andere Arten. Ich war ein begeisterter Schwimmer, bevor ich Matthew Sanford traf; Danach begann ich mit Yoga, was mir buchstäblich das Leben gerettet hat! Subtil in seinem Ursprung, aber tiefgreifend in seiner Wirkung. Die Notwendigkeit, mich auf die Bereiche meiner Handflächen und Fußgewölbe zu konzentrieren, war eine sofortige Erleichterung und hat sich seitdem als unschätzbar wertvoll für mein Wohlbefinden erwiesen. Als ich mich der Lebensmitte näherte, begann ich zum ersten Mal Yoga zu machen und war beeindruckt, wie lohnend es war, kein Experte darin zu sein – obwohl Yoga-Posen wichtig sind, sind Übergänge zwischen den Posen gleichermaßen anmutig; Ich erlebe, dass ich diese körperliche Erfahrung im Laufe meines täglichen Arbeitslebens auf verschiedene Weise anwende.

Es gibt jede Menge schlechtes Yoga, genauso wie es jede Menge schlechte Religionen gibt. Wenn mich also Lehrer in meinen Mittzwanzigern anweisen, „eine Absicht für meine Praxis festzulegen" und diese als Segen in die Welt zu senden, weiß ich nicht, ob ich ihnen glaube; Alles, was ich mit Sicherheit weiß, ist, dass die Sorge, Körper, Atem und Absicht zusammenzubringen, meine Aufmerksamkeitsfähigkeit in bestimmten Momenten verändert und die Art und Weise verändert, wie ich mich durch meine Welt bewege.

Die Annahme meines Körpers mit all seinen Anmut und Fehlern war in der Lebensmitte ein unerwartetes Geschenk. Altern ist für uns alle unvermeidlich, doch seine Auswirkungen überraschen uns manchmal immer noch. Das Altern vollzieht sich nicht mehr schrittweise, und egal wie viel Yoga ich praktizierte, irgendwann kam der Punkt, an dem der ursprüngliche Tanz zwischen Ordnung und Chaos nicht mehr durch das Vertuschen oder Verbergen bestimmter Symptome überdeckt werden konnte. Als ich beobachtete, wie meine Kinder ihre ursprüngliche Metamorphose der Adoleszenz durchliefen, beschloss ich, als Reaktion auf meine eigene Transformation eher auf ängstliche Reaktionen zu reagieren; Ebenso hoffe ich, dass diese Entscheidung hier auf meine eigene Metamorphose des Alterns zutrifft.

Trauer, Angst und Unglaube können alle Teil des Lebens sein; Doch wenn ich diese Herausforderung mit so viel Akzeptanz annehme, wie ich aufbringen kann, entsteht ein unerwarteter Segen: Frieden.

Zufriedenheit war nicht immer etwas, das ich erlebt habe oder auch nur gewusst habe, wie sehr ich es wollte. Doch dieses Geschenk der Physiologie erinnert mich – genau wie mein Haarausfall und meine Hautalterung – daran, wie unser Gehirn in jungen Jahren für neue Erfahrungen konzipiert wurde. In dieser Lebensphase sind die Menschen mit der Routine zufriedener. Entschleunigung schafft Raum für Beobachtung; Ich besitze jetzt ein Bewusstsein, das mir zuvor entgangen war, als meine Haut strahlender war; Es hat mir große Freude bereitet, in alltäglichen Aspekten meines Lebens auf Schönheit zu achten. Zu Beginn eines jeden Morgens kann nichts meine Freude übertreffen, wenn ich die erste Tasse Tee genieße. Die Umarmung meines Sohnes kann meine niemals übertreffen; oder die Schönheit, eine Weymouthskiefer in meinem Garten zu sehen, die Jahr für Jahr stabil bleibt.

* * *

Schönheit als lebensspendende Brücke zwischen sinnlichem und spirituellem Vergnügen zu schätzen, ist eine unerwartete, aber lebensverändernde Tugend, auf die ich später als erwartet gestoßen bin. Zuerst überraschte es mich als Einstieg in die Tugenden von Superstars; Anfangs sah ich zunächst keine Schönheit in der Halbwüstenlandschaft Oklahomas; obwohl ich jetzt seinen Reiz sehe. Niemand hat mir ihre Namen beigebracht, abgesehen von denen, die stechen oder vergiften; Daher hat mir auch niemand beigebracht, welche Pflanzen oder Lebewesen uns stechen oder vergiften! Für wissenschaftliche Projekte habe ich Heuschrecken an Zigarrenschachteln befestigt und dabei eher Chloroforming angewendet als Frösche; Es ist schockierend, daran zu denken, dass das war, bevor Lady Bird Johnson kam und uns allen sagte, wir sollten aufhören!

Als junger Erwachsener, der in Berlin lebte, war meine Aufmerksamkeit fest auf mein Innenleben und die geopolitischen Intrigen um mich herum gerichtet. Wenn ich dann gefragt würde, welchen Platz Schönheit in einem sinnvollen Leben einnimmt, hätte ich vielleicht geantwortet, dass sie gut ist, aber nicht unbedingt relevant oder realitätsbezogen. Davon zeugen Kisten voll mit meinen Schriften aus diesen Jahren – Essays, Erzählungen und halbe Romane auf A4-Papier mit Punktrasterrändern sowie

Notizbücher voller intensiver Kritzeleien sind der Beweis. Außerhalb des hohen grauen Himmels Deutschlands gibt es in meinen Schriften nur sehr wenige Sinneswahrnehmungen; nur Worte übereinander gestapelt.

Meine erste Erinnerung an den Blick nach oben und hinaus hatte ich, als ich im Alter von 25 Jahren von Berlin nach Schottland kam, nachdem ich von Berlin aus mit dem Intercity-Zug dorthin gefahren war. Als ich aus einem Flughafen-Shuttlebus stieg, rissen sich meine Augen weit auf, als sie sahen, was vor ihnen lag: Berge, Seen und Wälder um mich herum.

Schottland erregte sofort meine Aufmerksamkeit mit seinen scharfen Winkeln, den kaskadenartigen Grün- und Heidetönen und dem außergewöhnlichen Licht. Es hat mich mit seiner beeindruckenden Landschaft aus eckigen Ecken, kaskadierenden Grün- und Heidetönen und seiner außergewöhnlichen Leuchtkraft zum Schweigen gebracht. Ich fand dort Trost aus meiner Verwirrung und Unruhe, indem ich ihre Anwesenheit in den Schatten stellte; Diese Erfahrung half mir, nicht nur die Größe, sondern auch die solide Realität zu erkennen, die große geopolitische Turbulenzen linderte. Diese Erfahrung markierte für mich persönlich den Beginn des spirituellen Lebens.

In meinen alltäglichen Gesprächen kommt Schönheit immer wieder zur Sprache: ihre vielfältigen Erscheinungsformen und ihre realitätsbezogene Natur, wie sie im politischen Diskurs überhaupt sein könnte. Dieses Thema kommt bei Diskussionen mit Wissenschaftlern oft zur Sprache: Physiker und Mathematiker, die sich mit Mathematik befassen, verfügen über ein reichhaltiges Vokabular, um Schönheit zu beschreiben; Wenn eine Gleichung diesem ästhetischen Standard nicht entspricht, werden sie oft behaupten, sie sei wahrscheinlich falsch, während Astronomen und Astrophysiker, die Teleskope und Radiowellen aus der Zeit vor der Zeit nutzen, auch die Samen der Schönheit in unsere kollektiven Vorstellungen einpflanzen können. Meine muslimischen Gesprächspartner verbinden Schönheit im Laufe der Zeit leidenschaftlich mit spiritueller Tugend: Schönheit als zentraler moralischer Wert. Ich erhielt dieses Geschenk zum ersten Mal direkt nach dem 11. September von UCLA-Rechtsprofessor Khaled Abou el Fadl, den ich zusammen mit Rabbi Harold Schulweis im Rahmen eines öffentlichen Dialogs in Los Angeles kennengelernt hatte. Khaled hat sein Leben aufs Spiel gesetzt, um den Islam gegen Extremisten zu verteidigen. Er wurde sowohl in Ägypten als auch in Kuwait geboren und wuchs dort auf. Als Jugendlicher entging er nur knapp einer Radikalisierung. Er behauptet, dass der Schlüssel zur Zukunft des Islam in der Wiederentdeckung seines zentralen moralischen Werts der Schönheit liege. Gott erfreut sich an Schönheit; Der Islam lehrt und ist Schönheit. Schönheit liegt eher in der Schöpfung als in Zerstörung und Gleichgewicht; Seine Verkörperung liegt im Menschen und seiner Fähigkeit, heilige Texte auf die Schöpfung und das Wissen anzuwenden, die erbauen und bereichern.

Bei der Veranstaltung in Los Angeles an diesem Abend wiederholte Rabbi Schulweis einen eindrucksvollen jüdischen Bibelsatz: „Die Schönheit der Heiligkeit". Ihm zufolge repräsentiert diese Schönheit Ganzheit – nicht nur Formen und Gestalten, sondern auch Beziehungen. Die fraktionierende Kraft der Religion war längst widerlegt, da sie von Menschen erfunden wurde – im Gegensatz zu Gott selbst! Wir haben gemeinsam einige der schwierigsten Themen des Lebens erkundet, beispielsweise warum die Religion paradoxerweise den Kern solcher Gewalt und Kriege ausmacht – und uns auf unerwartete Wege führt; hin zu einer anderen Art von Kritik, die uns Einsichten und Perspektiven ermöglichte, die Einsichten brachten. Diese religiösen Männer, sowohl Juden als auch Muslime, diskutierten darüber, welche Handlungen im Namen der Religion etwas über ihre Urheber verraten könnten: Ist sie schön oder hässlich? Diese Frage diente als Lackmustest, um zu beurteilen, ob jede Aktion, die unter ihrem Banner durchgeführt wurde, Ehrfurcht vor einem allliebenden und barmherzigen Gott zeigen konnte, der all diese Schönheit hätte erschaffen können?

Aus kultureller Sicht kann es schwierig sein, den Begriff „Schönheit" zu definieren. Wir sind es gewohnt, Perfektion auf Zeitschriftencovern als unsere Vorstellung von Schönheit zu sehen. Doch wie John O'Donohue in seinem brillanten Schreiben und seiner Schönheitsphilosophie feststellte: Glamour ist ein anderes Wort. Ich verwende seine Definition für meine eigenen Zwecke, um all ihre Nuancen in unserer alltäglichen Erfahrung zu erkennen: Schönheit ist das, was das Leben für uns auf irgendeine Weise bereichert, und John O'Donohue selbst stammt aus Connemara in Westirland und ließ sich bei der Schaffung seiner philosophischen Werke inspirieren , Poesie und Poesie über Schönheit, das war sein kreativer Output aus Poesie, Philosophie und Poesie, um seine Werke zu produzieren und mich zu meiner Definition zu bewegen: Schönheit gibt uns das Gefühl, lebendig zu sein!

Hören Sie sich einen Austausch zwischen John O'Donohue und dem Autor an.

Die aus Kalkstein bestehende Burren-Region ist eine karge und wunderschöne Landschaft. Ich habe oft das Gefühl, als wären seine Formen von einer verrückten, surrealistischen Gottheit erschaffen worden; Als ich als Kind in diese Umgebung kam, fühlte es sich wie eine Einladung an, meiner Fantasie freien Lauf zu lassen! Darüber hinaus bedeutet die Nähe zum Meer, dass ein uralter Dialog zwischen Meer und Stein stattfindet; etwas, das die keltische Vorstellungskraft erkannte: Die Landschaft war lebendig! Die Landschaft ruft Sie in die Stille, Einsamkeit und Stille zurück, sodass Sie die Gaben der Zeit und die gegenwärtigen Momente der Wertschätzung von Momenten der Stille, Einsamkeit und Stille wirklich schätzen können, damit Sie wirklich Zeit empfangen können!

John O'Donohue schwärmte von der Schaffung unserer eigenen inneren Schönheitslandschaften, um selbst in rauen und gefährlichen Umgebungen und Erfahrungen vital zu bleiben. Er brachte diesen Zusammenhang zwischen innerem Frieden und körperlichem Wohlbefinden zum Ausdruck.

Sein Lieblingswort war Schwellen; Diese Ränder des Lebens, wo die Realität deutlicher und offensichtlicher wird.

Hören Sie sich diesen Dialog zwischen John O'Donohue und dem Autor an.

Wie seine Wurzeln vermuten lassen, leitet sich „Schwelle" vom „Dreschen" ab, dem Prozess der Trennung von Getreide von den Spelzen. Daher kann die Schwelle als ein Ort betrachtet werden, an dem man sich zu größerer Kritikalität, Herausforderung und würdiger Fülle in seinem Leben bewegt. Überall, wo wir hinschauen, gibt es viele solcher Schwellen – jedes Leben bringt auf seinem Weg erhebliche Hürden mit sich. Stellen Sie sich vor, Sie befinden sich mitten in Ihrem geschäftigen Abendleben und haben 50 Dinge auf Ihrer Agenda, als plötzlich jemand, den Sie lieben, unerwartet verstirbt; Alles, was nötig ist, um diese Informationen an alle in der Umgebung zu übermitteln, sind nur 10 Sekunden bei einem Telefonanruf. Sobald der Hörer jedoch aufgelegt wird, zeigt sich eine andere Realität. Alles, was vorher wichtig schien, ist verschwunden und jetzt hat sich Ihr Fokus verlagert; All die Sorgen, die Sie hatten, scheinen plötzlich irrelevant zu sein, jetzt, wo sich alles verändert hat. Während also das, was als fester und fester Boden erscheint, auf dem wir stehen, auf den ersten Blick so erscheinen mag, ist es in Wirklichkeit sehr vorläufig; Schwellen stellen Linien dar, die zwei Gebiete des Geistes trennen und oft darüber entscheiden, wer sie erfolgreich überschreitet oder nicht.

Worin liegt das Schöne daran?

Wo Schönheit liegt – Schönheit geht über die Haut hinaus. Schönheit liegt im runderen substanziellen Werden; Wenn wir mit Anmut und Eleganz neue Grenzen überschreiten, lösen wir uns von Mustern, die uns zuvor irgendwo festgehalten haben. Daher betrachte ich Schönheit als eine entstehende Fülle mit erhöhter Anmut und Eleganz, die Tiefe schafft und unseren Erinnerungen an sich entfaltende Leben eine Heimkehr bietet.

Ihre Behauptung ist richtig, wenn Sie darauf hinweisen, dass wir Schönheit oft mit Glamour assoziieren. Ich denke, wenn wir im allgemeinen Sprachgebrauch das Wort „Schönheit" hören oder daran denken, denken die Leute vielleicht sofort an ein Bild eines exquisiten Gesichts (oder vielleicht einfach nur „Schönheit")? Welche Bilder kommen Ihnen in den Sinn, wenn jemand von Schönheit spricht?

Wenn ich an Schönheit denke, fallen mir sofort einige Gesichter derjenigen ein, die mir am Herzen liegen. Manchmal fallen mir auch wunderschöne Landschaften ein, die ich kenne. Wenn ich an meine eigenen Erfahrungen mit der Freundlichkeit von Menschen zurückdenke, die sich in Zeiten, in denen ich mich hilflos fühlte oder in denen meine Liebe und Aufmerksamkeit einen Schub brauchten, um mich gekümmert haben. Ich denke oft an diese unbesungenen Helden, die von anderen oft nicht gesehen werden, die für mich unbesungene Helden bleiben und dennoch die wahren unbesungenen Helden sind: Menschen, deren Namen wahrscheinlich nie erwähnt werden, die aber trotz schrecklicher Umstände durchhalten und dennoch Wege finden, sich zu befreien und Geschenke anzubieten von Möglichkeit und Vorstellungskraft und Sehen. Wenn es um Schönheit geht, fällt mir immer die Musik ein: Musik selbst ist meine Quelle. Während die Poesie es auch perfekt darstellt; Ich finde das auch schön – doch Musik scheint eher das zu sein, was die Sprache gerne werden würde, wenn sie die Chance dazu hätte.

Mein Gespräch mit John O'Donohue dauerte mehr als zwei Stunden und war aufregend. Bedauerlicherweise verstarb er zwei Monate nach unserem Interview im Alter von 52 Jahren plötzlich im Schlaf und hinterließ sowohl Gedichte als auch Segnungen, die man zählen kann; Unser Interview wurde sowohl als Erinnerung als auch als Feier ausgestrahlt. Das Leben ist ein Kreislauf des Verlusts, in dem auch Schönheit zu finden ist.

Da ich Schönheit als einen integralen Bestandteil des Lebens betrachte, stelle ich ihre Natur ebenso in Frage wie Kohlenstoff und Chlorophyll – kann Schönheit wirklich als eines der wesentlichen Elemente des Lebens angesehen werden? Schönheit kann sowohl unserer natürlichen Welt als auch unseren Beziehungen zwischen Religion und Nicht-Religion Leben, Hoffnung und sogar Transzendenz verleihen. Könnte Schönheit als Brücke dienen, die wir gelegentlich überqueren, um uns miteinander zu verbinden? Das Beharren auf Schönheit in physischen Räumen, in denen wir lernen, spielen, arbeiten und heilen, wird jetzt deutlich: Das Beharren auf Schönheit bei Beschäftigungen, die befriedigender und lebensbejahender sind; Sich um die Schönheit anderer zu kümmern, trägt dazu bei, diejenigen, die in „Wohltätigkeit/Entwicklung"/Entwicklung verstrickt sind, dazu zu bewegen, sich stattdessen um ihre Schönheit zu kümmern – indem sie ihren Weg weg von Wohltätigkeit/Entwicklung hin zur Pflege ihrer Schönheit lenken und somit von Wohltätigkeit/Entwicklung weg und hin zur Pflege der Schönheit anderer lenken und eine Abkehr von Wohltätigkeit/Entwicklung, indem man sich stattdessen um die Schönheit anderer kümmert; Eine Abkehr von Wohltätigkeit/Entwicklung und hin zur Betreuung jedes Einzelnen, statt dessen durch die Teilnahme mehr auf seine/ihre Schönheit zu achten, kann dazu beitragen, Brücken des Respekts/der Versöhnung zwischen politischen Parteien usw. zu bauen. Insofern erfordert dies ein Beharren auf

Schönheit in physischen Räumen Wo Menschen lernen/spielen/arbeiten/heilen, kann dazu beitragen, sie zu demütigen oder zu retten, indem sie all diese Beschäftigungen fruchtbarer machen/Beleidigungen lindern, indem sie sich der Straftat widmen/helfen – und sich so einer revancebezogenen „Wohltätigkeit/Entwicklung" zuwenden. Sich um die Schönheit anderer zu kümmern, ist einfach eine Neuausrichtung – ein Zurückkehren – und daher stattdessen die gegenseitige Hilfe für die Schönheit – und damit eine Neuausrichtung statt auf „Wohltätigkeit/devon und rettet uns stattdessen – alles – jetzt in diesem Jahrhundert – für uns zu sorgen." mehr dabei verwendet werden – um zu heilen statt um Nächstenliebe/Heilung lohnender oder Heilung schöner ist Leben spenden in diesem Jahrhundert – um „Nächstenliebe" statt um mehr Leben zu spenden, statt um mehr Leben zu kümmern – um mehr Leben zu spenden, von jetzt an '. "Entwicklung". Sich gegenseitig zu betreuen kann dabei helfen, zu viel mehr zu sparen, was stattdessen benötigt wird. „Sich um die Schönheit eines anderen zu kümmern, statt um Wohltätigkeit/Entwicklung."

Der Mensch hat die Fähigkeit verloren, andere als Probleme zu erkennen, die es zu lösen und zu unterstützen gilt. Jacqueline Novogratz, die an einigen der ärmsten Orte der Welt arbeitet, stellt oft diese Frage, um innere Fülle hervorzurufen: Was tust du, wenn du dich am schönsten fühlst?

Heutzutage fühle ich mich zunehmend zu Taten der Freundlichkeit und des Guten hingezogen – Taten, die Schönheit ins Leben rufen und ihre Schatten in Fleisch und Blut, Zeit und Raum einbinden. Schönheit wird zu sichtbaren, spürbaren Momenten, in denen Menschen einander mit Humanismus berühren. Vor seinem Tod im Jahr 2013 erzählte uns Robert Bellah, einer der weltweit führenden Soziologen, dass seine Sichtweise durch eine besondere Erkenntnis verändert worden sei: Als Säugetiere begannen, aus ihrem Inneren heraus zu gebären, wurde spirituelles Leben möglich. Sowohl Menschen als auch Affen benötigen elterliche Fürsorge, damit ihre Nachkommen überleben können. Während dieser Zeitraum länger wird, schafft die Hilflosigkeit von Kindern einen Raum für Nachgiebigkeit, Experimente und Kreativität im Selbstverständnis und im gemeinsamen Leben – eine axiale Bewegung von der Angst hin zur Fürsorge über sich selbst hinaus – diese Tatsache wurde von den Religionen schon lange erkannt und in ihre Sprache übersetzt – „Mitgefühl" leitet sich von den hebräischen und arabischen Wörtern für „Gebärmutter" ab.

* Als ich Berlin vor diesen Jahren verließ, begann ich, das Leben voller Macht und Erfolg, dem ich während meiner Kindheit ausgesetzt war, in Frage zu stellen. Obwohl das Studium der Theologie mich nicht dazu brachte, ordinierter Pfarrer zu werden; Vielmehr war es ein Katalysator für die Reflexion über das Leben im Allgemeinen. Ich habe Spiritualität studiert, um die Bedeutung und notwendigen Nuancen von Konzepten wie Macht und Autorität im menschlichen Leben zu erforschen und meine moralische Vorstellungskraft und mein moralisches Potenzial zu entwickeln. Zu

meiner Überraschung wurde das spirituelle Leben bald zu einem meiner zentralen Interessen. Und ich wollte sicherstellen, dass es der Komplexität der Realität gerecht wird, die ich erlebt habe. Neben der Entdeckung von Mystikern, die verkörperte Transzendenz erforschen, habe ich daher besonderes Augenmerk auf Orte gelegt, an denen spirituelle Einsichten mit harten, verkörperten Widersprüchen im menschlichen Alltag verknüpft wurden. L'Arche hat schon immer mein Interesse geweckt und stellt Vorstellungen von Macht und Normalität durch das Zusammenleben von Menschen mit körperlichen und geistigen Behinderungen in Frage. In ihren Gemeinschaften üben Fremde Fürsorge aus, die so leidenschaftlich und zärtlich ist wie die Bindungen, die bei der Geburt entstanden sind – und leisten dringend benötigte Hilfe für die „Hilflosen".

Behinderte Menschen innerhalb einer Organisation werden anerkannt und als Kernmitglieder betrachtet, wobei nichtbehinderte Teilnehmer als Unterstützung fungieren.

Henri Nouwen machte mich mit L'Arche bekannt, als ich eines seiner Bücher las; Zu dieser Zeit war er ein angesehener spiritueller Lehrer und Schriftsteller, der für seine Lehrtätigkeit an den Universitäten Notre Dame, Yale und Harvard bekannt war – bevor er sich öffentlich für „ausgebrannt" erklärte. Seine letzten Lebensjahre verbrachte er als Assistenzarzt in der Gemeinde L'Arche Daybreak in Toronto. „Ich bin nämlich von einer Einrichtung für die Klügsten und Besten zu einer Gemeinschaft gewechselt, in der geistig behinderte Menschen und ihre Assistenten versuchen, nach den Grundsätzen der Seligpreisungen zusammenzuleben", erklärte er. Mein Haus beherbergt jetzt 10 Menschen, die sich alle formen Teil meiner Familie – nach und nach vergesse ich, wer behindert ist oder nicht; wir sind nur John, Bill, Trevor, Raymond Rose, Steve Jane, Naomi Henri Adam.

Zu Beginn meines Radioabenteuers pilgerte ich für mich selbst nach L'Arche. Als ich an einem idyllischen Abschnitt des Mississippi durch Iowa reiste, entdeckte ich eine revolutionäre Gemeinde zwischen pastellfarbenen Häusern in einer Wohnstraße – L'Arche! Zuerst brauchten meine Augen und mein introvertierter Geist etwas Zeit, um sich an diesen unbekannten Querschnitt der Menschheit zu gewöhnen, der eine der paradoxsten spirituellen Lehren auf die Probe stellte: Es kann Licht in der Dunkelheit, Stärke in der Schwäche und Schönheit selbst in der Zerbrochenheit der menschlichen Existenz geben . Aber ihr Mut besteht nicht darin, zu theologisieren; Vielmehr geht es darum, die gegebenen, unvollkommenen Rohstoffe des Alltags lebendig zu bewohnen. „Die einfachen Freuden des Lebens" haben noch nie so viel Lachen und Vergnügen gebracht: Kochen, gemeinsames Essen und Abwaschen; Verlassen der Arbeit am frühen Morgen und Rückkehr spät in der Nacht; Spaziergänge durch Viertel oder Ausflüge in Bibliotheken; Gemeinsam Musik machen oder einfach nur herumalbern und spielen – all das gehört hier zum Alltag. Ich erlebe selten solch großzügige Umarmungen von Fremden und schätze sie so sehr, während gleichzeitig und nicht im Widerspruch dazu die Realität der Trauer, der Unvollkommenheit und des Kampfes des Menschseins in jedem Moment deutlicher thematisiert wurde. L'Arche ist wie eine eigene Familie. Ein Auserwählter, der auf dem Weg so viele Leben berührt. Während ich meine alltäglichen Begegnungen mit den Kernmitgliedern von L'Arche durchlebte, wurde ich Zeuge, wie ihre Anwesenheit diejenigen, denen sie begegneten, ein wenig verunsicherte; und macht sie fröhlicher und anmutiger: Busfahrer, Bibliothekare, Vorgesetzte bei der Arbeit – mich eingeschlossen! Es war wirklich unglaublich.

Freude und Anmut, die von Körpern verbreitet werden, haben bei mir Spuren hinterlassen; es wirkt auch heute noch, viele Jahre später.

Jean Vanier, der Philosoph und katholische Menschenfreund, der L'Arche gründete, zitiert oft Mutter Teresa: „Eine der Realitäten, die wir ertragen müssen, ist der Übergang von Abscheu zu Mitgefühl und von Mitgefühl zu Staunen." Immer wenn ich mich zu einer ausführlichen Diskussion mit ihm zusammensetze, nachdem ich seine Arbeit jahrelang verfolgt habe, schätze ich seine Beharrlichkeit, die Realität im wahren Sinne zu nutzen: die Realität zu lieben, ohne illusionäre Wünsche nach dem, was hätte sein können oder sollen. Die Liebe zur Realität mit all ihren Unvollkommenheiten ermöglicht es Jean Vanier, Gott in sich selbst und in der Welt, in der er lebt, gegenwärtig und lebendig zu entdecken.

Das Staunen über das Gesicht eines anderen ist eine so elegante Art, über die einfache Toleranz hinauszugehen.

Jean Vaniers frühes Leben war kein Vorgeschmack auf seinen späteren Weg in die Politik oder in die Führung; Stattdessen stammte er aus einer einflussreichen französisch-kanadischen Familie, trat mit 16 Jahren dem Royal Naval College bei und übernahm schließlich schon in jungen Jahren das Kommando über einen Flugzeugträger. Sein Geist beschäftigte sich jedoch mit Fragen nach Sinn und Macht. So verbrachte er ein Jahr in einer kontemplativen Gemeinschaft, die sich der Arbeit mit den Armen, dem Gebet und dem Studium der Metaphysik widmete. Jean Vanier erforschte Aristoteles' Konzept einer „Ethik des Begehrens" und wurde Professor für Philosophie am St. Michael's College in Toronto. Zur Weihnachtszeit 1963 reiste Jean Vanier jedoch nach Frankreich, um einen Freund zu besuchen, der als Seelsorger für Männer mit geistiger Behinderung arbeitete. Besonders bewegte ihn eine riesige Anstalt südlich von Paris, in der achtzig erwachsene Männer den ganzen Tag nichts anderes taten, als im Kreis zu wandern und oft zwei Stunden am Tag ein Nickerchen zu machen. Inspiriert von dieser Szene kaufte er schließlich ein kleines Haus in der Nähe und lud zwei Bewohner dieser Anstalt ein, das Leben mit ihm zu teilen. L'Arche wurde ein internationaler Erfolg, und heute gibt es 147 L'Arche-Gemeinden in 35 Ländern, die als Pilgerorte für alle Arten von Menschen dienen und Gastfreundschaft als integralen Bestandteil neben Mitgefühl bieten. Jean Vanier hielt in Maryland eine Exerzitienveranstaltung für College-Studenten aus den gesamten Vereinigten Staaten

ab. Im Rahmen dieser Erfahrung habe ich ihn interviewt. Ich habe einige von ihnen getroffen und sie haben geleuchtet. Genau wie Clinton es Jahre zuvor für mich getan hatte. Noch schöner war dieser Herr mit seiner immensen Herzlichkeit und der eleganten Statur eines Marinekommandanten, der er einst war. Ähnlich wie Dan Barber stellt er einen Zusammenhang zwischen lustorientiertem Verhalten und ethischen Überlegungen her.
Hören Sie sich dieses Gespräch zwischen Jean Vanier und dem Autor an.

Ihre Kommentare deuten darauf hin, dass die Ethik des Begehrens von Aristoteles auch heute noch relevant ist: Menschen wünschen sich einen Sinn in ihrem Leben, etwas, das Aristoteles erkannt hat und das sie spannend finden würden, wenn Aristoteles heute nicht am Leben wäre! In Ihrem Artikel heißt es: „Eine Ethik des Begehrens ist eine gute Nachricht in einer Zeit, in der wir allergisch gegen eine Ethik des Rechts geworden sind." Manche vergleichen Ihr Leben und Ihre Arbeit vielleicht mit unserer auf Vergnügungen und Unterhaltung basierenden Gesellschaft. Wenn ich jedoch über Aristoteles spreche, höre ich, wenn ich mit Ihnen über ihn spreche, dass Aristoteles unseren fundamentalen Lusttrieb nicht verurteilt, sondern vielmehr vorschlägt, diesen Impuls tiefer zu fassen und ihn weiter zu entwickeln als je zuvor – was Aristoteles vorschlägt.

Der Schlüssel liegt darin, herauszufinden, welche Aktivitäten das größte Vergnügen bereiten. Während dies für manche Menschen das Trinken von Whisky bedeuten könnte, waren es für mich immer Philosophie, Jesus, Gerechtigkeit und Kampf, die für dieses Gefühl der Zufriedenheit und Freude in meinem Leben gesorgt haben. Und obwohl es auf meinem Weg zum Glück Schwierigkeiten und Konflikte gab – im Grunde war es immer angenehm und erfreulich!

Sprechen Sie jedoch mit mir darüber, wie Freude damit zusammenhängt, dass ich das Gefühl habe, dass Sie Ihre Berufung gefunden oder verstanden haben, was für Sie von Bedeutung ist. Nachdem Sie nach Frankreich zurückgekehrt sind und in einer Anstalt Männer kennengelernt haben, hat etwas einen Nerv getroffen und seitdem den Kurs Ihres Lebens in dieser Hinsicht bestimmt.

Ja, ich komme zurück zum Vergnügen und zu meinen eigenen Wünschen sowie Ihren – meinen tiefsten und Ihren. Unser ultimativer Wunsch sollte geschätzt werden; Das sollte der Antrieb für uns alle sein.
Aristoteles macht einen wichtigen Unterschied zwischen geliebt und bewundert; Wenn Menschen jemanden bewundern, stellen sie ihn auf ein Podest; Aber wenn Menschen jemanden lieben, wollen sie ihn zusammen haben. Als ich zum ersten Mal Menschen mit Behinderungen traf, fiel mir ihr Ruf nach einer Beziehung wirklich auf. Einige waren in psychiatrischen Krankenhäusern gewesen, während alle in der einen oder

anderen Form Verletzungen und Ablehnung erfahren hatten. Jesus fragte Petrus: Liebst du mich? und die Verwundeten oder Verlassenen empfanden die gleiche Frage: Alles vereint sich in einem einzigen Schrei: Lieb mich nicht.

Sie haben nicht nur in Bezug auf Behinderungen darauf hingewiesen, dass die übergeordnete Frage lautet: Wie können wir als Menschen mit Schmerzen umgehen? Alle Arten von Leid und Schwäche beunruhigen uns als Individuen und erklären, warum sie zu einer so unerträglichen Belastung für die Gesellschaft werden – und doch so schlecht damit umgegangen wird?

Hier spielen zahlreiche Elemente eine Rolle. Erstens wissen wir nicht, wie wir mit unserem eigenen Schmerz umgehen sollen. Wie sollen wir also reagieren, wenn andere Leid erfahren? Wenn es um Schwächen geht, wissen wir außerdem nicht, wie wir sie am besten verbergen oder verbergen können – und haben daher keine andere Wahl, als so zu tun, als ob sie nicht existierten. Wie können wir die Schwächen anderer vollständig akzeptieren, wenn wir unsere eigenen nicht eingestanden haben? Martin Luther King sprach sich entschieden gegen solche Praktiken aus; Bei seinen Fragen ging es oft darum, warum eine Gruppe – etwa die Weißen – eine andere – etwa die Schwarzen – verachten könnte. Und wird das immer so bleiben? Wird es immer Eliten geben, die diejenigen verurteilen oder entlassen, die sie für unwürdig halten? Und er vertritt ein unglaubliches und starkes Gefühl: Solange wir nicht erkennen, lieben und akzeptieren, was in uns selbst verabscheuungswürdig ist, werden wir andere verachten; Es mag Elemente in uns geben, die unangenehm sind, die aber einen Teil dessen ausmachen, wer wir als sterbliche Wesen sind.
Wie Sie oft bemerkt haben, haben wir alle unsere Schwächen, Einschränkungen und Entstellungen, die sich nicht immer auf unserer Körperoberfläche manifestieren. Doch wenn sie sich zeigen, schrecken wir geschockt zurück. Sie haben aus spiritueller Sicht geschrieben, dass marginalisierte und überlegte Misserfolge dazu beitragen können, das Gleichgewicht in unserer Welt wiederherzustellen – könnten Sie mir das erklären?

Macht kann oft das Gleichgewicht in unserer Welt bestimmen; Wenn man über mehr Wissen, Kapazitäten oder Macht verfügt, kann man mehr tun, während das Festhalten an dieser Kontrolle Menschen schnell deprimieren kann. Ich weiß es und du weißt es nicht. Und so verläuft die Menschheitsgeschichte. Dies ist auch die Mission der Bildung – den Einzelnen in die Lage zu versetzen, fähig zu werden und seinen rechtmäßigen Platz in der Gesellschaft einzunehmen – was zweifellos von immensem Wert ist. Aber das ist nicht zu vergleichen mit der Erziehung der Menschen, sich zu identifizieren, zuzuhören und sie selbst zu werden – stattdessen sorgt es für ein Gleichgewicht des Herzens. Bedenken Sie, was innerhalb von Familien oder bei Kindern passiert, wenn ein Elternteil im Vergleich zu einem anderen Vater, der dies möglicherweise nicht tut, sehr stark sein kann. Aber wenn er nach Hause zurückkehrt, fällt er auf Hände und Knie, um mit den Kindern zu spielen – etwas, das sie ihm über Zärtlichkeit und Liebe beibringen, wie man auf ihre Bedürfnisse als Eltern achtet und sich darauf einlässt. Kinder sind bemerkenswerte Wesen, weil ihre Körper einheitlich bleiben können, während wir eine Emotion ausdrücken können, während wir eine andere vollständig erleben.

Kinder lehren uns etwas über Einheit, Treue und Liebe – das können auch Menschen mit Behinderungen. Einige weisen eine so exquisite Schönheit und Reinheit auf, dass sie außergewöhnlich sind – sie erinnern uns daran, dass das Leben nicht nur aus dem Wettbewerb zwischen den schwächsten und stärksten Individuen besteht, sondern dass jeder seinen Platz verdient.
Jean Vanier beschreibt L'Arche nicht als Lösung, sondern als Zeichen, das Visionen und Kulturen vermittelt; obwohl seine wahre Wirkung von Moment zu Moment oder von Leben zu Leben schwer zu messen ist; dennoch kann seine Existenz nicht geleugnet werden; Es wäre unaufrichtig, dieses Wort zu beanspruchen, wie es Jean Vanier tut.

Ich werde oft gefragt, welche Eigenschaften die weisesten Menschen ausmachen, die ich je getroffen habe. Neben all ihren Tugenden, die Weisheit unterstützen und verankern, sticht Jean Vanier meiner Erfahrung nach als jemand hervor, der diese Eigenschaft verkörpert; Andere, die ich getroffen habe, wie Desmond Tutu, Wangari Maathai und Thich Nhat Hanh, haben eine ähnliche physische Präsenz. Wie es sich anfühlt und worüber ich berichten kann: eine verkörperte Fähigkeit, Kraft und Zärtlichkeit in einem unerwarteten, kreativen Zusammenspiel zusammenzuhalten, das spürbar, erfrischend und schwer zu fassen ist. Meine Erfahrung mit auf Achtsamkeit basierender Bildung hat mein Verständnis von Macht und ihrem Zweck verändert und gleichzeitig meinen Sinn für die verkörperte Weisheit erweitert – sowohl körperlich präsent als auch bewusst spirituell.

ANMERKUNGEN/ENDANMERKUNGEN/Abschlussbemerkungen.

Bessel van der Kolk ist ein Innovator bei der Behandlung der Auswirkungen überwältigender Erfahrungen auf den Einzelnen und die Gesellschaft. Wenn wir im Leben oder in den Nachrichten auf sie stoßen, werden diese Ereignisse allgemein als Trauma bezeichnet, doch allzu oft nutzen Menschen nur Gesprächstherapie als Lösung. Er weiß, wie bestimmte Erlebnisse bleibende Eindrücke in uns hinterlassen, die sich nicht mit Worten ausdrücken lassen – während unser Gehirn danach dafür sorgt, dass wir uns körperlich erholen.

Hören Sie sich diesen Dialog zwischen Charles Darwin und Bessel van der Kolk an, der bis ins Jahr 1872 zurückreicht! Charles Darwin hat ein Buch mit dem Titel „Emotionen" geschrieben, in dem er erörtert, wie sich Emotionen wie Herz- oder Bauchschmerzen körperlich manifestieren.
Erfahrung wird körperlich gespürt. Wenn Menschen jedoch ständig verärgert und verzweifelt sind, versuchen sie oft, ihre Emotionen vor sich selbst zu verbergen und jede Verbindung zu ihrem Körper abzuschneiden.

Eine Möglichkeit hierfür ist der Konsum von Drogen und Alkohol; Eine andere Methode besteht darin, die emotionale Wahrnehmung Ihres Körpers auszuschalten. In unserem Traumazentrum und meiner Praxis hat ein großer Prozentsatz der traumatisierten Patienten, die wir sehen, ich würde sagen etwa 70 %, die Beziehung zu ihrem Körper abgebrochen; Sie spüren nicht, was in ihnen vorgeht, und registrieren es nicht, wenn sich etwas ändert. Daher wurde es sehr offensichtlich, dass wir den Menschen dabei helfen mussten, sichere Empfindungen in ihrem Körper wahrzunehmen und eine Verbindung zum Leben in ihrem Organismus aufzubauen, wie es oft genannt wird.

Matthew Sanford ist ein international anerkannter Yogalehrer. Nachdem er als Teenager eine Rückenmarksverletzung erlitten hatte, konnte er sich nicht an den Unfall erinnern, der ihn querschnittsgelähmt machte; doch sein Körper erinnerte sich. Dieses Phänomen wird als „Körpergedächtnis" bezeichnet, ähnlich Ihrer Vorstellung, dass Traumata nicht nur in unserem Geist Spuren hinterlassen. Seit Kurzem arbeitet er auch mit Veteranen und Frauen, die an Magersucht leiden. Dabei ist ihm klar, dass ihre Besessenheit von Körperproblemen tatsächlich darauf zurückzuführen sein könnte, dass sie selbst auf irgendeine Weise traumatisiert sind.

Es ist von größter Bedeutung, zu erkennen, wie sich Ihr Körper bewegt und wie das Leben in Ihnen selbst ist. Die westliche Kultur ist zutiefst körperlos; Ich bezeichne uns gern als Menschen, die einer postalkoholischen Kultur entstammen. Menschen mit Ursprung in Nordeuropa hatten nur eine Möglichkeit, mit jeglicher Not umzugehen: Alkohol.

Die nordamerikanische Kultur hält immer noch an der Annahme fest, dass die Einnahme von etwas zur Linderung von Kummergefühlen das innere Gleichgewicht wiederherstellt. Leider ist dieser Glaube jedoch nicht wahr! Sie können einfach nichts daran ändern, wie harmonisch sich Ihr inneres Wesen anfühlt.
Religionsunterricht gibt es sowohl in der Schule als auch in unserer Kultur, in unseren Kirchen und religiösen Praktiken – aber wenn wir uns auf der Welt umschauen, werden wir feststellen, dass die meisten religiösen Praktiken mit Tanz, Bewegung,

Singen oder körperlichen Erfahrungen beginnen – jedoch als „respektierter"
Individuen werden, ihre Bewegungen werden irgendwie steifer.

Ihr Zitat darüber, wie die posttraumatische Belastungsstörung den Zugang zur
wissenschaftlichen Erforschung des menschlichen Leidens ermöglicht hat, war
beeindruckend und bedeutsam. Für mich persönlich stellt es einen tiefen spirituellen
Einblick in dieses Gebiet dar.

Dieses Feld hat sich in zwei Richtungen entwickelt. Das eine ist Trauma und
Überleben und Leiden; Zweitens untersuchen die Menschen menschliche
Zusammenhänge sowohl aus akademischer als auch aus wissenschaftlicher Sicht. Das
Trauma mag ursprünglich das Interesse der Menschen geweckt haben, aber ich glaube,
dass wir seitdem große Fortschritte dabei gemacht haben, menschliche
Zusammenhänge als Kunstform und Wissenschaftsbereich besser zu verstehen.

Durch die wissenschaftliche Untersuchung menschlicher Zusammenhänge,
insbesondere der Interaktion zweier Menschen, ist die Wissenschaft auch zu einem
wirkungsvollen Mittel zur Entdeckung geworden. Wissenschaftler untersuchen, was
genau passiert, wenn zwei Menschen einander sehen, aufeinander reagieren, sich
spiegeln oder sich gemeinsam bewegen – Tanzen, Lächeln oder Konversieren sind
Beispiele dafür, dass zwei Körper physisch miteinander verbunden sind. Ein ganzes
Fachgebiet namens „Interpersonale Neurobiologie" untersucht, wie wir uns
miteinander verbinden – insbesondere, wie sich frühe Interaktionen auf die
Gehirnentwicklung auswirken.

Ihre Studie zeigt tatsächlich, dass das Erlernen, in ihren Körper zu leben und
selbstbewusster zu werden, die Widerstandsfähigkeit stärken kann, wenn ein Trauma
zuschlägt.

Absolut. Hier sind zwei Elemente am Werk. Erstens: Auch wenn Ihr Reptiliengehirn
das Sagen hat, kann Ihnen das ruhige Atmen Ihres Körpers dabei helfen,
Stresssituationen zu bemerken und zu spüren, dass möglicherweise etwas
Außergewöhnliches am Werk ist.
Auch hier erkennen traumatisierte Menschen oft nicht, dass ihnen etwas
Unangenehmes widerfährt, und lassen sich von diesen Erfahrungen nicht
beherrschen; Traumatisierte Menschen neigen dazu, nicht mehr daran zu glauben,
dass sie sich selbst gehören, und lassen stattdessen zu, dass andere Dinge sie
kontrollieren. Wie wir gelernt haben, liegt die Resilienz gegenüber Traumata darin,
sich selbst vollständig zu besitzen und Verantwortung für die eigenen Entscheidungen
und Handlungen zu übernehmen. Deshalb kann die Widerstandsfähigkeit gegenüber
Traumata dadurch gestärkt werden, dass man sich selbst treu bleibt und voll und ganz

akzeptiert, wer man ist. Wenn jemand also verletzende oder beleidigende Dinge sagt, anstatt darauf zu reagieren, gehen Sie wie folgt vor: Beobachten Sie und entscheiden Sie dann entsprechend über Ihre Reaktion. Wir beginnen wirklich zu verstehen, wie Menschen diese Fähigkeit der Beobachtung statt der Reaktion erlernen können.

Ich möchte nur betonen, dass es im Grunde genommen darauf ankommt, sich sicher zu fühlen – ein körperliches Gefühl und nicht nur intellektuelles Wissen. Hier passt irgendwie alles zusammen.

Im Rahmen der Traumabehandlung müssen Sie genau spüren und wissen, was in Ihnen vorgeht; Das bedeutet, zu spüren, was im Inneren passiert, zu wissen, wo sich jeder Zeh und jeder kleine Finger im Verhältnis zu anderen Körperteilen befindet, zu wissen, wann das Essen unangenehm wird, wann das Pinkeln nicht dorthin geht, wo es hingehört, wenn Atemprobleme auftreten usw. All diese Elemente werden außer Funktion gesetzt wenn ein Trauma zuschlägt und alle grundlegenden Körperfunktionen beeinträchtigt werden; Die Traumabehandlung muss von innen beginnen, um einen sicheren Raum zu schaffen, in dem Schlaf, Ruhe und Bewegung stattfinden können. Ann Hamilton bietet einen solchen Ansatz in der Traumabehandlung an, um deren Erfolg sicherzustellen: Schlaf, Ruhe sowie Sicherheit und Freiheit von traumatischen Auswirkungen auf Körperfunktionen, sobald ein Trauma eintritt; Die Behandlung muss an diesem grundlegenden Punkt beginnen, also muss die Behandlung von innen beginnen – beginnend bei Ihnen selbst, bevor Sie mit einer Behandlung fortfahren, die von innen heraus beginnt; All dies führt dazu, dass die Traumabehandlung bei Ihnen selbst beginnt. Daher muss die Traumabehandlung bei Bedarf mit den Körper-Geist-Verbindungen auf dieser Ebene beginnen, damit eine erfolgreiche Transformation stattfinden kann, wenn die Traumabehandlung innerhalb dieses systemischen Rahmens aus Schlaf, Ruhe, Entspannung und gefühlter sicherer Bewegung beginnen kann Dies geschieht innerhalb unseres aktuellen Diagnosesystems von Stress-Natrium-Afrika-ein weiterer Beginn hier bei Ann Hamilton. Ihr Körper beginnt hier in ihrem Ansatz in ihrem Ansatz mit ihrem einzigartigen Körper, sobald sie genau weiß, wo ihr Zeh beginnt Die Grundlage dafür, dass der Körper so schnell mit der Behandlung beginnt, beginnt, Schlaf, Ruhe und Erholung zu gewährleisten und alle grundlegenden Komponenten sicherzustellen. Hören Sie sich diesen Austausch zwischen Ann Hamilton und dem Autor Steve Martin an.

Meine Großmutter lag mir sehr am Herzen und ich habe lebhafte körperliche Erinnerungen daran, wie ich als Kind neben ihr auf der Couch saß, besonders unter ihrem Arm, der voll war. Wir strickten oder nadelten zusammen, sie las uns beiden Bücher vor, während unsere Hände beschäftigt blieben, während sich gleichzeitig unser Körper öffnete, um sowohl die Stimme im Raum als auch das Material unter

Ihrer Hand, das sich in unterschiedlichem Tempo ansammelte, aufzunehmen und darauf zu konzentrieren; beide Konzentrationen sorgen für einzigartige Genüsse; Man konnte sehen, wie es mit jeder Sitzung zunahm und aus jeder Erfahrung unterschiedliche Befriedigungen hervorbrachte, die beide wirklich befriedigend waren.

Und sie strickte Pullover...

Pullover waren unsere Spezialität; Nadelspitzen, Quilten, Stricken ... all diese Rundenprojekte waren äußerst beruhigende Aktivitäten, die wir in unserer Freizeit gemeinsam unternehmen konnten.

Sie haben eine aufschlussreiche Aussage gemacht: Textilien sind in der Tat das erste Haus, in dem unser Körper lebt; „Textilien dienen als Ausgangsarchitektur."

Ja. Wie lernen wir Dinge? Als Kinder oder Studenten in einem Umfeld, in dem die Dinge im Vordergrund stehen, die wir direkt benennen oder erklären können, gibt es jedoch zahlreiche andere Möglichkeiten, Wissen über unsere Haut, das größte Organ unseres Körpers, zu erlangen. Meine textile Hand war schon immer mein wichtigstes Mittel, um Dinge zu entdecken; Sowohl Texte als auch Textilien werden für mich durch Erfahrung lebendig, wenn es ums Weben geht; Als ich zum ersten Mal anfing, Dinge aus Stoff herzustellen, fühlte es sich an wie eine andere Haut, die sich sowohl bedeckte als auch offenbarte.
Sie bringen auch dieses Konzept von Fäden zur Sprache: solche, die zum Nähen verwendet werden, sowie solche, die Ideen oder Redewendungen darstellen – Sie diskutieren, wie diese Webprozesse sowohl bei Wörtern als auch bei Substanzen ablaufen.

Das Lesen von Büchern ist eine uralte und universelle Handlung. Das Lesen kann uns weit über ihre Seiten hinausführen – je mehr man in ein Buch eintaucht, desto weiter entfernt man sich zeitlich und räumlich von sich selbst und den Visionen des Autors von der Realität, die es mit sich führt.

Wie Sie sich erinnern werden, wenn Sie die Bilder Ihrer Großmutter gesehen haben, die Nadelstiche herstellte und Pullover strickte, scheinen diese Praktiken weit entfernt und längst verloren zu sein – doch wenn wir diese Fähigkeiten wiederentdecken, geben sie uns etwas Humanisierendes und etwas, mit dem wir uns wieder in der Gesellschaft identifizieren können.

Da ich an einer Universität lehre, ist es für mich als Pädagoge interessant zu überlegen, wo verkörpertes Wissen in eine solche Bildungseinrichtung passt – wie wir es pflegen und ihm vertrauen.

Aber die Wissenschaft hat gezeigt, dass all diese Gefühle, die wir zu beschreiben versuchen, tatsächlich zuerst in unserem Körper entstehen. Trauma mag eine wesentliche Rolle spielen, aber unsere Erfahrung der Welt geht weit über bloße verbale oder mentale Prozesse hinaus – es gibt auch diesen sozialen Aspekt, der in Kleidung oder Worten von Geschichten oder Büchern verwoben ist und der auch unsere Verbindung zu allen Menschen um uns herum darstellt.

Nun, um kurz auf das Stricken zurückzukommen: In seiner Struktur ermöglicht uns das Stricken, jede Masche nach oben und unten zu sehen, während sie durch die andere gleitet; Wir verlieren auch nie den Überblick über alle seine Bestandteile – selbst wenn man das Ganze betrachtet, sieht man immer noch alle seine Teile, wie Parker Palmer beobachtet hat.
Parker Palmer bringt Menschen unterschiedlicher Herkunft an der Schnittstelle von Spiritualität, Berufsleben und sozialem Wandel zusammen. Ich finde sein Buch „Let Your Life Speak" besonders bewegend, weil er zwei lähmende Anfälle von Depressionen in seinen Vierzigern enthüllt, die sich für mich und viele andere als lebensrettend erwiesen – und doch bietet sein Rat weiterhin Weisheit weit über die dunklen Grenzen der Depression hinaus.

Hören Sie sich einen spannenden Dialog zwischen dem Autor und Parker Palmer an.

Ihr Buch enthält einen Bericht über klinische Depressionen. Ein Satz lautet wie folgt: „Ich habe eine Form des christlichen Glaubens angenommen, die sich mehr auf abstrakte Konzepte über Gott als auf die direkte Erfahrung des Allmächtigen konzentriert: Wie sind so viele körperlose Konzepte aus einer Tradition entstanden, deren Kernglaube darin besteht, dass das Wort wird?" Fleisch?"'.

Ich nehme es sehr ernst, meine Erfahrungen in Frage zu stellen, insbesondere da Depressionen eine so eindringliche und ganzkörperliche Erfahrung sein können. Depressionen stellen für uns eine Einladung dar, tiefer über uns selbst nachzudenken, als wenn das Leben hell und luftig ist.

Lassen Sie uns hier kurz innehalten. Es gibt seit langem Kritik, dass die christliche Tradition Menschen, die unter Depressionen leiden, keine Linderung verschafft, weil das Leiden selbst manchmal verherrlicht werden kann. Dennoch drehen Sie dieses Bild durch die Art und Weise, wie Sie es in dieser besonderen Situation angewendet haben, um.

Ich stimme zu. Leider herrscht in der christlichen Tradition zu oft große Verwirrung über das Leiden, da dieser Aspekt des Lebens fälschlicherweise als sinnvoll oder bedeutsam dargestellt wird. Dies zu unterscheiden ist im Leben äußerst wichtig. Meine eigene Kindheitserfahrung war für das Verständnis dieser Unterscheidung nicht gerade hilfreich: Ein Kreuz sollte immer etwas Positives bedeuten, auch wenn es mit Leid verbunden war.

„Meine Sicht auf das Leben ist, dass Gott, der es mir geschenkt hat, möchte, dass ich seinen vollsten und reichsten Sinn erlebe – nicht einen frühen und schmerzhaften Tod." Das Leben vollständig und gut leben. Auch wenn mich das durch unangenehme Momente führt – zum Beispiel, wenn ich für etwas eintrete, an das ich glaube, und diese Idee dann von der Gesellschaft abgelehnt wird –, wissen diejenigen, die diese Form von Schmerz erlebt haben, dass er lebensspendend sein kann; Zu wissen, was deine Wahrheit ist, hilft dir, durch widersetzte Gesellschaften zu überleben. Aber es gibt noch eine andere Form des Leidens, die direkter mit dem Tod im Leben verbunden ist – eine Form, die wir durcharbeiten müssen, bis auf der anderen Seite Licht kommt.

Die Tradition der Quäker legt Wert auf Stille. Ich musste mich an Ihre Geschichte über Ihren Freund erinnern, der Ihnen in Zeiten großer emotionaler Belastung die meiste Unterstützung gegeben hat; Jemand, der nur kommen würde, um physisch bei dir zu sein und zuzuhören.

„Meine Güte, Parker!" Leute kamen und versuchten mir zu helfen; Leider waren viele überhaupt nicht hilfreich. Manche würden zum Beispiel so etwas sagen: „Warum sitzt du hier und fühlst dich deprimiert, wenn es draußen so ein schöner Tag ist? Genieße es, spüre die Sonne auf deiner Haut und rieche die Blumen!" Leider machte das die Sache nur noch schlimmer; dadurch wurde ich noch deprimierter, denn obwohl ich intellektuell wusste, dass es Dinge wie Sonnenschein und Blumen gibt, konnte ich Sinnesreize wie Düfte nicht in meinem Körper wahrnehmen, was die Depression noch verschlimmerte. andere Leute kamen herein und sagten: „Meine Güte, Parker! Warum bist du deprimiert? Geh raus und spüre die Sonne und rieche diese Blumen." Und andere Leute kamen herein und sagten Dinge wie: „Meine Güte, Parker! Warum genießt du das Leben nicht?" Andere kamen herein und sagten etwas Ähnliches: „Meine Güte, Parker, warum genießt du das Leben nicht mehr!" Andere Leute würden kommen und etwas Ähnliches sagen:
Fühlen Sie sich deprimiert? | Haben Sie Angst, verrückt zu werden? >> „Sie haben so viel Gutes getan, indem Sie anderen geholfen und geschrieben haben."

„Du bist so erfolgreich!"

Das würde mein Elend nur noch verschlimmern; denn es würde mich denken lassen: „Ich habe gerade eine andere Person zu ihrem eigenen Vorteil ausgenutzt, aber wenn sie die Person hinter ihrem Lob wirklich kennen würden, würden sie mich noch weiter in die Dunkelheit verurteilen, als ich bereits bin."

Jeden Nachmittag gegen 16:00 Uhr kam ein Freund vorbei, nachdem er um Erlaubnis gebeten hatte, und setzte mich auf meinen Wohnzimmersessel, zog meine Schuhe und Socken aus, massierte meine Füße und gab sie mir dann zurück, ohne jemals ein Wort zu sagen; er war ein Ältester der Quäker. Aufgrund seines intuitiven Verständnisses gab er manchmal kurze Kommentare ab wie: „Ich spüre Ihren Kampf heute" oder später: „Ich fühle mich jetzt stärker; das macht mich froh." Abgesehen von diesen kurzen Beobachtungen blieb er jedoch oft ruhig; kein Rat würde ihm jemals in den Weg kommen. Es gelang ihm, eine Stelle in meinem Körper zu finden – insbesondere meine Fußsohlen –, an der ich eine Art Verbindung zu einem anderen Menschen spürte, und durch die Massage blieb ich auf unerwartete und zutiefst beruhigende Weise mit der Menschheit verbunden.

Was mein Freund vor allem für mich tat, war, da zu sein, wenn ich jemanden brauchte, der in meinem Leiden anwesend war, ruhig, aber bequem und fühlbar. Auch wenn es mir nie leicht fiel, meine Wertschätzung für diese Aktion in vollem Umfang zum Ausdruck zu bringen, weiß ich, dass sie für mich persönlich einen großen Unterschied gemacht hat. Er wurde zu einem kraftvollen Symbol für die Art von Gemeinschaft, die wir um Menschen herum schaffen müssen, die mit solchen Schwierigkeiten zu kämpfen haben: eine Gemeinschaft, die weder in ihr Geheimnis eindringt noch sie im Stich lässt; hält die Menschen vielmehr in einem angemessenen, heiligen Beziehungsraum, in dem irgendwie Heilung stattfinden kann.

Menschen auf der dunklen Seite können Hoffnung schöpfen, dass sie auf die helle Seite gelangen können.

Eve Ensler wird weithin für ihr Stück „The Vagina Monologues" verehrt, das als Reaktion auf Gewalt gegen Frauen und Mädchen ein weltweiter Hit war. Aber Ensler selbst erlebte in ihrer Kindheit Gewalt; und ihr lebenslanger Kampf, die weibliche Körperlichkeit durch die Krebsdiagnose zu verstehen, brachte neue Erleichterung in ihrem Kampf.

Hören Sie sich diesen Austausch zwischen Eve Ensler und der Autorin Eve Ensler an.

Als Sie 2010 im Kongo dabei halfen, die sogenannte „Stadt der Freude" zu gründen, entdeckten Sie einen riesigen bösartigen Tumor in Ihrer Gebärmutter – etwas, das Sie mit dem Kongo verglichen, der seinen „Weltkörper" mitbringt. Ihre Geschichte wurde zu einem Symbol für moderne Frauen – insbesondere für die meisten westlichen Frauen. Einerseits achten wir sehr auf unseren Körper, andererseits kann es manchmal so aussehen, als ob wir ihn nicht vollständig bewohnen oder wissen, dass wir überhaupt nicht dorthin gehören.

Richtig. Und Ihr Engagement als Fürsprecherin für Frauenkörper auf der ganzen Welt, um sie zu entdecken, ist wirklich inspirierend.

Nun, alles geschieht schrittweise und schrittweise. Das Schreiben meines ganzen Lebens war ein Versuch, wieder in meinen Körper einzudringen; Jedes Stück stellt diese Reise und den Versuch einer Neuerfindung auf einer bestimmten Ebene dar. Man denkt, man kennt sich selbst, bis der Krebs zuschlägt und dann plötzlich alles wieder anders wird.
Nach neun Stunden Operation, aus der alle Schläuche und Katheter herausgekommen sind, wird Ihnen klar, dass es das erste Mal in Ihrem Leben ist, dass Sie sich in Ihrem Körper wirklich lebendig fühlen. Diese Erfahrung war absolut erstaunlich: Teil meines Körpers zu sein, anstatt in irgendeiner Weise von ihm getrennt zu sein, war unglaublich.

Kürzlich habe ich darüber nachgedacht, dass Descartes große Schuld an unserer heutigen Kultur verdient – sein Konzept „Ich denke, also bin ich." Die westliche Zivilisation basiert auf dieser übermäßig zerebralen, körperlosen Methode, die wir bei der Schaffung von Institutionen gewählt haben. Infolgedessen sind wir dadurch viel ärmer und unsere Institutionen wirken für den Rest der Gesellschaft weniger greifbar. Dadurch sind wir viel kleiner.

Das war so lustig von dir! Während ich gegen den Krebs kämpfte, wiederholte ich ständig: „Ich fühle, deshalb bin ich". Durch die körperliche Präsenz werden meine Existenz und mein Atem zu greifbaren Erfahrungen meines Menschseins. Leider hat diese Vorstellung von Objektivität – als ob das Gehirn jemals Ihr subjektives Selbst wirklich trennen könnte – zu einem Grad der Dissoziation auf der Erde geführt; Sie können in Denksystemen gefangen sein, die Sie daran hindern, Ihr Herz vollständig zu öffnen.

Ich habe kürzlich an einer Veranstaltung teilgenommen, bei der Neurowissenschaftler, Künstler, Dichter aus Sierra Leone und Norduganda sowie Kontemplative anwesend waren. Wir sprachen über das buddhistische „Herz-Geist", dass Herz und Geist eins sind. Darüber hinaus begannen westliche Neurowissenschaftler zunächst damit, tibetische buddhistische Mönche während ihrer Meditation zu untersuchen. Mönche fanden es so amüsant, dass sie begannen, Elektroden direkt auf ihren Köpfen anzubringen ...

Die Wissenschaft hilft uns zu erkennen, dass unser Gehirn ein Organ ist und dass das, was wir als Gefühle erleben, auch irgendwo in unserem Körper gespeichert ist.

Nichts ist getrennt. Während zu einem bestimmten Zeitpunkt vielleicht alles isoliert schien, verbindet sich jetzt alles direkt mit sich selbst – das ist es, was mich am Leben im Moment am meisten reizt: zu verstehen, dass auch alles außerhalb von uns miteinander verbunden ist. Menschen können nicht kontrolliert oder dominiert werden, ohne sich zuvor von sich selbst und voneinander zu lösen. Je tiefer die Menschen sich wieder mit sich selbst und untereinander verbinden, desto widerstandsfähiger werden wir gegen Kontrolle und Beschäftigung. An diesem Wendepunkt der Geschichte ist es wichtig, Kontakte zu knüpfen. Ich meine das nicht im arroganten oder selbstsüchtigen Sinne – vielmehr meine ich, wie wir unser tägliches Leben in jeder Hinsicht mit uns selbst und mit allem um uns herum leben, um Transzendenz und echte transformative energetische Veränderungen zu fördern.

Ihr Buch über Krebs endete mit der Vorstellung, dass wir „Menschen des zweiten Windes" seien, worauf Sie offenbar auch jetzt hinweisen.

Ich liebe das Konzept, den zweiten Atem zu finden, wenn man, nachdem man zu lange vom Laufen erschöpft war, plötzlich etwas mehr Energie findet und weitermachen kann. Dieses Phänomen hat mich schon immer fasziniert. Was liegt in diesem zweiten Windraum – welchen Teil von uns verkapselt oder umfasst er geistig oder körperlich? Du denkst nicht viel darüber nach, bevor es auf dich zukommt!

Erfahrung ist eher eine ganzheitliche.

Ganzkörperarbeit. Ich habe das Gefühl, dass wir vielleicht in den zweiten Wind der Menschheit eintreten; oder vielleicht erfordert dies eine radikale Neukonfiguration und Neukonzeptualisierung der Menschheit selbst.
Wie geht es hier weiter? Ich glaube an die Möglichkeit dieses Unterfangens; Dazu braucht es nur genügend Menschen, die ebenfalls daran glauben und bereit sind, ihre Kräfte zu bündeln und den Wind anzunehmen, der jetzt auf uns zuweht.

Joanna Macy ist vor allem als buddhistische Lehrerin und Gelehrte bekannt, aber ihr Talent als Übersetzerin der Gedichte von Rainer Maria Rilke lernte ich erst um die Jahrhundertwende kennen. Während er dort nach einem Sinn suchte, nahm Joanna Macy als Reaktion auf Ereignisse des 20. Jahrhunderts Gestalt an, die er nicht vorhersagen konnte; Ich wurde Umweltaktivist, lange bevor dieser Begriff weltweit Einzug hielt.

Hören Sie sich einen Austausch zwischen Joanna Macy und dem Autor Brian Kelly an.

Als ich über Sie und Ihre langjährige Leidenschaft als Umweltschützer las, fiel mir besonders auf, dass Sie bei der Aufnahme von Nachrichten unsere kollektive Trauer erkannt haben; Sie haben eng mit den Menschen zusammengearbeitet, um dies anzuerkennen und ihre Trauer ernst zu nehmen.

Trauer kann furchterregend sein. Der Schlüssel liegt also darin, keine Angst davor zu haben und so gut wie möglich damit umzugehen. Wenn man es abschaltet, schädigt man sich nur noch mehr; Und unsere Schwierigkeit zu erkennen, was wir unserer Welt antun, ist nicht auf gefühllose Gleichgültigkeit oder Unwissenheit zurückzuführen, sondern auf die Angst vor Schmerzen – etwas, das ich gelernt habe, als ich mich während und nach den Katastrophen von Three Mile Island und Tschernobyl für die Kernenergie organisierte.

Dieses Ereignis war vielleicht einer der entscheidenden Momente in meinem Leben – dieser Tanz mit Gott.
In Zeiten des Unbehagens und der Verzweiflung werden wir gebeten, nicht vor Unbehagen, Trauer, Empörung oder Angst davonzulaufen. Wenn wir stattdessen furchtlos genug sein können, uns unserem Schmerz frontal zu stellen, ohne uns in die Leugnung oder Vermeidung von allem zurückzuziehen, dann ändert sein Weg die Richtung; andernfalls bleibt es statisch; Wenn man ihm direkt gegenübersteht und ihm Zeit lässt, über seine Ursache nachzudenken, indem man ihn ergreift und mit ihm atmet, dann verändert sich auch sein Gesicht – es zeigt unsere Liebe und Verbundenheit mit dem Leben, während sich sein anderes Gesicht offenbart – und zeigt diese Unvermeidlichkeit!

Poetisches Denken kann bei der Lösung ökologischer Probleme nützlicher sein als unsere typischen faktenbasierten oder argumentativen Ansätze, selbst bei ähnlichen Problemen.

Das hält die Menschen davon ab, überhaupt zuzugeben, dass sie verärgert sind, weil sie glauben, dass es für die wirksame Bewältigung eines Problems erforderlich ist, über alle Fakten und Zahlen zu verfügen, die zum Nachweis intellektueller Überlegenheit erforderlich sind.

Aber wir werden von Fakten, Zahlen und Bildern überwältigt; Sie können schwächend und lähmend sein. Vielleicht liegt das daran, dass uns die nötigen Fähigkeiten fehlen, um mit Trauer auf produktive Weise umzugehen und sie in etwas Konstruktives umzuwandeln. Etwas, worüber ich als Journalist und Medienschaffender oft nachdenke.

Das ist richtig; Die Welt als Liebhaber und Selbst sind ein und dasselbe, und es ist völlig verständlich, dass unser Herz für diese schöne, aber grausame Welt bricht. Darin steckt große Intelligenz: Die Menschen haben den Planeten behandelt, als wäre er nur ein weiteres Versorgungshaus oder eine weitere Kanalisation, indem sie ihm Ressourcen für Autos und Haartrockner entzogen und gleichzeitig unsere Abfälle in seine Gewässer geworfen haben, bis diese ihre Kapazität überschritten hatten. Aber unsere Erde ist nicht nur eine weitere Ressource, die wir nutzen können, denn wir behandeln sie wie unseren größeren Körper: Wir atmen sie ein, schmecken ihre geschmackvollen Aromen und verkörpern gleichzeitig jeden Teil von uns selbst in uns. Jetzt ist es an der Zeit, dieses wundersame Aufblühen des Lebens zu verehren, das jeden Aspekt von uns selbst umarmt.

Jetzt schaue ich auf meine Hand, während wir uns unterhalten; Es hat seit seinem 81. Lebensjahr viele Falten, ist aber im Laufe der Geschichte mit Händen wie meinen verbunden. Diese Hände lernten im Alltag zu greifen, zu klettern, sich auf Landflächen hochzudrücken und Schilfkörbe zu flechten; Es hat eine erstaunliche Geschichte, die bis zu seinen Anfängen zurückreicht – und an der wir als Menschen teilhaben!
Da wir oft herausgefordert werden, uns zu strecken, hindert uns nichts daran, uns unter Druck gesetzt zu fühlen, die Intensität unserer Liebe für diese Welt zu steigern, unabhängig davon, ob sich ihre Gesundheit in den kommenden Jahrzehnten verbessert oder wir glauben, dass ihr Überleben gesichert ist. Genau jetzt ist Dein Moment! Machen Sie die Liebe nicht davon abhängig, wie lange das Leben der Menschen, die Ihnen am Herzen liegen, intakt bleibt – denken Sie einfach daran, dass es wichtig ist, dass Sie heute am Leben sind.

Wenn wir danach streben, ein weiseres statt ein klügeres Leben zu führen, sollten wir uns bemühen zu verstehen, was Liebe beinhaltet: ihre Ursprünge und Tiefen sowie wann und warum sie verblasst.

Erneuerung der Liebe als privates und öffentliches Gut. Mein Ziel ist es, dieses Konzept anders für Herzen und Ohren hervorzurufen – nicht weniger komplex, aber anders. Liebe als Muskel. Liebe als Widerstandskraft. Und Liebe als gesellschaftlich: nicht nur intim, sondern zugleich öffentlich! Mein Ziel ist es, nach fleischlicher, praktischer Liebe zu streben: einem Eros, der über sexuelle Anziehung hinausgeht und gleichzeitig leidenschaftlich erfüllend bleibt. Absichtliches Lieben erfordert ständige Übung; Liebe muss nicht nur begegnet werden, wenn man ihr begegnet, sondern sie muss in wenigen Augenblicken auf ihrem Höhepunkt gemeistert werden. Kreativer Ausdruck überbrückt die Lücken zwischen uns und lindert sie. Poesie spricht wie jeder Versuch direkt die menschliche Existenz an. Die meisten Menschen neigen dazu, einfache Lösungen ohne große Schwierigkeiten zu bevorzugen; aber Rilke erinnerte seinen jungen Dichter: Wir müssen auf das vertrauen, was schwer ist.

Die Natur kennt keine Grenzen oder Barrieren, wenn es um ihr Überleben und ihre Ausbreitung geht, sie verteidigt sich auf jede erdenkliche Weise und strebt danach, sich selbst trotz aller Widerstände treu zu bleiben. Obwohl wir nur sehr wenig darüber verstehen, wie das funktioniert, bleibt eines sicher: Alles muss überleben, egal welche Hindernisse es gibt. Wir wissen vielleicht nur wenig, aber eines ist sicher: Die Natur muss ohne Eingriffe und Hindernisse auf ihrem Weg gedeihen.
Auf das zu vertrauen, was schwierig ist, ist eine Gewissheit, die wir nicht aufgeben können; Einsamkeit ist eine Herausforderung; Dass etwas schwierig ist, sollte für uns nur ein Anreiz sein, es anzugehen. Lieben ist eine weitere große Herausforderung – vielleicht die schwierigste Aufgabe im ganzen Leben, der letzte Beweis und Text für alle anderen Arbeiten zur Vorbereitung dieser Liebesgeschichte, die wir jetzt leben.

Liebe ist sowohl die Superstar-Tugend der Tugenden als auch eines der am häufigsten missbrauchten Wörter im Englischen: „I love this Weather" und „Your Dress" sind zwei Beispiele. Was wir mit der Liebe gemacht haben – einer Möglichkeit, einer wesentlichen Bindung, einem Akt – ist, sie in ein alltägliches Gut zu verwandeln: private Beziehungen innerhalb von Familien, wenn ihre Stärke in der Überwindung von Stammeslinien liegt; romantisierende Romantik, obwohl ihr wahres Maß nachhaltige, praktische Sorgfalt sein sollte; Lebe es als Gefühl und nicht als Erfahrung, die unser tägliches Leben bestimmen sollte: Liebe zu teilen oder zu empfangen ist etwas, das jeder jeden Tag in der einen oder anderen Form sucht!

Griechische Philosophen identifizierten Eros als die Kraft der Liebe, die unsere Wünsche antreibt, unsere Vorstellungskraft auf Freude und Verzweiflung konzentriert und einen Großteil unseres Gefühls der Vollendung definiert. Es gibt Filia – Freundschaftsliebe – und Agape – Mitgefühl, ausgedrückt als freundliche Taten gegenüber dem Nächsten oder Fremden. Metta bedeutet in der Pali-Kultur „liebende Güte" – sich dafür zu interessieren, sowohl bekannten als auch unbekannten Menschen zu helfen, und es gleichzeitig als Teil der „liebenden Güte" für sich selbst zu kultivieren.

Religiöse Metaphern wie die von „Mitgefühl" als „Gebärmutter" können gleichermaßen schön und verwirrend sein. Betrachtet man sie vor dem Hintergrund der Realität der Geburt, enthüllen sie deren implizite Komplexität als ehrliche Darstellung der Gesamtheit der Liebe – von Vergnügen und Risikobereitschaft bis hin zu Opfern; ein endloser Kreislauf von Lernen aus Fehlern zu unendlicher Freude – und schließlich der täglichen Fürsorge.

Was ist Liebe? Machen Sie eine Reise durch die Erzählung Ihres Lebens, um sie zu erklären.

Als ich aufwuchs, wurde mir gesagt, ich solle nicht die Wahrheit über die Liebe sagen. Obwohl ich in der Sonntagsschule gelernt habe, wie man seinen Nächsten liebt, wurde die Idee nicht unbedingt in Bezug auf die Lebensbedingungen und Erfahrungen in die Realität umgesetzt.

Meine Eltern traten nicht in die Fußstapfen meines Großvaters, wenn es um die praktische Anwendung der Religion im täglichen Leben ging. Auch ihre Kirche folgte seinem Beispiel nicht: In ihrem Hymnus „Love Divine, All Loves Excelling" ging es um Gott und nicht um uns; So leidenschaftlich zu lieben, dass man sich selbst opfern könnte, war nicht wünschenswert – doch erstaunliche Geschichten, wie sie in der Heiligen Schrift zu finden sind, zeigten seine Tiefgründigkeit. In der Mitte des 20. Jahrhunderts hingegen verbrachte ich den Protestantismus, in dem ich sonntags und mittwochs die Abende damit verbrachte, Bibeltexte mit Blick auf moderne Relevanz zu lesen: Dies bot ein Umfeld, in dem sich selbst geschaffene Männer und Familien danken und an Recht und Unrecht erinnern konnten, während sie sich gleichzeitig genährt fühlten in sich selbst und sorgen somit für Nahrung ohne körperlichen Nutzen oder soziale Auswirkungen auf gesellschaftlicher Ebene.

Meine Eltern erlebten die Ehe als Rollenspiel. Da keiner von beiden sich selbst gut genug kannte, um einander gut genug zu kennen, war die einzige Person, mit der sie sich vollständig identifizieren konnten, einander. Meiner Mutter wurde beigebracht, bei ihrem Mann nach Erfüllung zu suchen, während er selbst gegen seine inneren Dämonen kämpfte – so dass meine Mutter anderswo in ihrem Mann danach suchte.

Mein Vater kümmerte sich mit allem, was er aufbringen konnte, um seine Familie. Er tat dies auf bewundernswerte Weise, indem er hart arbeitete und für ihre Bedürfnisse sorgte; Dafür werde ich immer unendlich dankbar sein. Darüber hinaus unterstützte er sowohl meine Ausbildung als auch meine frühen Abenteuer – dafür bin ich auf ewig dankbar.

Mein Vater wirkte überheblich und hatte die Absicht zu lieben, schien aber immer Angst vor jedem Zeichen zu haben, dass Liebe in sein Leben eindringen könnte – auch vor dem, was aus seinem Inneren kam. Angst verhinderte, dass seine Lebenskraft ungehindert fließen konnte. Obwohl er grandios aussah, wirkten seine Liebesabsichten innerlich ausgehöhlt; Er schien schon vor der Andeutung von Zuneigung Angst zu haben – auch bei ihm selbst. Jetzt, Jahrzehnte zu spät, verstehe ich, dass sein verwundetes Tier immer wachsam war – eine innere Körpererinnerung, die ich erst Jahrzehnte zu spät wiedererkennen kann. Um seiner Ungnade, die jeden Moment grausam werden könnte, zuvorzukommen, beeindruckte ich ihn mit meinem Verstand und meinem Ehrgeiz, indem ich Journalismus und Diplomatie beeindruckte – sein Selbstgefühl wurde auf diese äußerst befriedigende Weise erweitert. Als ich beschloss, das nicht weiter zu tun oder mich dem Journalismus oder der Diplomatie zu widmen, sondern stattdessen Sinn- und Theologiefragen durch die Ehe nachzugehen, anstatt ihn politisch zu beeindrucken, verstand er meine Taten nie und vergab mir auch nie, noch verzieh er sie mir jemals.

Allerdings hielt ich jahrelang fest an dem fest, was zu unserem Familienmantra geworden war: unser glückliches Zuhause; zwei liebevolle Eltern; ihre perfekte Ehe. Dieser Gipfel diente mir als Ziel; Es mag falsch gewesen sein, aber es hat mir Selbstvertrauen gegeben, das jedes vernünftige Maß übersteigt – Matthew Sanford würde diese Art von Erzählung „Heilungsgeschichten" nennen.

Selbstberuhigung ist wichtig, aber die Geschichten, die wir uns selbst erzählen, sind möglicherweise nicht immer die vorteilhafteste oder nachhaltigste Lösung. Nachdem ich stark genug geworden war, die Wahrheit über meine Depression Mitte 30 zu akzeptieren und damit zu leben, begann ich mit Hilfe eines weisen Therapeuten den langen Prozess, die Realität vollständiger aufzudecken und zu akzeptieren. Letztendlich gab dies meinem Leben neue Hoffnung und einen Sinn.

Ich habe wilde Verliebtheit und Eheglück erlebt, bevor ich meine bisher größte Liebe empfand: die der Mutterschaft. Wie jeder andere hatten auch diese Beziehungen ihre Höhen und Tiefen; Manchmal ging es mir gut, manchmal scheiterte ich – ich lernte, mir selbst zu verzeihen, wenn die Dinge nicht genau nach Plan liefen; So wie meine liebevollen/geliebten Kinder mich mehr als einmal gebraucht haben, weil sie unvollkommene Eltern oder liebevolle/geliebte Töchter waren.

Michael, der Vater meiner Kinder, und ich lernten uns unter romantisch-idyllischen Umständen in Schottland kennen – verzaubert von der atemberaubend schönen Landschaft – eine unerklärliche Anziehungskraft faszinierte mich auf den ersten Blick.

Zu diesem Zeitpunkt in meinem Leben war ich bereits über Kontinente gereist, hatte schon früh etwas Bedeutendes erreicht und interessante Beziehungen erlebt. Als ich diese lebenswichtige Entscheidung traf, überließ ich mich jeder romantischen Komödie mit idyllischem Ende, die ich je gesehen hatte, und jedem Liebeslied, das mir jemals Tränen in die Augen getrieben hatte. Ich klammerte mich fest an die idealisierte Version der Ehe meiner Eltern, anstatt mich mit ihrer Realität auseinanderzusetzen; Michael und ich liebten uns sehr. Zu unserer Hochzeit in Schottland kamen Freunde aus der ganzen Welt und es war eine außergewöhnliche Party, die großartigste, die ich je veranstaltet habe. Allerdings teilten wir wenig über die Herkunft oder das Leben zwischen uns; Nichts verband uns außer uns selbst, als ein Partner nicht mehr da sein konnte.

Wie so oft in modernen Ehen wurden wir am Ende unserer Ehe allein gelassen. Nachdem wir uns von denen entfernt haben, die uns gut kannten und liebten – wie jene Freunde, die angereist waren, um unseren Gelübden beizuwohnen –, ist die Kernfamilie sowohl neu als auch fatal für die Liebe: eine beispiellose Forderung an Paare, alles füreinander zu geben, wobei sich die Geschichte Schicht für Schicht wiederholt nach Schicht in dieser Echokammer namens Zuhause. Keine Tugend kann jemals allein existieren: nicht einmal diese.

Nach dem Ende meiner Ehe betrat ich ein Paralleluniversum, das es schon die ganze Zeit gegeben hatte; eines von vielen modernen Opfern einer gescheiterten Langzeitliebe. Noch seltsamer ist unser universelles Verlangen nach romantischer Liebe als Idealisierung und Vervollständigung; Liebeslieder und Filme bleiben beliebte Unterhaltungsformen. Nach meiner Scheidung habe ich mir ein einladendes Zuhause geschaffen und hatte große Freude daran, meine Kinder großzuziehen, während ich gleichzeitig das Abendessen für alte und neue Freunde kochte und in wunderschöne, weit entfernte Immobilien investierte.

Jahre vergingen, in denen ich mich stark auf die Unterstützung meiner Freundschaften und Arbeitsnetzwerke verließ; Dennoch glaubte ich jahrelang, dass etwas fehlte – Liebe vielleicht?

Diese Geschichte ist das Gegenteil von Heilung: Sie zeigt die Knappheit in einer ansonsten reichhaltigen Existenz. Ich habe Liebe in all ihren verschiedenen Formen in meinem Leben. Nachdem ich mich an das Single-Dasein gewöhnt hatte, wurde meine Liebe auf untheatralischere, alltäglichere Weise stabiler. Eines Tages kurz darauf wurde mir klar, dass mein Mangel an Zuneigung nicht real war, sondern eher auf mangelnde Vorstellungskraft oder eine zu enge Interpretation eines wesentlichen Wortes zurückzuführen war.

Manchmal empfinde ich meine Nachlässigkeit als selbstzerstörerisch: Auf der Suche nach Liebe wollte ich oft einfach nur eine Gegenliebe haben – etwas, das mich auf einen unnötigen Weg im Leben geführt hat. Jetzt hat sich mein Ziel jedoch geändert und ich lerne alles, was man über die Liebe wissen muss – ein Abenteurer, der gerade erst am Anfang steht.

Die Absicht, durchs Leben zu gehen und in Beziehungen und Interaktionen Liebe zu praktizieren, fühlt sich wie ein unglaubliches Abenteuer an.

* * *

Die Zukunft meiner und unserer Fähigkeit, diesen Schritt gemeinsam zu schaffen, bleibt jedoch unklar. Aber gute Fragen, großzügig gestellt und ernst genommen, sind wirkungsvolle Werkzeuge. Kürzlich haben wir angefangen, Hass im öffentlichen Leben zu diskutieren, indem wir neue Verbrechen geschaffen haben, um seine Existenz zu kennzeichnen – insbesondere rechtliche Kategorien geschaffen, in denen die Toleranz nachlässt und die menschliche Natur in ihrer schlimmsten Form zum Ausbruch kommt – ich weiß, dass ich auf Schritt und Tritt Worte wie „Liebe" auftauchen höre Sehnsüchte nach gemeinsamem Leben – oft aus unerwarteten Ecken.

Während die Amerikaner daran arbeiten, ein gemeinsames Leben für dieses Jahrhundert aufzubauen, befinden wir uns an einem unglaublichen, beunruhigenden Punkt. Während wir uns der gewaltigen Herausforderung stellen, ein gemeinsames Leben für diese Zeit zu erfinden, kämpfen wir mit Spaltungen zwischen Rasse, Einkommen und Klasse, die schon seit langem bestehen, jetzt aber akuter denn je zum Ausdruck kommen. Neu ist auch die weitverbreitete Trauer darüber, dass Heilungsgeschichten, die wir uns gemeinsam erzählt haben, zu kurz gekommen sind. In ganz Amerika herrscht Verwirrung darüber, wo man anfangen soll, die Beziehungen zu Nachbarn zu verändern, die ihrem Wohlergehen entweder nützen oder schaden könnten; Dennoch wissen wir nicht, wo oder wie wir am besten vorgehen sollten, wenn wir die Beziehungen zu Fremden verändern, da wir uns möglicherweise gegenseitig auf das Wohlergehen des anderen auswirken oder wie sich ihr Wohlergehen auf ihr Wohlergehen auswirken könnte oder umgekehrt. keine der Antworten ist für beide Seiten einfach; Diese Verwirrung ist frustrierend und erfrischend zugleich: Wo können wir Beziehungen ändern, die die Beziehungen verbessern würden, oder Möglichkeiten angehen, wie unser eigenes Wohlbefinden möglicherweise ihr Wohlbefinden beeinflussen oder ihnen direkt schaden könnte? Wir wissen nicht, wo oder wie wir am besten mit der Veränderung beginnen Beziehungen zu Fremden, von denen wir noch nicht wissen, wo oder wie sich die Beziehungen zwischen uns verändern, oder Veränderungen, die beginnen, die Art und Weise zu verändern, wie wir diese Fremden behandeln, die Nachbarn sind – Beziehungen zu verändern, in denen jede Veränderung einen wirkungsvollen Weg einschlagen und ihnen schaden würde? Keine der beiden Seiten weiß, wo oder – und auch nicht, wo/wer/n/wer sie anfangen wird, diese Beziehungsunterschiede zu verändern. Wir kennen uns nicht, aber keine andere Seite weiß, dass das Wohlergehen keiner Seite sich negativ auf das Wohlergehen des anderen auswirkt – oder auf unser Wohlergehen

eigen. Es weiß auch nicht wo und/oder kennen sich nicht, weil sie es nicht wissen. Wir wissen es nicht. Wir wissen nicht, wem unsere Nachbarn auf die eine oder andere Weise schaden oder sich selbst verändern könnten – aber wir wissen, dass sie es könnten oder ihren Nachbarn schaden/schaden könnten, ihnen Schaden zufügen oder Veränderungen beginnen könnten oder ob dieser Prozess beginnen würde, Veränderungen beginnen würden! Ich weiß es nicht. Das weiß es nicht. Das weiß ich sowieso nicht, wir wissen es nicht, wenn wir eine Beziehung ändern, wo wir unsere Beziehungen ändern oder wissen, es sei denn – und wir wissen es nicht ... Wir wissen es nicht ... Sie wissen es auch nicht! Auch nicht
Aber wir wollen nicht so leben, ich möchte nicht so leben.

Toleranz lehrte uns, moralische oder spirituelle Beobachtungen für uns zu behalten, sie zu Hause aufzubewahren oder sie an den Türen von Arbeits- oder Studienorten zu überprüfen. Stattdessen hielten wir diese Gefühle nah bei uns, ohne ihnen Sauerstoff zu geben, der sowohl Fragen als auch Antworten aufwerfen könnte, die gemeinsam in einem interaktiven Dialog erkundet werden könnten. In der Zwischenzeit wurden wirtschaftliche Argumente allzu oft zu unserem einzigen Ausdrucksmittel in Angelegenheiten, die menschliches Leben betreffen, wie Arbeit, Bildung, Einwanderung, Flüchtlinge, Armut in Gefängnissen, Gesundheitsfürsorge usw. Formulieren Sie diese „Probleme" neu als Herausforderungen für das menschliche Leben und überlegen Sie, was für die Menschen auf dem Spiel steht, wenn Sie diese „Probleme" betrachten, einschließlich der Infragestellung angewandter Tugend und politischer/wirtschaftlicher Weisheit, die für eine wirksame Auseinandersetzung gebündelt werden muss: die Zukunft der menschlichen Berufung; Bestrafung von Übeltätern bei gleichzeitiger Schaffung von Raum für Erlösung, effektive Behandlung von Ausgestoßenen und Fremden und wirksame Linderung von Hungersnöten in einer immer länger werdenden Lebensspanne, Förderung des Geistes von Kindern, damit sie gut darauf vorbereitet sind, sich in der Welt, in der sie leben werden, zurechtzufinden und sie zu erschaffen; Wir fördern unsere Kinder als zukünftige Führungspersönlichkeiten – weil wir tief in unserem Inneren wissen, dass die Menschen viel größer, wilder und wertvoller sind, als irgendein wirtschaftliches Ergebnis oder politisches Rezept darstellen kann; dass sie Geheimnisse in sich tragen, von denen nur sie wissen, dass sie sie vollständig ausdrücken können.
Was wäre, wenn Elizabeth Alexander am Tag der Amtseinführung 2009 in der Washington Mall fragte: „Liebe ist das mächtigste Wort?" Wie könnte dieses Wort, wenn es in unseren Gesprächen und Interaktionen frei verwendet wird, es neu definieren und herausfordern und gleichzeitig wesentliche Erkenntnisse für weitere Berechnungen und Strategien liefern? Dichter und Politiker können diese Frage nicht alleine bewältigen, ebenso wenig wie die Frage selbst. Stattdessen lädt es jeden von uns dazu ein, aus der Einsamkeit herauszukommen und einander durch das lebendige Streben der Liebe zu begegnen, sich unserer Identität bewusst zu werden und sie zu

ehren und in vollem Umfang zu kämpfen. Aber es entführt uns erneut in eine Begegnung mit der Weite der menschlichen Identität. Spirituelle Genies und Heilige rufen die Menschheit seit langem zur Liebe auf; Sozialreformer veränderten auch das Leben. Bürgerrechtler drängten in den 1960er Jahren im Namen der Liebe energisch auf eine Versöhnung mit dem Anderssein. Ihre politischen, wirtschaftlichen und rassischen Veränderungen begannen mit dem Ziel, die „geliebte Gemeinschaft" zu schaffen.

Als ich aufwuchs, verstand ich diese Bewegung oder ihre Vision nicht so klar, obwohl sie sich mein ganzes Leben lang entfaltete. John Lewis, heute Kongressabgeordneter aus Georgia und Opfer dessen, was als „Bloody Sunday" bekannt wurde, hat es mir deutlich vor Augen geführt. John Lewis lud mich zu einer jährlichen Bürgerrechtspilgerfahrt durch Tuscaloosa, Birmingham, Selma und Montgomery ein – heilige Stätten, in denen die Bürgerrechtsbewegung ihren Ursprung hatte, und John und andere erfahrene Führungspersönlichkeiten, die noch unter uns sind, haben mir geholfen, mich an so viel aus meiner Vergangenheit zu erinnern. Diese von ihnen ins Leben gerufene Bewegung war ein Akt der spirituellen Konfrontation mit sich selbst und dann mit der Gesellschaft insgesamt. Bevor sie einen Sitzstreik, einen Marsch oder einen Ritt durchführten, studierten sie zur Vorbereitung die heiligen Schriften, das gandhianische Denken, die aristotelische Philosophie und thoreanische Werke wie Thoreaus Schriften. Während sie praktische Disziplinen der Höflichkeit und des Verhaltens verinnerlichten – wie Freundlichkeit, Augenkontakt, das Tragen von Kleidern ohne unnötige Worte –, verinnerlichten sie eine inhärente Intelligenz über die Funktionsweise des menschlichen Gehirns in diesen Verhaltensregeln. Neurowissenschaftler würden diese Feinheiten der menschlichen Intelligenz jetzt so anerkennen, wie Neurowissenschaftler sie heute beobachten. Darüber hinaus kam es zu intensiven Rollenspielen – einem sogenannten Sozialdrama –, bei dem Weiße die Rolle von Schwarzen übernahmen, die Belästigungen ausgesetzt waren, während Aktivisten beider Rassen die Rolle von Polizisten spielten, die sich bedroht fühlten, aber den Befehl hatten, die Kontrolle zu erlangen.

Liebe war nicht einfach eine Emotion; Es war eine Lebensweise, die über Kummer hinausging und Gewalt allmählich verwandelte. Als Teil seines Versuchs, Licht und Schwerkraft zu verstehen, verwendete Einstein „Was-wäre-wenn"-Fragen zur Jagd auf Licht mit seiner Geschwindigkeit; John Lewis verwendete ähnliche Fragen als Werkzeuge der sozialen Alchemie: Was wäre, wenn die geliebte Gemeinschaft bereits real wäre, die wahre Realität, und alles, was er tun müsste, wäre, sie zu verkörpern, bis andere es sehen könnten?

Hören Sie sich diesen Austausch zwischen John Lewis und dem Autor Sheldon May an.

Mit 11 Jahren machte ich mich auf den Weg vom ländlichen Alabama nach Buffalo für einen Sommerbesuch bei meinem Onkel, meiner Tante und einigen Cousins ersten Grades – es war mein erstes Mal außerhalb des Südens – mit der Hoffnung, dass sich die Dinge verbessern würden, und daran, dass es dort auch besser werden würde Leben. Ich wollte glauben und glaubte auch daran, dass es irgendwann klappen würde. Später wurde mir klar, dass es notwendig ist, darauf zu vertrauen, dass das, worauf man hinarbeitet, bereits geschehen ist und von nun an nur noch besser werden kann.

Und so leben, als ob?
Stellen Sie sich vor, Sie leben so, als ob Sie bereits dazugehören, als ob Sie bereits Teil dieser Gemeinschaft oder des Gefühls einer Familie und eines Hauses wären. Stellen Sie sich vor oder glauben Sie sogar daran, dass es existiert, denn für Sie existiert es bereits. Ich glaubte in den frühen Tagen der Bewegung, dass eine echte Integration unseres Gemeinschaftsgefühls nur dadurch erreicht werden kann, dass wir Teil der Bewegung selbst sind, denn im Wesentlichen wurden wir zu einem Kreis des Vertrauens, einer Gruppe von Brüdern und Schwestern, egal, ob man einer war oder nicht Schwarze, Weiße, Nordländer, Südländer – es spielte keine Rolle, wer war oder woher; Wir waren eine Familie und ein Haus!

Ihre Vision ist wahr geworden!

Aber für uns war die Vorbereitung im Kampf der Schlüssel; Das Studium friedensstiftender Praktiken wie der Gewaltlosigkeit darf nicht selbstverständlich sein, sondern muss gelehrt und erlernt werden. Religion und Moral stimmen in einem Punkt überein: Wir können sagen, dass jeder Mensch einen Aspekt der Göttlichkeit in sich trägt, der von Menschen in keiner Weise verletzt werden sollte. Kein Mensch hat das Recht, diesen Funken bei anderen Menschen zu missbrauchen. Gelegentlich haben wir darüber gesprochen, dass man, wenn man mit jemandem konfrontiert wird, der einen angreift, schlägt oder anspuckt, eine langfristige Perspektive einnehmen und an die Zeit zurückdenken muss, als diese Person ein unschuldiges Kind war. Was ist passiert? Wurde etwas falsch gehandhabt oder hat ihnen jemand beigebracht, andere zu hassen und zu missbrauchen? In einem solchen Fall müssen Sie an die ihnen innewohnende Güte als Mensch appellieren, anstatt die Hoffnung aufzugeben – Sie geben niemals die Hoffnung für irgendjemanden auf!
Hier ist ein Zitat aus Ihrem Buch „Across That Bridge": Die Bürgerrechtsbewegung war vor allem ein Akt der Liebe; Doch selbst jetzt, 50 Jahre später, würden nur wenige dieses Wort verwenden, um unsere Bemühungen zu beschreiben." Das verdeutlicht, was ich gerade gesagt habe; ein Teil der Erklärung liegt in Ihrem reichen und vielschichtigen Einsatz von Liebe – etwas, das die meisten Menschen nicht gut können!

Wie kann man Liebe in die Realität umsetzen und Bilder auf Leinwand malen? Wie ein Künstler, der seine Leinwand nutzt. Wie können Menschen von Punkt A nach B oder sogar von Zwei nach Drei und darüber hinaus wechseln? Auf Ihrem Weg zur Liebe ist es wichtig, beharrlich zu bleiben.

John Lewis macht es überdeutlich: Dieses Liebeswerk hat die Absurdität der Entmenschlichung unter dem Banner der Rasse beleuchtet und erfolgreich demontiert. Der Erfolg einer solchen Strategie ist heute kaum noch vorstellbar – vielleicht ist ihre Zeit ja schon vorbei?

Aber in Birmingham stelle ich meine eigene Vorsicht in Frage; John Lewis schlägt halb im Scherz und halb im Ernst vor, dass gewaltfreies Rollenspiel Teil des Kongresses werden sollte, etwas, das er ein halbes Jahrhundert zuvor als persönliches Training gelernt hat, um sich in die Lage einer anderen Person zu versetzen.
Nachdem vier kleine Mädchen bei einem Brandanschlag auf die 16th Street Baptist Church getötet wurden, hielt Martin Luther King eine der beeindruckendsten Aussagen, die mir je begegnet ist: „Das Leben kann so hart sein wie Tiegelstahl; doch trotz unserer gegenwärtigen Dunkelheit müssen wir weiter glauben." in unseren weißen Brüdern.
Wir bekräftigen unseren Glauben an die Menschheit auch gegenüber unseren Feinden und leben entsprechend; Ausgehend von der Annahme, dass Liebe existiert, aber unsere Hilfe braucht, um sie Wirklichkeit werden zu lassen – könnten wir uns ein solches Unterfangen jetzt vorstellen?
Ein halbes Jahrhundert, nachdem John Lewis zum ersten Mal sein Leben riskierte, um die Verabschiedung des Voting Rights Act im Weißen Haus zu erreichen, sind wir immer noch mit seinem unvollendeten Werk der Liebe konfrontiert. Ohne sie bleiben alle unsere Gesetze unzureichend und prekär, obwohl wir einen schwarzen Präsidenten mit gemischtrassiger Herkunft gewählt haben, der bei der Erörterung rassenbezogener Fragen größtenteils ignoriert wird. Wir wählen einen farbigen Präsidenten, der Rassenprobleme nur gelegentlich anerkennt, wenn er öffentlich darüber spricht, obwohl seine Präsidentschaft die Rasse anerkennt.
Als Amerikaner fehlt uns immer noch eine wirksame Sprache, um über Rassismus zu diskutieren. Rassismus ist etwas, was die meisten von uns verabscheuen, und doch können zu viele farbige Kinder ihr menschliches Potenzial nicht ausschöpfen, und einige sind sogar von Geburt an mit körperlichen Gefahren konfrontiert – dieser wilde Beschützerinstinkt, der jeder Liebesbeziehung zugrunde liegt, ist hier in Amerika einfach nicht vorhanden; Dennoch sind wir weit davon entfernt, eine inklusive Gesellschaft mit gleichen Rechten für alle ihre Mitglieder zu sein. Was sich vielleicht geändert hat, ist unsere zunehmende Anerkennung all dessen und gleichzeitig unsere Reue für vergangene Verfehlungen, obwohl uns noch kein klarer

Weg vorgezeichnet ist, um effektiv voranzukommen und Aktionspläne und die nächsten notwendigen Schritte umzusetzen.

„Wir" wird hier bewusster verwendet. Als Reaktion auf die Zunahme der Rassenunruhen zu Beginn des 21. Jahrhunderts erkenne ich meine reflexartige Reaktion, Rasse ausschließlich anhand der Hautfarbe zu betrachten – mit anderen Worten, als ein Problem, das hauptsächlich farbige Menschen betrifft. Unsere Gesellschaft erwartet von farbigen Menschen, dass sie als Visionäre in uns bei der Bekämpfung und Heilung von Rassismus agieren – sie sollten den Weg zur Versöhnung weisen.

Das tun sie häufig. Im Jahr 2015 wurde die Flagge der Konföderierten schließlich von Staatshäusern in mehreren Südstaaten entfernt und in Museen überführt; Aber nicht bevor er von einem jungen weißen Rassisten für die grausame Erschießung von neun Afroamerikanern in einer Kirche in Charleston genutzt wurde. Noch am selben Tag und an den folgenden Tagen sprachen die Angehörigen der Ermordeten öffentlich, um Vergebung auszusprechen und ihre Sorge um diesen jungen Mann zum Ausdruck zu bringen, während sie ihre traurigen Erinnerungen an Mütter, Väter, Schwestern, Brüder und Kinder austauschten. In den folgenden Wochen ging ein Bild viral, das Leroy Smith von der South Carolina State Trooper Force zeigt, wie er einen weißen Rassisten sanft auf seinen Sitz zurückführt, nachdem er bei einer Kundgebung gegen die Verschiebung der Flagge der Konföderierten von der Hitze überwältigt wurde. Was Smith sah, war laut einem Reporter der New York Times jemand in Not: ein älterer Herr mit schwerer Demenz: Er sagte, er sei zwar verblüfft über die weltweite Aufmerksamkeit, die dieses Foto erhielt, er hoffe jedoch, dass es der Gesellschaft hilft, über die jüngsten Ausbrüche von Demenz hinauszukommen Hass und Gewalt. Auf die Frage, warum das Foto eine so beeindruckende Reaktion hervorrief, gab er eine einfache Erklärung: Liebe. „Liebe ist das, was Menschen zusammenbringt", sagte dieser stämmige, aber sanftmütige Soldat, der knapp fünfzig ist, „und deshalb waren so viele davon berührt."

Liebe ist möglicherweise nicht immer unsere erste Reaktion, wenn es zwischen Menschen zu gewalttätigen und rechtswidrigen Handlungen kommt. Wut kann auch als eine gültige moralische Reaktion an der Front der Ungerechtigkeit angesehen werden, die das Problem der Rassenbeziehungen in Amerika ans Licht gebracht hat. Der gewaltfreie Ansatz der Bürgerrechtler erscheint im heutigen angespannten gesellschaftlichen Umfeld oft unzureichend. Seine Liebe kann manchmal unrealistisch oder unpraktisch erscheinen.

Gleichzeitig ist es meiner Meinung nach jedoch wichtig zu betonen, dass Orte, an denen schreckliche Ereignisse stattgefunden haben, uns nicht vollständig als Individuen oder Volk definieren. Während wir kollektiv und politisch vor quälenden

Fragen der Reform der Polizeikultur, des Wohlergehens von People of Color und der Ungerechtigkeiten innerhalb bürgerlicher Strukturen stehen, bleiben sie integraler Bestandteil des täglichen Lebens, in dem kraftvolles Verhalten – unromantische praktische Liebe – die Macht hat, die Realitäten zu prägen kann sich mit der Zeit größeren Herausforderungen stellen und diese gestalten.

Als jemand, der fest an die Macht der Worte glaubt, weiß ich zu schätzen, wie der renommierte Rechts- und Rassenwissenschaftler John Powell die Diskussion über Rasse zu einer Diskussion führt, in der es um Zugehörigkeit geht. Sein Rat und seine Weisheit sind an der Front erneuter Rassenängste und Sehnsüchte gefragt. John Lewis und andere Bürgerrechtler mögen zwar älter sein, aber er hat dennoch viel von ihnen gelernt. Seine Vorfahren waren Sklaven und Pächter; In Stanford gründete er dort die Black Student Union. Er erzählt mir, dass er lange genug gelebt hat, um die Erfahrung zu machen, zuerst ein Neger, dann ein Schwarzer und dann ein Afroamerikaner zu sein; deshalb versteht er sowohl schnelle als auch allmähliche Transformation gleichzeitig; Dies unterstreicht die Notwendigkeit, bei der Planung unserer Strategien und Ziele für Veränderungen beide Geschwindigkeiten des Wandels im Auge zu behalten.

John Powell glaubt, dass Rasse mit der Schwerkraft vergleichbar ist: Von allen erlebt, aber nur von einer Minderheit verstanden. Dennoch war Rasse nie eine Eigenschaft, die manche besitzen, andere nicht – es geht vielmehr um den Aufbau von Beziehungen. Ich finde, dass Etiketten wie Privilegien und Entrechtung wie Container wirken können – sie können es für uns schwieriger machen, uns als Menschen eine gemeinsame Basis vorzustellen und zu finden. John Powell definiert „Weißsein" als eine kulturelle Seinsweise, die alle Kulturen und Vorstellungen durchdringt, selbst dort, wo Berichte aus der dritten Person die westliche Kultur zu dominieren scheinen. Weiß ist Teil seines Kernethos – der Beherrschung und Unterwerfung der Natur –, mit dem ich in Mittelamerika aufgewachsen bin, wo viele Selfmade-Männer und -Frauen erfolgreich waren, während sie allein und einsam blieben.

NETZ. DuBois identifizierte „die Farblinie" als eines der Hauptprobleme, mit denen die Gesellschaft in diesem Jahrhundert konfrontiert ist. Verwirrenderweise stellt uns das moderne Leben vor das schwierige Rätsel des Bewusstseins für Farbenblindheit: Selbst wenn gute Absichten und Gesetze in diesem Sinne erlassen wurden, sind unsere Instinkte und Reaktionen, die wir von unserer Umgebung geerbt und in unser Wesen eingeprägt haben, immer noch zu stark verankert, als dass wir eine bewusste Entscheidung treffen könnten. Es gibt eine Farblinie, die uns durch den Kopf geht, von deren Existenz wir jedoch bisher nichts wussten. Aber John Powell ist tief in eine neue Wissenschaft der „impliziten Voreingenommenheit" vertieft, die uns eine Möglichkeit bietet, sie direkt anzugehen. Die menschliche Natur stellt uns vor Herausforderungen, doch politische Maßnahmen können diese Herausforderung unterstützen und beschleunigen, indem sie neue Erfahrungen schaffen, die instinktives Verhalten fördern und gleichzeitig chemische und physikalische Wege für den Fortschritt eröffnen. Dieser Ansatz bietet einen nützlichen und unkomplizierten Rahmen, um zu verstehen, was wir meinen, wenn wir eine dauerhafte Veränderung unseres Herzens wünschen, während John Powell und andere begonnen haben, auf dieser neuen Wissenschaft basierende Schulungsmethoden für Stadtverwaltungen, Polizeikräfte und Schulen anzubieten.

Hören Sie sich hier einen Audioaustausch zwischen John Powell und dem Autor an.

Kürzlich haben Forscher erkannt, dass viele unserer kognitiven und emotionalen Reaktionen auf die Welt auf einer unbewussten Ebene stattfinden. Während sich die Gesellschaft aufgrund unserer Bemühungen, über die Diskussionen der Jim-Crow-Ära und der Ära der weißen Vorherrschaft hinauszugehen, von der Diskussion über Rasse entfernte, forderte unser Unterbewusstsein unser Bewusstsein auf, uns nicht mehr so sehr anzustrengen; Rasse würde immer noch tief in der Biologie, den Strukturen, Arrangements und Arrangements verankert bleiben, also reden wir weiter darüber, anstatt sie ganz zu vergessen – und sie reagierte stark, wenn Rasse in Gesprächen oder im Bewusstsein wieder zur Sprache kam.
Ihr Standpunkt, dass die Sklaverei einer von zwei „Eltern" unserer heutigen Sicht auf Rasse ist, war absolut faszinierend, aber Sie haben auch eine interessante Unterscheidung getroffen, dass die Aufklärung einen weiteren potenziellen Einfluss darauf hat, wie wir Rasse heute sehen. Ich stimme dieser Auffassung zu.
Seit der Aufklärung glauben wir, dass der bewusste Geist Zugang zu allem Wissen hat. Sie haben uns auch beigebracht, vernünftig zu sein.

Ja, die Vereinigten Staaten legten großen Wert auf Individualität und Unabhängigkeit, auch wenn andere Gruppen nicht gleich behandelt wurden; Denken Sie an Gruppen wie Afrikaner, Inder, Frauen oder alle, die nicht der weißen Männerkultur angehörten und nicht frei waren. Darüber hinaus deutete die Hybris des Enlightenment Project darauf hin, dass sie alles um sich herum kontrollieren könnten, obwohl wir uns selbst kaum unter Kontrolle halten können!

Und im Jahr 1980, als wir diese Diskussion führten, könnten wir sagen: „Konzentrieren wir uns nicht auf die Rasse, sondern behandeln wir jeden einfach als Individuum. Warum gibt es so viele Kategorien?" Aber jetzt erklärt die Wissenschaft, warum unser Geist auf diese Weise funktioniert; Kategorien ermöglichen es unserem Gehirn, die Welt zu verarbeiten – ohne Kategorien würden wir als Spezies einfach nicht existieren.

Aber der Zustand, in dem jeder von uns isoliert lebt – den Sie mit dem Weißsein assoziieren, das mit Dominanzkulturen in Verbindung gebracht wird – kann nicht fortbestehen und auch nicht als wünschenswert angesehen werden, und wir haben die Grenzen erreicht, uns selbst davon zu überzeugen, dass es so ist.

Es gibt so viele Ausdrücke, die uns helfen, dies zu erkennen. Wenn Menschen darüber reden, dass sie Dinge tun müssen, um eine Verbindung herzustellen, unterschätzt das die Realität: Wir sind bereits verbunden; Alles, was wir tun müssen, ist, uns dieser Verbindung bewusst zu sein und sie vollständig zu leben. Denken Sie über Segregation nach: Es ist eine formelle Art zu sagen: „Wie kann ich unsere Verbindung leugnen?" Denken Sie auch an das Weiß: Sein Vorgänger in Amerika glaubte, dass ein Tropfen schwarzen Blutes – was auch immer das bedeuten mag – das Weiß zerstören würde; Tatsächlich tragen die meisten weißen Amerikaner tatsächlich schwarze Gene – etwas, das die meisten weißen Amerikaner tatsächlich zu einem bestimmten Grad besitzen, von dem sie aber nicht wussten, dass es darin existiert. Es stellt sich heraus, dass die meisten weißen Amerikaner tatsächlich irgendwo in ihrem Körper zumindest einige schwarze Gene haben!
Weißes und schwarzes Blut haben sich schon lange vermischt, und indem wir einander verleugnen, verleugnen wir uns selbst, so wie es keinen anderen gibt, den wir verleugnen könnten; Alle Verbindungen bestehen allein in uns selbst. Wie erkennen und feiern wir diese Tatsache?

Während wir versuchen, Sprache und Verhaltensweisen zu überwinden, die uns getrennt haben, schätze ich Ihre Verwendung der dazugehörenden Sprache sehr. Bitte sagen Sie mir, was das für Sie bedeutet und warum es uns dabei helfen könnte, diese Kluft zu überwinden.

Die menschliche Existenz hängt von der Zugehörigkeit ab. Beziehungen sind der Schlüssel für unser Wohlbefinden; Kürzlich habe ich einen Vortrag über Gesundheit gehalten. Wenn Sie sich isoliert fühlen, können die gesundheitlichen Folgen die Folgen von Rauchen, Fettleibigkeit oder Bluthochdruck bei weitem übertreffen: einfach isoliert sein! Daher existieren Gruppen wie Behindertenrechtsorganisationen oder rassenorientierte Organisationen ausschließlich, um diesen Zugehörigkeitspunkt zu verdeutlichen; Schauen Sie sich nur Black Lives Matter oder ähnliche Organisationen an – ihr Hauptziel besteht darin, eine Erklärung der Mitgliedschaft und Zugehörigkeit abzugeben; Letztendlich beeinflusst unsere Wahrnehmung von einem, wie wir uns selbst sehen und einander definieren.

Rechts.
Wenn wir also andere als extrem distanziert von uns selbst definieren, bedeutet das, dass wir große Teile von uns selbst abschneiden. In frühen Debatten über die Schulintegration behaupteten weiße Segregationisten, dass schwarze und weiße Kinder dazu führen könnten, Beziehungen einzugehen, zu heiraten und gemeinsam

Babys zu bekommen, wenn integrierte Schulen existierten; während Bürgerrechtler erklärten: „Hier geht es nicht um die Ehe." Letztendlich hatten sie recht: Wenn Menschen zusammenkommen, lernen sie, einander zu lieben, und das verändert die Gesellschaft selbst; Sogar einige werden am Ende heiraten und gemeinsame Kinder bekommen, da sie die Gesellschaft selbst verändern könnten! Wenn Menschen befürchten, dass die Anwesenheit von Schwulen negative Auswirkungen auf die Gesellschaft haben könnte, wird es zu Veränderungen kommen. wenn Menschen befürchten, dass die Anwesenheit von Schwulen die Gesellschaft völlig verändern könnte, wenn Menschen befürchten, dass die Anwesenheit von Schwulen ihr Gefüge verändern könnte. Wenn Menschen befürchten, dass die Anwesenheit von Schwulen das gesellschaftliche Gefüge zu sehr verändern könnte; Ähnlich verhält es sich, wenn Menschen befürchten, dass die Anwesenheit von Schwulen die Gesellschaft insgesamt oder ihr Gefüge verändern könnte. Wenn die Menschen befürchten, dass die Anwesenheit von Schwulen die Gesellschaft stören würde, wenn die Menschen befürchten, dass die Anwesenheit von Schwulen ihr Gefüge irgendwie verändern könnte. Wenn die Menschen befürchten, dass die Anwesenheit von Schwulen die Gesellschaft völlig verändern wird, wenn die Menschen befürchten, dass die Anwesenheit von Schwulen das Gefüge der Gesellschaft irgendwie beeinträchtigen wird, kann dies auf irgendeine Weise zu einer Veränderung oder Störung führen, unabhängig davon. Wenn die Leute befürchten, dass die Anwesenheit von Schwulen das Gefüge der Gesellschaft selbst verändert, wenn die Leute tatsächlich so früh genug lernen, dass die Anwesenheit von Schwulen das Gefüge der Gesellschaft verändern kann! Wenn diese Bedenken hinsichtlich der Stoffveränderungen auftauchen, wird die Gesellschaft zu drastische Veränderungen in ihrem Stoff bewirken! Wenn diese Sorgen aus solchen Ansichten auftauchen, ist das nur eine weitere Bedrohung, denn wenn Schwule in der Nähe sind, könnte sich das Gefüge so viel schneller verändern, dass es nicht von Vorteil ist, die Gesellschaft auch nur radikal durch die Anwesenheit von Schwulen verändern zu müssen, wenn man sieht, dass sich ihre Position so leicht radikal verändern kann zu schnell aufgrund des erhöhten Drucks, der durch zu schnelles Trinken stärker auftritt! Bei Schwulen im Allgemeinen liegt das nur daran, dass Schwule einbezogen werden. Wenn man entfernt wird, nur weil man gleichberechtigte Menschen hat, kann es entweder akzeptiert werden, einfach nur, dass Menschen, die tatsächlich Schwule haben, viel zu schnell negativ beeinflusst werden! Wenn LGBTs einfach nicht genug haben oder Angst vor der Gesellschaft selbst haben, dann wird die Anwesenheit von Schwulen anders wahrgenommen, weil einfach nur andere mitgenommen werden, und weil sie sie haben, weil sie einbezogen werden, dann kann es zu keiner Veränderung kommen, weil es für sie zu früh ist, Menschen anwesend zu haben Akzeptabel zu werden bedeutet, dass Menschen sich Sorgen machen, dass sie mehr Zeit verlieren, als nötig ist, weil sie als solche angesehen werden oder dafür gemacht werden, dass sie weniger wert sind, als dass sie die Gesellschaft verändern. Wenn dies etwas mit sich bringen könnte, was dazu führt, dass manche Menschen so leicht wahrgenommen werden, dass sie zu viel sind oder so viel Angst haben, so viel mehr (z. B. könnte dies dazu führen, dass jemand in sich selbst (vorher) LGBT hat Mitglieder einfach so. Wenn man befürchtet, dass Schwule draußen sind...

Die Menschen befürchten, dass sich die wahre Bedeutung der Ehe durch mehr Latinos in unseren Gemeinden verändern wird – sie haben Recht! Wenn die Leute glauben, dass die Tatsache, dass hier viele Latinos leben, Amerika verändern wird, haben sie auch recht. Wir erschaffen uns ständig gegenseitig, ob wir uns dessen bewusst sind oder nicht; Ein Teil davon könnte auf die Angst zurückzuführen sein, dass sich etwas, das uns am Herzen liegt, ändern könnte, wenn mehr Latinos hinzukommen; Dies könnte jedoch letztendlich dazu führen, dass ein noch stärkeres Gemeinschaftsgefühl entsteht, das „wir" ausmacht. Wenn es richtig gemacht wird, entsteht ein großes kollektives „Wir"!

Aber diese Herausforderung, die Sie gerade beschrieben haben, kann nicht allein durch Gesetze, Richtlinien oder Schulreformen bewältigt werden. Ich bevorzuge die Sprache von Dr. King und John Lewis von der „geliebten Gemeinschaft" – etwas, das Sie selbst verwenden.

Das ist wahr. Seitdem haben wir einige Lektionen gelernt. Beispielsweise haben wir einmal Integration mit Assimilation gleichgesetzt; Arthur Schlesinger hat in einigen seiner Arbeiten darüber gesprochen. Das war eindeutig falsch: Wir werden nicht alle miteinander verschmelzen. Nichtsdestotrotz sollten geliebte Gemeinschaften auf allen Ebenen existieren: lokale bis globale Gemeinschaften gleichermaßen und über die Menschen hinaus; Ich glaube, dass sich ein Leben auf diese Weise in unterschiedlichen Strukturen widerspiegelt, um die Gesellschaft effektiver zu ordnen.

„Gemeinsam denke ich, dass wir lernen können, uns zu entspannen. Dann brauchen wir uns vor der Macht nicht zu fürchten." Ja, es kann uns über das hinausbringen, was bequem ist oder wer wir gerade sind; aber ich denke, wir brauchen Hilfe, um dorthin zu gelangen; Im Moment lässt unsere Sprache das nicht zu, weil das Aufklärungsprojekt immer noch Begriffe verwendet wie: „Du kannst alles sein, was du willst; kontrolliere und gestalte dein eigenes Schicksal." Sogar der Begriff der Souveränität ist umstritten, da keine Gemeinschaft oder Nation wirklich solche Rechte besitzt;

Wir alle existieren in Beziehungen – ob gut oder schlecht, sie existieren unter uns allen.

OK, besonders beruhigend an dem, was Sie über Zugehörigkeit und die Neugestaltung unserer Beziehungen zueinander gesagt haben, war Ihre Bemerkung, dass wir uns eher auf Themenbündel konzentrieren – Rasse,

Einkommensungleichheit, Schulen, Kriminalität, Inhaftierung, getrennte Nachbarschaften – als auf einzelne Themen solche wie Rassismus, Einkommensungleichheit, Schulkriminalität oder Knappheit natürlicher Ressourcen (weltweit). Während all diese Probleme als individuelle Anliegen bestehen; Wenn man es in einen Topf wirft, wird es überwältigend und lähmend – es ist auch nicht so, dass die Aufgabe der Zugehörigkeit einfach wäre.

Nein, aber ich denke, dass diese Übung unseren Geist vielleicht auf neue Weise öffnen und Möglichkeiten zum Handeln eröffnen könnte.

Ich stimme zu. Ein Grund dafür, dass die Probleme unüberwindbar erscheinen, liegt darin, dass wir ineffiziente Tools verwenden, um sie zu verstehen und anzugehen. Tatsächlich stellt dies einen tiefgreifenden Paradigmenwechsel dar – als würde man versuchen, Computer als schicke Schreibmaschinen zu betrachten! Wie bei Schreibmaschinen kann es umständlich und ineffektiv sein, Computer mithilfe des Schreibmaschinengerüsts zu verstehen. Man muss diesen Paradigmenwechsel von Grund auf betrachten oder andere Modelle wie Autos verwenden, bei denen man sie zunächst wie pferdelose Kutschen betrachtete – die Metaphern brechen nach unten und arbeiten nicht effektiv. Im Moment versuchen wir, die Sprache der Individualität und der Aufklärung – etwa des Individualismus – zu nutzen, um etwas zu verstehen, das etwas ganz anderes beinhaltet. Dadurch wird das Gespräch äußerst verworren. Ich sage meinen Schülern manchmal: Wenn man Masern in ganz San Francisco verbreiten will, genügt ein Tropfen auf jemanden.
Gehen Sie einfach an einem anstrengenden Tag zu BART (unserem U-Bahn-System) und stellen Sie es aus. Sobald Ihre Nachricht genügend Menschen erreicht hat, werden deren Beziehungen den Rest der Arbeit für Sie erledigen. Wenn man herausfindet, wo ein Wendepunkt innerhalb eines Systems liegt, wird es vollständig bevölkert.

Es stellt sich also die Frage, wie wir die Zugehörigkeit innerhalb von Gemeinschaften fördern können.

Wie können wir es ansteckend machen? Die Menschen sehnen sich nach Gemeinschaft, doch es mangelt ihnen an Glauben an die Liebe – stattdessen nehmen sie Wut und Hass als mächtige Kräfte an. Liebe scheint zu viel Arbeit zu sein, wenn es wirksamere Werkzeuge wie Wut oder Hass gibt, die Aussagen machen, ohne dass Worte ausreichen. Und doch glauben viele, dass es viel besser ist, sich rund um Wut und Hass zu organisieren, wenn wir uns mit der Welt auseinandersetzen – wie zwei mächtige Persönlichkeiten wie Gandhi und Reverend Dr. King beweisen. Nelson Mandela ging aus einer intensiven Revolution hervor; doch als ich ihn traf, strahlte er Liebe aus. Obwohl ihm eine vorzeitige Entlassung aus dem Gefängnis angeboten wurde, lehnte er ab, es sei denn, es ginge darum, Südafrika umzustrukturieren und eine geliebte Gemeinschaft aufzubauen, anstatt die Kontrolle der Schwarzen über die Weißen zu schaffen. Auch heute noch ist er in ganz Südafrika und auf der ganzen Welt beliebt.

Ich denke, ein Teil davon liegt darin, dass man sich nicht vorstellen muss, Dinge Schritt für Schritt zu erledigen; Wir beanspruchen das Leben, sowohl unser eigenes als auch das anderer, wir feiern und engagieren uns dafür und engagieren uns voll und ganz dafür. Für mich ist die Frage also nicht „Wie kommen wir dorthin", sondern „Wie leben wir?" In einer gesunden Familie oder Gesellschaft sagen wir nicht nur, dass wir füreinander sorgen, sondern lernen tatsächlich, füreinander zu sorgen und feiern diese Tatsache; Die Politik kann diese Bemühungen unterstützen, wie zum Beispiel die Gesetze des barmherzigen Samariters, aber alles muss aus dem Gefühl entstehen, dass wir einander teilen – dass Liebe zwischen jedem von uns existiert.

** **.. * Dieser Text muss aus Gründen der Lesbarkeit hier nicht hinzugefügt werden, da dieser Abschnitt leer bleibt.
Ich komme immer wieder auf die Kluft zwischen dem, was wir jetzt sind, und dem idealen Selbst, das wir werden wollen, zurück – und darauf, wie wir uns am besten auf effektive und nützliche Weise dafür öffnen können. Die buddhistische Psychologie bietet mir Unterstützung beim Verständnis, dass jede große Tugend „nahe Feinde" hat, Reaktionen, die aus der Sorge um jemanden entstehen, uns aber auf einen wirkungslosen Weg führen. Trauer kann als einer der nahen Feinde von Mitgefühl und Liebe angesehen werden. Sensibilität weicht Empathie; Dennoch können uns seine Auswirkungen oft mit dem Gefühl lähmen, dass nichts, was wir tun, einen Unterschied machen wird – etwas, das Roshi Joan Halifax als eine Form „pathologischer Empathie" beschreibt. In Zeiten enormen Leids um uns herum können viele von uns von Mitgefühl für die Betroffenen überwältigt werden. Wenn dies geschieht, kommt Mitgefühl ins Spiel und die Liebe bleibt trotz allem präsent.

Es gibt immer wieder Momente im öffentlichen Leben, in denen wir uns unserer Verbindungen untereinander sehr bewusst werden und auch traurige Momente miterleben. Der 11. September 2001 ist ein solcher Anlass. Möglicherweise hat auch der Hurrikan Katrina diesem Zweck gedient, auch wenn wir selten an ihn als solchen erinnern. Rassenausgrenzung, tief verwurzelte Armut und Umweltverletzlichkeit führten zu einer Tragödie, als Tausende in New Orleans unter unmenschlichen Bedingungen in den Überschwemmungen ihrer Stadt Zuflucht suchten. Tag für Tag sahen die Zuschauer zu, wie Beamte der FEMA diese Realität mit großer spiritueller Klarheit zum Ausdruck brachten: „Wir sehen Menschen, von denen wir nicht wussten, dass sie existieren."

Mehrere Tage lang waren wir davon fasziniert, Zeugnis zu geben und dabei zu sein. Wie konnte das passieren? Was bedeutet es, unser Nachbar zu sein? Laut John Powell ergab eine große Umfrage damals, dass 70 Prozent der Amerikaner eine Steuererhöhung zur Linderung der menschlichen Krise in New Orleans befürworten würden; Da Amerikaner oft mit Geld ihre Wertschätzung für das zeigen, was im Leben wichtig ist, käme dies einer revolutionären, bundesstaatlichen Liebeserklärung gleich!

Danach hörten die Bilder jedoch auf und die Aufmerksamkeit richtete sich auf die Unfähigkeit der FEMA; wir wandten uns von der Diskussion über die Liebe ab, weil wir sie nicht leben konnten; Dennoch bleibt die Frage der Liebe in New Orleans und jeder amerikanischen Gemeinschaft dringend; Armut existiert neben der Rasse; Diese Kombination ist lähmend und widersprüchlich, doch als Selfmade-Menschen haben wir gerade erst begonnen, ihre Existenz in uns selbst zu bemerken.

Und doch, und immer noch, wächst ein Unbehagen rund um die „Einkommensungleichheit".

Antiseptische Sprache komprimiert unsere menschlichen Dramen in politische und wirtschaftliche Schubladen und hält uns von ihren Grundursachen fern. Dennoch scheinen immer mehr von uns bereit zu sein, die Augen zu öffnen und sich dafür zu entscheiden, den Kern der Sache als Mittelpunkt zu sehen und die Frage der Liebe über alle möglichen ideologischen, politischen oder wirtschaftlichen Unterschiede zu stellen. Meinungsumfragen, mit denen wir die Stimmung in der Bevölkerung messen, zeigen diese Realität deutlich: Einkommensungleichheit ist ein parteiübergreifendes Thema. Über religiöse, säkulare und Klassengrenzen hinweg sowie über Einkommensklassen hinweg sind kontraintuitive Impulse der Fürsorge entstanden; als ob sich viele von uns daran erinnern würden, dass wir zusammengehören und dieses Versprechen wahr machen wollen.

Schwester Simone Campbell ist eine der vielen Personen, die dazu beitragen, diesen Schwestern Form und Stimme zu verleihen. Sie wurde als eines der Gesichter von „Nuns on the Bus" bekannt, einem Roadtrip im Jahr 2012, der alle möglichen Menschen auf die Straße brachte, um sie willkommen zu heißen und ihnen zuzuhören, was sie zu sagen hatten, und von ihnen gehört zu werden . Wenn wir sie einordnen müssen, fällt sie eindeutig auf die progressive Seite der amerikanischen Politik. Aber in politischer und spiritueller Hinsicht hebt sie sich ab – sie steht uns allen viel näher, wie ich betonen möchte, als die übrigen Stimmen mit allumfassenden Antworten, die einen so großen Teil unseres bürgerschaftlichen Diskussionsraums einnehmen. Sie ist eine aktive katholische Schwester, Anwältin, Lobbyistin und ernsthafte Zen-Praktizierende, deren Wurzeln bis in die Bürgerrechtsbewegung zurückreichen. 1967 legte sie die Gelübde bei den Schwestern des Sozialdienstes ab – einem der vielen weniger bekannten Ableger der benediktinischen Tradition. Als Oberhaupt ihrer Gemeinschaft wurde die Ordensgründerin die erste Politikerin Ungarns. Sie fragte sich laut: Wenn Gott wirklich auf diejenigen herabschaute, die versuchten, die Tränen der Leidenden wegzuwischen, würde er dann auch diejenigen segnen, die sich dafür einsetzten, dass die Tränen gar nicht erst frei flossen?

Schwester Simone ist Geschäftsführerin von NETWORK, einer kleinen Lobbyorganisation, die 1972 in Washington D.C. von 47 katholischen Schwestern mit einer anfänglichen Spende von 187 US-Dollar gegründet wurde. Im Jahr 2012 nutzten sie die durch die Verurteilung Papst Benedikts durch den Vatikan gewonnene Publizität als Druckmittel gegen das sogenannte Ryan-Budget, das Kürzungen von Programmen für „die Schwächsten unter uns" vorsah. Ich bewundere, wie Schwester Simone die politische Vision von NETWORK für das 21. Jahrhundert so formuliert, dass sie „ein lebendiges Erbe für künftige Generationen schafft".
„Den Mindestlohn benennen", „einen Haushalt erstellen, der allen zu 100 Prozent zugute kommt" und „das Wohlstandsgefälle schließen" – alles deutet auf den Versuch hin, ein zerrissenes Gefüge zu reparieren, anstatt Einkommensungleichheit einfach als mathematische Berechnungen anzugehen.

Schwester Simone zeichnet sich auch dadurch aus, wie sie über republikanische Führer spricht, die ihre politischen Rivalen in der Politik des frühen 21. Jahrhunderts vertreten. Während unserer Diskussion drückte sie beispielsweise ihre Bewunderung und echte Liebe für Paul Ryan aus (Ryan ist derzeit Vorsitzender des Haushaltsausschusses des Repräsentantenhauses und Sprecher des Repräsentantenhauses) und erzählte Geschichten darüber, wie ihre Interaktionen für beide von Vorteil waren, selbst in einem so kontroversen Rahmen :

Hören Sie sich diesen Dialog zwischen Schwester Simone Campbell und der Autorin an.

Paul Ryan und ich leisten jeweils unseren Beitrag und ärgern uns gegenseitig oft auf verschiedene Weise, obwohl ich es genieße, ihn über Dinge zu ärgern! Auch wenn wir in mancher Hinsicht auf gegensätzlichen Seiten arbeiten, hat sich unsere Überschneidung auf jeden von uns ausgewirkt und war für beide Seiten von Vorteil. Ein Beispiel dafür war die Aussage vor Paul Ryan, dem Vorsitzenden des Haushaltsausschusses des Repräsentantenhauses, während ich aussagte. Als ein Republikaner mich verfolgte, weil er sagte, ich sei vom Vatikan getadelt worden und man sollte mir daher nicht glauben, verteidigte mich Paul Ryan mit der Aussage, dass sie „sehr gut mit den Lehren der Kirche übereinstimmt, auch wenn wir in bestimmten Fragen unterschiedlicher Meinung sein können".

Meine Gespräche am Montagabend mit Schwester Simone in unserem Studio in Minneapolis überraschen mich; ihre Freude an ihr und daran, wie sich ihre

Entscheidungen auf ihre eigenen auswirken. Ihr Beispiel zeigt, dass Kontemplation und Aktion gleichzeitig stattfinden und deren Zusammenhang auf unterhaltsame Weise beleuchtet wird.

Hören Sie sich diesen Austausch zwischen Schwester Simone Campbell und der Autorin Simone Black an

Ihr Spiritualitäts- und Gebetsleben hat sich im Laufe der Zeit zu dem entwickelt, was Sie als ein kontemplatives Leben der „Wandelbereitschaft" beschrieben haben. Was genau meinst du mit dieser Aussage?

Nun, im Zentrum dessen, wer ich bin, liegt die Kontemplation. In Gerald Mays unglaublichem Buch Will and Spirit heißt es, dass alles, was wir zum kontemplativen Leben mitbringen, ein offenes Herz ist; Angst und Festhalten oder Greifen verhindern, dass es richtig funktioniert. Für mich persönlich bedeutet meine Reise also, weiterhin bereitwillig auf Hoffnung, Vision, Perspektiven und Chancen zuzugehen, die sich bieten; es kommt jedoch darauf an, wo die Menschen Nahrung brauchen; Ich werde von bedürftigen Menschen dorthin eingeladen und versuche mein Bestes, für den Lebensunterhalt zu sorgen. Sei einfach dabei oder höre zu, wenn die Leute ihre eigenen Geschichten erzählen oder meine erzählen. Behalten Sie ein offenes Herz für alles um Sie herum, anstatt sich komplett vom Leben abzuschotten!

Ich weiß, dass Sie auch in Ihrem geschäftigen Leben und der enormen Arbeitsbelastung eine aktive Zen-Praxis pflegen. Im Rahmen dieser Beschäftigung nehmen Sie sich Zeit für Kontemplation und Meditation.

Meditation ist unerlässlich. Ich meditiere jeden Morgen im Retreat-Haus meiner Gemeinde in Encino und war völlig fasziniert davon, als ich dort mein erstes Zen-Retreat machte. Es fühlte sich an, als würde man in diesen erfrischenden Pool eintauchen; so sehr, dass es mich nachts wach hielt; etwas, das das zentrierende Gebet nicht bewirkt hatte. Bis diese Erfahrung eine Tür öffnete.

Zen ist eine Disziplin der Meditation. Ich habe die Erfahrung gemacht, dass es immer jemanden gab, der von innen heraus rief; Für diese Einladung aus meiner Fantasie offen zu sein, war das größte Geschenk meines Lebens. Sich bewusst zu sein, dass wir alle ein Körper sind, war befreiend – zu wissen, dass dies bedeutete, einfach meinen Teil dazu beizutragen – Worte werden seiner Freiheit nicht gerecht!

Und ich denke, was Sie hier beschreiben, ist wirklich das Eintauchen in dieses Wissen, dann...

Es ist also viszeral. Kann man die Meditation verlassen und von diesem Ort aus leben? Sie schreiben: „Offen zu bleiben und nicht zu greifen, ist für die Meditation unerlässlich, und dies sollte auch die Art und Weise leiten, wie wir gemeinsam das wirtschaftliche Leben betrachten." Diese Aussage ist so faszinierend!

Nun, ich weiß ein paar Dinge, wenn wir offen sind: keine Garantien; alles ist zerbrechlich; alles, was wir haben, ist ein Geschenk; Die Bereitschaft zu teilen, was ich habe oder was mir gegeben wurde, kann für uns zu einer der wichtigsten Möglichkeiten werden, Kontakte zu knüpfen. Wenn es um Engagement geht, spielen Geschichten ebenso eine Rolle wie Geld; Ich konnte dich nicht außen vor lassen!

Viele von uns sind besorgt über die immer größer werdenden Kluften, die zwischen den einzelnen Menschen in der Gesellschaft, Gemeinschaft und Nation zu bestehen scheinen. Und das liegt nicht daran, dass es uns egal ist; Tatsächlich liegt uns die Sorge sehr am Herzen – aber wir wissen nicht, wie wir diese Sorge am besten auf sinnvolle und greifbare Weise umsetzen können. mach etwas dagegen.

Es gibt verschiedene Ebenen dieses Prozesses. Man tut etwas. Ich habe oft das Gefühl, dass wir in den Vereinigten Staaten von uns erwarten, dass wir alles in Ordnung bringen, und dass wir glauben, wir müssten alle Probleme auf einmal angehen – was einfach nicht möglich ist! Vielmehr ist es wichtig, den Geschichten aufmerksam zuzuhören: Nur wenn jeder seinen Teil dazu beiträgt ...

Wo auch immer unsere Rolle liegen mag.

Ganz gleich, welche Rolle wir spielen, tun Sie einfach eine Sache und das wird Ihnen gut tun. Ein häufiger Fehler unter progressiven, liberalen oder anderen Menschen besteht darin, zu glauben, dass wir alles alleine machen müssen und dadurch überfordert zu werden. Per Post bekomme ich Aufforderungen, die meine Teilnahme erfordern, aber wenn ich mit so viel Arbeit konfrontiert werde, die im Namen gemeinnütziger Projekte zu erledigen ist, bin ich wie gelähmt, überhaupt nichts zu tun; Das ist kein Gemeinschaftsengagement – vielmehr ist jedes Mitglied dafür verantwortlich, seinen Teil beizutragen, und dies sollte den Einzelnen nicht überfordern.

Mir gefällt Ihr Satz, dass Sie „die 100 Prozent" unterstützen. Viele der Themen und Richtlinien, die Sie unterstützen, scheinen mit Occupy Wall Street und der Verwendung von Ausdrücken wie „99 Prozent" in Zusammenhang zu stehen.

Als wir Business-Roundtables veranstalteten und ich mit einigen Unternehmer-C.E.O.-Typen sprechen konnte, zu denen ich sehnsüchtig auf eine Gelegenheit gewartet hatte, sie zu befragen, enthüllten kürzlich veröffentlichte Berichte, dass ein durchschnittlicher CEO eines börsennotierten Unternehmens ein jährliches Gehalt von über 10 Millionen US-Dollar verdient; Ich fragte sie: „Ist das vernünftig?"

„Wie kommt es, dass man 11 Millionen Dollar braucht, um zu überleben?" fragte Schwester Simone. Einer antwortete schnell, dass es nicht ums Geld gehe; Vielmehr sind wir sehr wettbewerbsorientierte Menschen, die um jeden Preis gewinnen wollen, wobei Geld einfach der aktuelle Maßstab für den Erfolg ist."

Deshalb frage ich mich: Könnten wir Maßnahmen finden, die weniger toxisch sind? Denn das ist es wirklich: Niemand will Geld horten, er will nur gewinnen. Wenn wir also ihre Motivation für das Gemeinwohl besser verstehen könnten, könnten wir andere Maßnahmen entdecken, die mehr Geld freisetzen würden. Indem wir die Neugier auf ihre Perspektive kultivieren, können wir unerwartete Lösungen entdecken, anstatt gegen alles zu kämpfen und Widerstand zu leisten – ein wichtiger Aspekt des kontemplativen Lebens, der etwas stärkt, anstatt es zu zerstören.

Nun, etwas, über das ich nicht viel gesprochen habe, ist Freude. Es macht mir Spaß, oft herumzualbern; Freude ist der Kern dieser Reise. Allzu oft wirken Progressive schmutzig; Dies weckt bei potenziellen Rekruten kein großes Interesse! Stattdessen besteht unser unglaubliches Geschenk darin, dass wir dieses Leben gemeinsam leben können. Nicht viele Orte bieten eine so unglaubliche Vielfalt und Möglichkeiten wie unsere Welt – finden Sie Ihre Nische, indem Sie lebensspendende Möglichkeiten bieten und gleichzeitig genießen, was das Leben im Gegenzug zurückgibt.

Schwester Simones Schwerpunkt auf der Herstellung eines Gleichgewichts zwischen Kontemplation und Aktivität, Leidenschaft und Neugier, harter Arbeit und Spiel verleiht dem Konzept von Agape, praktischer Liebe oder öffentlicher Liebe, Tiefe und Dimension. Tiefes Zuhören ist eine dauerhafte Tugend, die jeder Form romantischer Beziehungen zugrunde liegt, und Schwester Simone bezeichnet sie immer wieder als ihren Bezugspunkt für ein erfülltes und leidenschaftliches Leben. Sie bietet diese Selbsteinschätzungslinien als Hilfsmittel an, um festzustellen, ob man in irgendeiner Situation tiefes Zuhören praktiziert: „Reagiere ich großzügig, egoistisch oder respektvoll? Solche Fragen bieten die Möglichkeit, Fortschritte auf dem Weg zu einem engagierten Zuhörer zu machen."

Frage 2: Inwieweit und auf welche Weise könnte es tägliche Anstrengung und Konzentration erfordern, eine geliebte Gemeinschaft zu werden? Und konkret: Wo soll man anfangen?

* * * Ich kann meine Überlegungen nicht mit einer Geschichte abschließen, die die Liebe perfekt zusammenfasst, oder mit nur einer Stimme, die alles direkt zum Ausdruck bringt. Stattdessen biete ich Erinnerungen und Metaphern als meine Sichtweise an.

Natalie Batalha, eine engagierte und poetische Astrophysikerin, erzählt mir, dass ihre Karriere in der Wissenschaft ihre Sicht auf die Liebe verändert hat. Für sie ist Liebe wie dunkle Materie – eine unsichtbare, aber unerschöpfliche Kraft, die alle Aspekte unserer Welt durchdringt und noch viel zu geheimnisvoll ist, als dass wir sie begreifen oder ausnutzen könnten. Von der Suche nach Planeten nach Bewohnbarkeit – ein Unterfangen, das ihrer Meinung nach eher früher als später beginnen sollte – bietet sie eine der großartigsten Perspektiven, warum Liebe grundsätzlich Sinn macht: Was für mich gut ist, kommt auch anderen zugute – und das auf internationaler Ebene.

Der Geophysiker Xavier Le Pichon hat in seinem Verständnis von Erdarbeiten eine Analogie zum Verständnis der Fürsorge als Kern der menschlichen Gemeinschaft entdeckt. Er war ein Pionier der Plattentektonik in den 1960er Jahren und spielte eine entscheidende Rolle in einem dieser kritischen Momente, in denen die Wissenschaft nicht nur unsere Sicht auf die Realität revolutionierte, sondern auch die Art und Weise veränderte, wie alle Menschen sie wahrnehmen. Er hat jahrzehntelang mit seiner Familie in Pflegegemeinschaften gelebt – zum Beispiel in der L'Arche-Gemeinschaft von Jean Vanier in Frankreich – mit Familien, die unter Behinderungen oder später psychischen Erkrankungen litten. Er ist jemand, der ein Leben voller Liebe geführt hat. Er behauptet, dass die Fähigkeit, sich an Fragilität anzupassen, der Grundstein für lebenswichtige, sich entwickelnde Systeme sei, ob geologisch oder menschlich. Bei bestimmten Temperaturen ermöglichen geologische Verwerfungen Bewegung und Duktilität; in anderen Fällen wirken sie wie Druckentlastungsventile, die überschüssigen Druck ablassen; Erdbeben treten auf, wenn Schwächen nicht richtig zum Ausdruck gebracht werden können, während starre Gemeinschaften, die diejenigen in Schwierigkeiten ignorieren, dazu neigen, mit der Zeit nicht zu wachsen; Wenn sie sich ändern, geschieht dies meist durch gewaltsame Umwälzungen oder Revolutionen.

Xavier Le Pichon hat eine persönliche Studie über das Achsenzeitalter begonnen und seine Eigenschaften untersucht, die im Laufe der Geschichte zu einem größeren menschlichen Potenzial geführt haben. Er findet es rätselhaft, wenn wir die Geschichte anhand von Meilensteinen beschreiben, die ausschließlich mit Fähigkeiten und Werkzeugen zusammenhängen, wie etwa Neandertaler-Beweise, die an archäologischen Stätten gefunden wurden.

Die frühen Menschen brachten große Anstrengungen und Opfer auf sich, um sich um die Verletzten oder Behinderten zu kümmern.

Hören Sie hier einen Austausch zwischen dem Autor und Xavier Le Pichon.

Sich um Babys herum neu zu organisieren war lebenswichtig, wie es bei jedem Säugetier der Fall ist. Eine weitere Entwicklung, die zur Entstehung einer humanen Gesellschaft führte, war die Entstehung von Organisationen, die Menschen unterstützten, die unter Krankheit oder Behinderung litten und Unterstützung brauchten – daraus entstand das, was allgemein als humane Gesellschaften bekannt ist auf Französisch; Diese Organisationsform hatte etwas ganz Neues und Besonderes: Es wurden neue Kontaktpunkte geschaffen, indem die Bedürftigsten in den Mittelpunkt des Gemeinschaftslebens gerückt wurden.

Dorothy Day ist eine meiner größten Inspirationen sowohl als Journalistin als auch als katholische humanitäre Helferin. Ich finde ihre Nominierung als Heilige überraschend, wenn man bedenkt, dass sie die meiste Zeit ihres Lebens einen unkonventionellen Lebensstil geführt hat. Aber es ist mir auch interessant aufgefallen, dass ihr Name heute immer wieder häufig unter jungen Menschen auftaucht, die nach Vorbildern aus allen Zeit- und Raumregionen suchen. Als das Erdbeben im Jahr 1906 in San Francisco San Francisco verwüstete, fand sie im Alter von acht Jahren in Oakland, Kalifornien, Kraft und Inspiration durch Rosie de Gray, die es mit Würde ertrug. In den folgenden Tagen stand sie untätig dabei zu, wie die Menschen in Oakland einander halfen und ihren Nachbarn aus San Francisco in Booten halfen, die Grenze zu überqueren. Fasziniert beobachtete dieses Kind aufmerksam. Dorothy Day wirft eine wichtige und relevante Frage auf, mit der sie in ihrem sehr menschlichen, chaotischen und abenteuerlichen Leben gelebt hat: Warum können wir nicht die ganze Zeit so leben?

Sie fühlte sich sowohl wegen ihrer Leidenschaft für Worte als auch für Taten zu ihr hingezogen. In ihren Memoiren „The Long Loneliness" schrieb sie locker über die katholische Arbeiterbewegung – in der sie einst lebte –, aber auch darüber, wie ihre Gründerin Dorothy Day maßgeblich dazu beitrug, dass sie in Amerika erfolgreich funktionierte.
Sie half dabei, ein journalistisches Projekt und eine soziale Bewegung ins Leben zu rufen, die sie bis heute unterstützt: Ernährung und Kleidung für bedürftige Menschen in allen amerikanischen Städten.

„Wir unterhielten uns gerade, als sich draußen Schlangen von Menschen versammelten und riefen: ‚Wir brauchen Brot!' Wir konnten ihnen nicht einfach sagen: „Geht und lasst euch satt werden." Wenn von der Tagesgabe noch sechs kleine Brote mit Fischen übrig blieben, mussten sie unter uns aufgeteilt werden, damit immer genug Brot übrig blieb. In diesem Moment kamen Menschen aus allen Richtungen auf uns zu. Wir redeten weiter, als unser Gespräch durch weitere Anfragen unterbrochen wurde. Wer es ertragen kann, soll es nehmen. Einige zogen aus, was die Ankunft weiterer Personen ermöglichte; Dies führte dazu, dass sich die Mauern ausdehnten. Auch wenn Freude manchmal nicht leicht zu verspüren ist, bleibt es von entscheidender Bedeutung, sich die Pflicht zur Freude vor Augen zu halten. Einige glauben, dass die Hauptqualität des katholischen Arbeiters in der Armut liegt – etwas, das man im Hinterkopf behalten sollte, wenn man über einen Beitritt nachdenkt. Für viele ist die Gemeinschaft das Wichtigste. Wir sind nicht länger allein; Die Liebe hat ihre Spuren hinterlassen und wird es immer tun. Nach Jahren der Einsamkeit wurde die Liebe zur Lösung – Liebe, die mit Gemeinschaft einherging – etwas, das auch heute noch anhält."

Es kann schwierig sein, in der Öffentlichkeit über Liebe zu sprechen, aber wenn jemand mit Integrität – wie Leroy Smith oder Dorothy Day – darüber spricht, was in seinem Leben wichtig ist, findet das Resonanz. Wir erkennen, was sie beschreiben. Man könnte ihre Großmut abtun; extreme Krisenmomente bringen heroische Impulse zum Vorschein, die sonst schlummern würden; Man könnte sicherlich argumentieren, dass öffentliche Liebesbekundungen nicht die Menschheit definieren; Sie konnten feststellen, dass Dorothy Day ein unglaubliches Leben voller Selbstaufopferung führte und schließlich ein Zölibatsgelübde ablegte – etwas, das nur wenige von uns im Laufe ihres Lebens erhoffen oder sich vorstellen können, oder wenn sie durch gesellschaftliche oder familiäre Zwänge dazu aufgefordert werden!

Ich frage kluge und liebevolle Interviewpartner oft nach diesem inneren Konflikt, den ich von Zeit zu Zeit erlebe. Der Schriftsteller Paul Elie beispielsweise beschäftigte sich mit Dorothy Day, als er seine Biografie über Thomas Merton, Walker Percy, Flannery O'Connor und Day schrieb. Laut Elies Recherche über Days Leben entdeckte er, dass sie nach dem Glauben lebte, dass liebevolle Güte nicht nur auf große Krisenmomente beschränkt sein muss, sondern sich jederzeit manifestieren kann; Irgendwo erlebt gerade jemand so etwas.
Hören Sie sich diese Diskussion zwischen Paul Elie und dem Autor Paul Elie an.

Die Menschen brauchen jemanden, wenn sie ihre eigenen Krisen durchmachen – und nicht warten, bis alle Städte niederbrennen, bevor sie eingreifen. Sie glaubte, dass sich die Gesellschaft verändern könnte, weil sie glaubte, dass wir von Natur aus zur Liebe neigen; unsere Schöpfung ruft uns dazu auf, einander zu lieben; Streit und Krieg sind Entstellungen dieser Liebe; Vielmehr sollte sie nach innen auf die Gemeinschaftsliebe gerichtet sein und nicht nach außen hin zu Einzelnen oder gegeneinander. Sie war eine effektive radikale Organisatorin, machte aber immer klar, dass das, was Catholic Worker in Gang brachte, nicht auf programmatische Bemühungen zurückzuführen war, sondern dass es Menschen waren, die das taten, was selbstverständlich ist: einander in der Gemeinschaft zu lieben – und anschließend darüber zu reden.

Anthony Appiahs Erkenntnisse über die moralische Entwicklung im Laufe der Geschichte und auf der ganzen Welt geben mir Hoffnung und trösten mich mit ihrem Verständnis dafür, wie sich tief verwurzelte Praktiken, die nicht nur als richtig, sondern auch als ehrenhaft erachtet werden, im Laufe der Zeit schnell ändern können. Die gemischtrassige Ehe seiner Eltern in den 1950er Jahren war eine der

Schlüsselgeschichten für Ratet mal, wer zum Abendessen kommt. An dem einen oder anderen Punkt im Leben gibt es in jeder Generation den Moment, in dem wir staunend auf etwas zurückblicken, das einst alltäglich war, und uns fragen: „Was haben wir uns dabei gedacht? Wie hätten wir nur so leben können?" Sowohl in seinem Familienleben als auch in seiner Forschung hat Dr. Pemberton einen solchen Punkt erlebt. Appiah untersuchte, wie das Fußbinden in China aufhörte; Das Duell war nicht mehr die Art und Weise eines ehrenhaften Gentlemans, Streitigkeiten beizulegen; Die Sklaverei wurde im Rahmen des Britischen Empire abgeschafft. Seine Forschung legt nahe, dass der Wandel langsam im Herzen jedes Menschen beginnt, bevor Bewegungen und Führer entstehen, die Strukturen abbauen.

Dieses Stück bietet eine Möglichkeit zu erklären, was sich im frühen 21. Jahrhundert in den Bereichen Ehe, Liebe und Geschlechterbeziehungen abspielt. Es zeigt uns schließlich, wie wir uns unruhig dem Mobbing stellen; Ich würde behaupten, dass es auch ein gewisses Verständnis dafür vermittelt, wie sinnvoll es ist, andere zur Verantwortung zu ziehen.
Liebe ist der Grundstein unserer Existenz; unabhängig von unserem Hintergrund oder unseren Umständen.

Anthony Appiahs Rezepte für den Alltag sind erfrischend unkompliziert. Er plädiert dafür, sich auf die Unterschiede einzulassen, anstatt sie direkt mit lösungsbasierten Ansätzen anzugreifen, wie sie die Amerikaner tendenziell bevorzugen, wenn sie Probleme angehen, die sie als problematisch empfinden. Moralischer Wandel entsteht durch Gespräche – im altmodischen Sinne – durch die Schaffung menschlicher Verbindungen rund um alltägliche Aspekte unseres Menschseins, die uns als Individuen ausmachen.
Die Einsicht von John Paul Lederach, einem Haiku-Schreiber für Konfliktlösung und Transformation mit internationalem Ruf, dass die Vorstellungskraft dazu neigt, sich zu eng zu fokussieren, wenn wir versuchen, gesellschaftliche Veränderungen zu verstehen, hat einen unauslöschlichen Eindruck in meinem Gedächtnis hinterlassen. Kritische Massen – Kundgebungen, Versammlungsführer und eine große Zahl von Menschen auf der Straße – können ein kathartisches Ventil sein, um alte Realitäten in Frage zu stellen und den Weg für Veränderungen zu ebnen. Aber aus seiner Erfahrung in der Arbeit mit Menschen, die widersprüchliche Realitäten über Zeiten und Kontinente hinweg verändert haben, werden neue Realitäten vorgestellt und vor und nach diesen kathartischen Punkten geschaffen – geduldig und stetig über Jahre und Jahrzehnte hinweg – durch neue Qualitäten der Beziehung zwischen kleinen, unwahrscheinlichen Gruppen von Leuten. Auf den ersten Blick scheinen sie unwahrscheinliche Verbündete zu sein; Jeder repräsentiert unterschiedliche Orte im gesellschaftlichen Spektrum und teilt unterschiedliche Leidenschaften und Perspektiven. Doch als sie mit der Sackgasse gegensätzlicher Weltanschauungen

konfrontiert wurden, in der ihr Leben verwurzelt war, wagten sie aus Angst den Schritt in Fürsorge – ein Ergebnis, das John Paul Lederach als „kritischen Hefepilz" bezeichnet.

Hier sind die spezifischen Qualitäten, die er beobachtet hat und die die Realitäten von Nordirland über Kolumbien bis Nepal verändert haben: Sie vermeiden es, eine gegensätzliche Haltung gegenüber unseren Ansätzen einzunehmen; sind mit Liebe und Mut ausgestattet und nutzen im Rahmen ihres Handelns moralische Vorstellungskraft durch komplexe Kreativität; und werden so selbst zu Künstlern.

Liebende sind Künstler. Ich schreibe diesen Satz mit Freude und relativiere ihn sofort mit Vorsicht und Entschuldigung. Sicherheit sollte im Leben immer an erster Stelle stehen.
Mein Vater und ich sind seit mehreren Jahren entfremdet. Obwohl ich Angst davor habe, auf diesen Seiten die Wahrheit über sein Scheitern preiszugeben, ist es für uns beide wichtig, dieses Scheitern in der Liebe und in uns selbst zu verzeihen; Liebe sieht nicht immer so aus, wie wir es uns wünschen oder uns vorstellen; manchmal kommt es zu Situationen auf Leben und Tod, in denen die Liebe Vorrang vor allem anderen haben muss; Manchmal ist Liebe nur eine idealistische Vorstellung, die wir nicht in die Praxis umsetzen können. In beiden Fällen erfordert Liebe lebhafte Gruppen von Sozialkünstlern und Brückenleuten, die bereit sind, den von Konflikten Betroffenen bei Bedarf zur Seite zu stehen – manchmal bedeutet Liebe in der Öffentlichkeit wie im Privaten Nachgeben.

Das Leben kann manchmal kompliziert und überwältigend sein, doch wir alle kennen Menschen in unserer unmittelbaren Umgebung, die über sich selbst hinausgehen und sich um das Wohlergehen kümmern. Obwohl es sich nicht um Heilige oder Helden handelt, sollten Sie sich darüber im Klaren sein, dass Sie sich bei einer Freundlichkeit, selbst wenn sie einfach ist, eher energiegeladen als erschöpft fühlen – etwas, das Wissenschaftler jetzt zeigen, ist wahr! Freundliche Taten können sich im wahrsten Sinne des Wortes von Mensch zu Mensch übertragen – wobei die Liebe von allen im Vordergrund steht –, aber oft auch sofortige Befriedigung bringen.
Einige von uns haben die Aufgabe, Nachbarn zu kennen und präsent zu sein, was ich mit liebevollen Beziehungen vergleiche; Solche Beziehungen bilden das Grundgefüge des gemeinsamen Lebens und können Kluften zwischen uns überbrücken, so wie Liebe Grenzen zwischen uns überschreitet und Erleichterung über die Abgründe zwischen uns bringt. Vor offenen Brüchen im bürgerlichen Leben zu stehen, kann gleichermaßen entmutigend, aber auch komplizierter sein, da man gegenüber denen, die uns beleidigen, verletzen oder in den Wahnsinn treiben, gastfreundlich bleiben muss – aber dazu kann es erforderlich sein, gegenüber anderen, die uns beleidigen, verletzen oder in den Wahnsinn treiben, gastfreundlich mit unserer berechtigten,

gerechten Empörung umzugehen uns jeden Tag beleidigen oder verletzen – beide Herausforderungen müssen direkt bewältigt werden!

Gastfreundschaft ist ein Wort, das sanft schimmert; Es bietet einen einladenden Einstieg in die Liebe in Aktion. Wir neigen dazu, uns Homogenität unter anderen Gruppen vorzustellen, die wir in unserer eigenen Gruppe nicht erkennen, doch innerhalb von Familien, Kollegen und Freundschaftsgruppen wird es immer Menschen geben, die wir bewundern und nicht mögen, einige, die wir verehren, und andere, die uns in den Wahnsinn treiben; Wir finden – wenn möglich – Wege, in Beziehungen zu bleiben und entdecken, was Liebe in verschiedenen Momenten und Zeitabschnitten unseres Lebens bedeuten kann; Diejenigen, die uns am nächsten stehen, wissen normalerweise, wann bestimmte Themen nicht angesprochen werden oder wann sie sie zu keinem Zeitpunkt während eines Austauschs ansprechen sollten! Bei denen, die uns am meisten am Herzen liegen, reicht es oft aus, zusammen zu sein und nicht zu reden, um der Welt um uns herum Intelligenz zu verleihen. Was ist Liebe? Beantworten Sie diese Frage, indem Sie eine Geschichte darüber erzählen, wann und wo Sie es zuletzt gesehen haben. Und dann sei kritische Hefe!

Elizabeth Alexander hat „Praise Song for the Day" komponiert, die letzten Strophen sind unten verfügbar.

Barack Obama trat sein Amt am 20. Januar 2009 an.

Hören Sie sich dieses Gespräch zwischen der Autorin Elizabeth Alexander und Elizabeth Alexander an

Manche leben davon, ihren Nächsten wie sich selbst zu lieben.

Füge anderen keinen Schaden zu und nimm ihnen nicht mehr als nötig ab, indem du Gewaltlosigkeit praktizierst und nur das gibst, was für dich selbst und das Wohl der Allgemeinheit notwendig ist. Glauben Sie, dass Liebe die stärkste Waffe ist, die wir besitzen?

Liebe, die über eheliche, kindliche und nationale Bindungen hinausgeht

Liebe, die einen immer größeren Lichtkreis wirft, ist unvermeidbare Trauer.

Der heutige helle Glanz, diese Winterluft hat eine ansteckende Wärme.

Alles kann erstellt und geschrieben werden, jeder Satz kann begonnen werden. Am Rand, an der Krempe oder an der Spitze – alles ist möglich!

Lobendes Lied, um in diesem Licht voranzukommen.

Eine Sache, die mir an Ihrem Eröffnungsgedicht „Loblied für den Tag" gefallen hat, nachdem Sie in Ars Poetica festgestellt haben, dass es in der Poesie nicht um Liebe gehen sollte, ist ihr Schwerpunkt.

Dieses Gedicht ist ausgezeichnet.
Liebe wurde in einem politischen Moment, einem öffentlichen Raum, beschworen. Es fiel mir schwer, mir vorzustellen, wie dies politisch hätte erreicht werden können, ohne dabei seinen Absichten treu zu bleiben, und dennoch haben Sie es irgendwie brillant und mit Integrität geschafft. Dennoch hatte es sowohl unglaubliches Gewicht als auch Seltsamkeit; Seine ungewöhnliche Präsenz war kraftvoll, aber dennoch effektiv – insbesondere nach fünf langen Jahren seit Ihrer Amtseinführung, als alle möglichen drängenden Probleme das Gespräch über Liebe noch weniger relevant erscheinen ließen als an diesem Tag.

Nun, wenn ich sage, Poesie besteht nicht nur aus Liebe und Romantik, dann meine ich die romantische Liebe, bei der wir mit Worten beginnen. Poesie umfasst jedoch noch viel mehr als nur Romantik: Nüchternheit, Ernsthaftigkeit und Verantwortung entstehen beim Schreiben von Gedichten.

Ihre Frage war: „Was wäre, wenn Liebe die ultimative Kraft wäre?"

Meine Gedichte werfen diese echte Frage oft von selbst auf, und als ich mich auf ein Interview vorbereitete, dachte ich darüber nach, wie oft ich in Gedichten echte Fragen als eine Form spiritueller Praxis stelle. Manchmal geschieht dies einfach aufgrund meiner Unwissenheit; Ein anderes Mal, weil Gedichte fantastische Räume bieten, in denen man echte, rätselhafte Fragen stellen kann, die einen dazu führen, etwas zu verstehen, am Ende aber mit echten Fragen enden.

„Was wäre, wenn die Liebe am mächtigsten ist?" ist ein faszinierendes Gedankenexperiment, das die Frage aufwirft: Kann Liebe in unserer sehr vielfältigen Gesellschaft und unserem Land Meinungsverschiedenheiten überwinden und Menschen zusammenbringen? „Mächtig" ist so ein einzigartiges Wort – aber es sollte noch viel mehr bedeuten! Kann das? Wird es eine dauerhafte Kraft der Liebe sein, die uns alle vereinen wird, wie ich es mir so sehr erhoffe? Aber Liebe funktioniert nicht immer so.
Um Beschwerden vorzubeugen, ist Liebe erforderlich, die über eheliche, familiäre und nationale Bindungen hinausgeht – selbst während eines außergewöhnlichen nationalen Ereignisses wie einer Amtseinführung. Bei der Liebe geht es nicht nur um die

Menschen in unserem Land. Liebe muss weit über dieses bedeutsame Ereignis hinausgehen.

Liebe scheint ein passendes Wort zu sein, wenn wir über unsere Begegnung mit dem Anderssein nachdenken, das zu einem so zentralen Merkmal des modernen Lebens und der Familienbeziehungen geworden ist. Ich denke oft darüber nach, wie wir nach den 1960er Jahren mit Toleranz umgegangen sind. Liebe verlangt viel mehr.

Nun ja; vor allem, wenn es Liebe ist, die nicht das Bedürfnis verspürt, der Trauer zuvorzukommen. Liebe, die Unterschiede nicht nur toleriert, sondern sie aktiv annimmt, indem man mit ihnen zusammensitzt, ihnen zuhört, sie akzeptiert und anerkennt, anstatt sich mit ihnen auseinanderzusetzen.

Es gibt viele wirksame Ansätze, um denjenigen, die das Gefühl haben, dass ihnen Unrecht getan wurde, zu helfen, ihren Standpunkt deutlich zu machen. Wir alle erleben unseren Teil der Beschwerden; Wenn diese Bedenken direkt gehört und entsprechend angegangen werden, kann das viel dazu beitragen, die Menschen voranzubringen.

Zusammenleben, auch wenn die Probleme ungelöst bleiben? Das soll unser Ziel sein?

Nun, eine Sache, die mich besonders fasziniert, ist die Beziehung zwischen dem Universellen und dem Besonderen und wie Einzelheiten das Universelle beleuchten. Kürzlich hatte ich einen interessanten Dialog mit dem Oberrabbiner von Großbritannien, der einen interessanten Standpunkt darlegte: Moralische Vorstellungskraft beginnt mit der Universalität und endet im Besonderen – etwas, das völlig im Gegensatz zu der Art und Weise steht, wie die westliche Kultur Vielfalt oft interpretiert: Unser Ziel sollte darin bestehen, ein Gleichgewicht zu erreichen, in dem alle vertreten sind erkennt die große Ähnlichkeit aller Kulturen und feiert gleichzeitig das, was uns verbindet; Dennoch verwenden Sie Begriffe wie „Vielfalt ist nichts Neues".
Ihre Gedichte archivieren und bewahren esoterische „Neger-Esoterismen, Kuriositäten und Besonderheiten", die Ihre Gedichte dokumentieren und archivieren. Wie empfinden Sie die Kraft, einzigartig schwarze Erfahrungen in unser tägliches Leben zu bringen? Vielleicht frage ich das falsch, aber hoffentlich verstehen Sie meinen Standpunkt.

Nun, ich habe zahlreiche Antworten. Unsere Besonderheiten kommen meist zum Vorschein, wenn wir sprechen; das galt im antiken Griechenland ebenso wie im heutigen England; Das gilt für Weiße genauso wie für alle anderen. Wir sprechen aus dem, was wir wissen und erlebt haben; Aus diesem Grund streben wir danach, in dem, was wir teilen, etwas Universelles zu finden. Aber ich glaube, dass unser Bildungssystem die Erfahrung der Afroamerikaner nicht vollständig in seine Erzählung einbezieht; Dadurch wird den Menschen weniger bewusst gemacht, dass die Erfahrung der Afroamerikaner eine umfassende Erzählung über das amerikanische Leben darstellt. Niemand sollte Amerika vermissen; Das würde von vielen Menschen, die nicht in die Tiefe gehen und es nicht selbst durchlaufen, katastrophal missverstanden werden. Mein Lehrerselbst versteht das viel besser als mein Dichterselbst, der intuitiver agiert, ohne dass es einen festen Plan gibt. Adrienne Rich beschrieb es bekanntlich als „Eintauchen in das Wrack". Das ist genau das, was mein Dichter-Ich will – nicht nur Geschichten, sondern das eigentliche Wrack selbst! Dieser Teil von mir konzentriert sich mehr auf dieses Ziel, während mein pädagogisches Ich stark dafür plädiert, die Erfahrung der Afroamerikaner in den Mittelpunkt der US-amerikanischen Kultur und Politik zu stellen.

Nun, hier spielen sowohl amerikanische als auch menschliche Geschichten eine Rolle.

Absolut positiv. Möchten Sie einen Moment? Hören Sie diesem Austausch zwischen Xavier Le Pichon und dem Autor zu.

Was nach Katastrophen passiert, erlebte Dorothy Day, die katholische Sozialaktivistin, als sie noch jung war, während des Erdbebens in San Francisco aus erster Hand. Nach der Katastrophe kamen die Menschen zusammmen und zeigten ihre Sorge und Fürsorge füreinander – was Dorothy dazu inspirierte, sich zu fragen: „Warum kann das nicht unsere Normalität sein?" Das Leben nimmt oft seinen normalen Lauf wieder auf, sobald die Krise vorüber ist. Haben Sie eine Vorstellung davon, was passiert, wenn Menschen einen größeren Teil ihres Lebens diesem Ansatz überlassen und dies zu ihrer Normalität machen? Vielleicht könnten im Laufe der Zeit mehr Menschen diesem Beispiel folgen, als Sie vorhersehen können?

Das ist eine äußerst relevante Frage, über die ich selbst oft nachdenke. Ich habe einige Menschen gekannt, die ich für großzügig und offen halte, habe aber miterlebt, wie sie sich nach und nach abschotten, Angst vor Eindringlingen von außen bekamen und ihre Herzen anfingen, sich wie ein Damm zu verschließen. Warum das passiert ist mir unbekannt. Andere scheinen immer offener zu sein. Ich habe einige bemerkenswerte Menschen getroffen. Mutter Teresa und Jean Vanier waren bemerkenswerte Menschen; Beide verfügen über eine außergewöhnliche Fähigkeit, auf offene Weise Beziehungen zu anderen einzugehen und dabei stets eine unmittelbare Verbindung zu Teilen herzustellen, die möglicherweise verborgen oder verletzt waren. Ich war Zeuge ihrer Fähigkeit, ein neues Leben zu beginnen, das sich mit der Zeit zu vertiefen schien – fast so, als könnten zwei getrennte Wege gleichzeitig existieren! Für die meisten Menschen scheint es, als gäbe es irgendwo dazwischen.

Menschen können bei Katastrophen ein plötzliches Erwachen erleben – von Krieg oder schweren Unfällen bis hin zu intimen Tragödien innerhalb der Familie, die zu Veränderungen führen. Manchmal reagieren Menschen anders und Sie werden möglicherweise Zeuge, wie sich Menschen auf eine Weise verändern, die Sie nicht erwartet haben.

Unsicherheit in Bezug auf schmerzerfüllte Beziehungen ist unvermeidlich, doch meine Erfahrung zeigt, dass, sobald wir beginnen, an der Seite der Leidenden in unserem Leben zu gehen und ihre Anwesenheit ohne Ablehnung oder Ablehnung zu akzeptieren, ihre Anwesenheit uns nach und nach erzieht und stärkt – und uns neue Seinsweisen zeigt.

Dein Herz wird erzogen. Das ist etwas, was ich bewundere.

Ja, wir müssen voneinander lernen. Mein Herz kann nicht allein von mir selbst erzogen werden. Lernen geschieht durch Beziehungen. Indem wir akzeptieren, von anderen erzogen zu werden – ihnen zuzuhören, während sie beschreiben, was für sie passiert, oder in ihre Welt einzutauchen, damit sie Zugang zu unserer haben –, dann beginnt etwas Tiefes zwischen den Menschen zu geschehen – wir nennen das Gemeinschaft und das ist etwas, was Jesus uns über das Leben gelehrt hat sich selbst - lernen Sie, dauerhafte Bindungen zwischen Ihren Nachbarn aufzubauen, wie Jesus es nannte, und entdecken Sie dann etwas völlig Neues!

Hören Sie sich diesen Dialog zwischen Eve Ensler und der Autorin Jennifer Egan an.

Eine der wichtigsten Erkenntnisse, die Sie während Ihrer Krebserkrankung gewonnen haben, war die Natur der Liebe. Ich fand Ihre Erfahrung mit Krebs zutiefst zum Nachdenken anregend; Eine Sache, die mich wirklich zum Nachdenken gebracht hat, war Ihr Bericht darüber, wie in diesem extremen Moment die Liebe, wie wir sie normalerweise verstehen – romantische Liebe, Ehen und Liebhaber – für Sie nicht ganz zum Ausdruck kam; fühlte sich nicht sehr substanziell an und passte dennoch nicht zu der Gleichung, die wir oft über solche Beziehungen aufstellen – und doch bedeutete es nicht weniger Liebe – als viele von uns aufgrund unserer Erwartungen vermuten ließen – und doch Sie haben verstanden, dass dies eine wichtige Erkenntnis war: Dies hatte nichts mit dem zu tun, was wir normalerweise tun, wenn wir über solche Themen diskutieren, im Vergleich zu dem, was sich normalerweise summieren würde – das würde nicht stimmen –

Dein Leben war voller Liebe, doch irgendwie schien sie in dir abwesend zu sein. Doch bei näherer Betrachtung konnte man es überall finden – in Beziehungen, in der Natur, sogar bei sich selbst. Ihre Vorstellungskraft für dieses Wort oder diese Sache war zu begrenzt.

Romantische Liebe, absolut. Allerdings scheint unsere Vorstellung von Liebe sehr simpel und simpel: dass du eine Person triffst, die „dein Seelenverwandter" wird.

Ich habe auf keinen Fall jemanden getroffen, der diese Erfahrung teilen kann; obwohl es Personen mit langjährigen Ehen geben kann. Aber ich bezweifle, dass irgendjemand behaupten würde, dass er in mir schon seinen perfekten Partner gefunden hätte; Meine alten Vorstellungen von Liebe sind längst verflogen. Und so bin ich jetzt in meinem Leben so aufgeregt, weil diese alten Vorstellungen von Liebe zerstreut wurden. Auch wenn der Krebs mich immer noch verfolgt und verweilt, macht es mir seit meiner Genesung so viel Freude, dass wir diesen Raum gemeinsam teilen. Wie können wir so viele Trümmer loswerden? Man muss einfach weiter spülen. Aber seit ich wieder gesund bin, fühle ich eine unglaubliche Befriedigung, heute hier an diesem Ort zu sein und ihn mit euch allen zu bewohnen. Diesen Sommer habe ich meine Tage mit Tanzen, Schwimmen, Reden und unvergesslichen Abenden in Italien mit meinen Freunden verbracht – jeder Moment war für mich und meine Lieben so wertvoll. Unsere Erfüllung liegt dort, wo wir sie liegen lassen – wenn man uns sagt, dass Glück nur hier zu finden ist, dann könnte das deine Realität werden – anstatt zu denken, dass es eines Tages kommen wird, wie „Oh, es wird bald kommen; eines Tages, wenn die große Liebe kommt." ". Aber jetzt ist es schon für Sie da – genießen Sie jede Sekunde!

Sie erwähnen, dass Sie täglich subtile, freundliche Taten von Menschen in der Demokratischen Republik Kongo erleben, die für Sie beten und ihre Hilfe und Liebe anbieten. Sie haben auch erwähnt, dass Sie ihre Gebete als liebevolle Gesten von Frauen anerkennen, die in der DR Kongo für Sie beten.

Absolut. Letzte Nacht war eine dieser schlimmen Nächte, in denen meine Gedanken zurück zu früheren Liebhabern und Ehemännern wanderten und auch über das Scheitern der Liebe in meinem bisherigen Leben. Ich konnte es nicht verstehen; Außerdem hatte ich auch mit meinen eigenen Intimitätsproblemen zu kämpfen. Nachdem mir klar wurde, wie viele wunderbare Menschen sich für mich eingesetzt hatten, wurde mir klar, wie viele meine Reise unterstützten: Marie Cecil, die mir jeden Morgen Frühstück kochte, während ich mich einer Chemotherapie unterzog; meine Enkelin, die meine Koffer packte, wenn ich ein letztes Mal meine Mutter besuchte; Diese Leute haben das alles möglich gemacht. Meine Schwester war jeden Moment bei mir auf der Couch und bot mir tröstende Waschlappen an, um meine Stirn zu beruhigen. Das sorgte für diesen unglaublichen Moment, in dem ich dachte: „Oh mein Gott! Mein Leben ist so reichhaltig; Liebe und Paradies sind beide genau hier; das Paradies direkt vor mir." „Der Kapitalismus erzeugt künstliche Sehnsüchte; er schürt in uns die Sehnsucht nach dem, was in der Zukunft passieren könnte – er strebt immer nach dem nächsten Produkt, dem nächsten großen Ding."

Sieh Dich um; Kleidung zeigt immer ein heißes, sexy Paar, das Jeans als Symbol der Liebe trägt. Alles, was mit Verführung zu tun hat, scheint mit ihnen verbunden zu sein; Wenn wir aufwachen, sehen wir nicht ganz so perfekt aus, aber die Realität kann trotzdem köstlich, chaotisch und auf ihre eigene Weise menschlich sein. Vielleicht vergleichen wir unser Leben zu oft mit der Promi-Kultur, so dass das, was auch immer unser Leben tatsächlich aussieht, nicht richtig mit dem übereinstimmt, was wir als Paradies empfinden. Das könnte die Dinge dramatisch zum Besseren verändern!

Hören Sie sich diesen Austausch zwischen Marie Howe und der Autorin an: Für viele Menschen waren Ihre Gedichte über Johns Tod an AIDS äußerst bewegend und lebensbejahend. Aber ein Aspekt, der mir beim Eintauchen in Ihre Arbeit auffiel, war, wie konsequent Ihr Stil immer war: Wenn Sie über persönliche Tragödien schreiben, verwenden Sie oft eine starke Sprache mit emotionalem Inhalt – wie es bei seinem Gedicht „All My Friends Are Dead" der Fall war.
In Ihren Gedichten geht es oft um die Familie. Oder umgekehrt – Gedicht für Gedicht spricht von Familienbeziehungen oder Familien selbst.

Familien stehen im Mittelpunkt unseres Lebens. unsere Geburtsfamilie, unsere Auserwählte und diejenigen, die wir durch Freunde oder Kinder bilden. Das Familienleben kann dramatisch sein; Ich bin mit 11 Personen in meiner unmittelbaren Familie aufgewachsen; Jeder Tag war voller Ereignisse. Die Jungs spielten unten Billard, während meine Schwester im Hinterhof auf meine Kinder aufpasste, und bis zu 50 Mal an einem Abend kamen Gäste vorbei! Jetzt hat sich meine Situation drastisch verändert; Ich ziehe meine Tochter allein in einer winzigen Mietwohnung groß.

Es gab immer nur einen.

Eine von ihr und eine von mir leben zusammen in einer winzigen Mietwohnung in Greenwich Village, die kaum als Zimmer im Haus meiner ursprünglichen Familie gelten würde, wo aufgrund der vielen Menschen, darunter auch Alkoholiker, niemandem jemals genug Aufmerksamkeit geschenkt wurde was Chaos in unseren Haushalt brachte. Die Dinge wurden oft schnell gewalttätig oder dramatisch – was auch bei meinen Vorfahren oft vorkam. Bei uns war es nicht anders.

Ich möchte Sie nach einer Zeile aus Ihrem Gedicht mit dem Titel „Brief an meine Schwester" fragen.

Oh je. Das „Niemand hat es uns gesagt" klingt wahr, auch wenn das, was wir gerade gesagt haben, dieser Idee widersprechen könnte.

Nun ja, in einem so großen Haus erlebten verschiedene Menschen unterschiedliche Dinge, je nachdem, wo man war und wie alt sie waren. Eine Sache, an die ich mich erinnere, war jedoch ein sehr klarer Aspekt.

In meiner Erziehung sind vielfältige Standpunkte und Wahrheiten verankert; Dieses Gedicht war als Bestätigung für meine Schwester gedacht, die ein Trauma erlebte. Ich wollte zeigen, wie Alkoholismus trotz der Versuche einer Vereinigung Beziehungen zerstören kann; Auch wenn man möchte, dass alle gleichzeitig in einem Raum sind, bricht die Natur jedes gemeinsame Verständnis oder jede gemeinsame Erfahrung – diese Zeilen versuchten, diese Idee zu vermitteln: Eine Schwester versucht, direkt aus ihrer Bruchposition heraus zu sprechen.

Kunst ist eine Möglichkeit, die Sie geschrieben oder vielleicht in einem anderen Interview gesagt haben, um unseren Herzen die Möglichkeit zu geben, sich vollständiger zu öffnen. Wir haben über Ihre Kindheit, Ihr Familienleben, Ihre Herkunftsfamilie und darüber gesprochen, wie Sie relativ spät in Ihrem Leben Dichterin wurden, bevor Sie als Erwachsene Mutter wurden. Wie würden Sie die Wirkung erklären, die Kunst auf die Öffnung von Herzen hatte – wie hat sich das auf verschiedene Phasen Ihres eigenen und des Lebens anderer ausgewirkt?

Nun ja, Kunst ist vielleicht unsere einzige Zuflucht, wenn das Leben unerträglich wird. Menschen, die uns am Herzen liegen, werden weitergeben. Und eines Tages werden wir uns ihnen anschließen – Kinder zurücklassen, Pflanzen zurücklassen, Sonnenstrahlen über uns, fallende Regentropfen und alles. Kunst kann dieses Wissen bewahren, das uns daran erinnert, dass wir gleichzeitig leben und sterben; Gott sei Dank ist das möglich, denn nichts in der amerikanischen Wirtschaft würde diese Perspektive zurückgeben.

Heutzutage erleiden die Menschen unvorstellbare Schmerzen, die ich nicht ertragen konnte; In diesem Moment wird in Gefängnissen auf der ganzen Welt jemand ohne Grund gefoltert. Ich weiß nicht, wie ich das ertragen könnte, ohne psychotisch zu werden; Als John jedoch starb, wusste ich, dass ich entweder seinen Tod öffnen oder mein Herz noch mehr verschließen sollte.

Open ermöglichte mir zu erkennen, dass es noch viele andere gab, die unter dem Verlust eines nahestehenden Menschen litten. Es fühlte sich großartig an, Teil ihrer Gemeinschaft zu sein.

Als meine vierjährige Tochter in Austin, Texas, ihr Bett machte, fragte sie, warum sie das tun müssten. meine Antwort: Weil ich es dir gesagt habe. In diesem Moment kamen alle ihre Geschwister hinter ihren Betten hervorgerannt. Ich drehte mich um, sah alle wieder dort stehen ... und wir lachten alle zusammen über das, was passiert war. Millionen von Menschen klatschten, und ich schloss mich an. Es fühlte sich so großartig an, in solch einer großartigen Gesellschaft zu sein, sich anderen anzuschließen, anstatt sich von allem, was in unserer Welt vor sich geht, isoliert zu fühlen; sonst könnten wir denken, dass es nur uns passiert. Das wäre eine schreckliche und ungenaue Art, das Leben zu leben, was meiner Meinung nach die Kunst ständig widerspiegelt – von Thomas Hardy-, Doris Lessing-, Virginia Woolf- oder Emily Dickinson-Lesungen bis hin zu Emily Dickinson-Gedichten – einfach menschliche Geschichten zu zeigen, damit wir Ich fühle mich nicht so isoliert – es ist wirklich ein Wunder.

Kate Braestrup ist eine Unitarian Universalist-Kaplanin für Wildhüter, die in Parks und Wäldern in Maine arbeiten, sowie für Strafverfolgungsbeamte, die zu Such- und Rettungseinsätzen hinzugezogen werden, wenn Gefahr oder Katastrophe eintritt.

Ihre Arbeit mit ihnen führt sie, wie sie sagt, zu entscheidenden Momenten menschlicher Erfahrung – zu solchen, in denen sich Leben abrupt ändern, während andere sich unerwartet entfalten.

Hören Sie sich dieses Gespräch zwischen Kate Braestrup und der Autorin an: Sie haben festgestellt, dass die tibetische Philosophie darauf hinweist, dass wir einen Großteil unseres Lebens damit verbringen, uns auf den Tod vorzubereiten, doch viele der von Ihnen bearbeiteten Fälle betreffen Menschen, die diese Wahrheit nicht erkennen.
Niemand fühlt sich bereit, den Tod seiner Lieben ins Auge zu fassen, noch glaubt er, dass das Universum einen Sinn ergibt, wenn so etwas passiert.

Richtig, und gerade deshalb ist es von Vorteil, dass wir uns nicht bewusst vorbereiten müssen.

Es gibt auch die Geschichte, die Sie von Christina und Anna Love erzählen.

Das war einer der Namen, die ich in meinem Buch beibehalten habe.

Anna Love war eine ungewöhnliche Polizistin, die man traf, während man über Wunder und all ihre Auswirkungen nachdachte.

Christina war eine junge Frau, die entführt, vergewaltigt und getötet wurde, bevor sie im Wald zurückgelassen wurde. Dies erforderte die Zusammenarbeit vieler verschiedener Behörden – einschließlich des Aufseherdienstes – bei der Bergung ihrer Leiche sowie beim Sammeln und Analysieren von Beweisen gegen die Verantwortlichen. Diese Erfahrung war zunächst für alle Beteiligten unvorstellbar schmerzhaft, insbesondere für ihre Familie. Dieses Ereignis stellte unser Verständnis vom Leben in Maine auf die Probe, ob sich unsere Kinder und wir selbst sicher fühlen. Was können wir gegen das Böse tun, das ohne Vorwarnung angreift? Hier kommen Wunder ins Spiel, wenn so viele Dinge zusammenpassen müssen, damit eine junge Frau an einem bestimmten Morgen um 7 Uhr morgens auf einem Parkplatz eine andere junge Frau trifft – das scheint unwahrscheinlicher als jedes Wunder, das ich mir vorstellen kann!

Aus diesem Grund besteht meine Definition von Wunder nicht einfach aus etwas, das von der Vorsehung gegeben wurde; Alle Teile müssen ausgerichtet sein, damit dies geschieht. Es passieren auch schlimme Dinge – manchmal wirklich schlimme Dinge. Wenn ich es aus einer anderen Perspektive betrachte – also aus meiner Sicht der Dinge – dann suche ich nicht nach Gott oder suche seine Gegenwart in meinem täglichen Leben.

Gott wirkt in meinem Leben auf subtilere Weise als durch Magie oder Tricks; Er zeigt sich durch Menschen, die sich gegenseitig lieben, und durch Hilfsbereitschaft, die ich jeden Tag erlebe. Dieses Ereignis stellte Gottes Werk auf den Prüfstand, da ich im Allgemeinen nicht oft Sexualstraftätern und Mördern ausgesetzt bin – ich habe es eher mit Unfällen zu tun oder mit Menschen, die aufgrund von Alkoholkonsum schlechte Entscheidungen getroffen haben, sich aber nie vorsätzlich böswillig verhalten haben .

Wenn wir also in dieser Situation nach Beweisen für Liebe suchen würden, wäre ein offensichtlicher Platz in den Herzen und Händen der Männer, die ihr Bestes gegeben haben, um sie zu finden und die Dinge mit ihrer Familie in Ordnung zu bringen, trotz aller Einschränkungen.

Sie erkannten bald, dass sie die Zeit nicht zurückdrehen oder sie wieder zum Leben erwecken konnten.

Sorgen Sie dafür, dass dieses irrtümliche Ereignis verschwindet.

Sie konnten es nicht reparieren. Und dass sie trotzdem geantwortet haben, ist für mich wirklich schön; Ihre Bereitschaft zu reagieren, wenn sie etwas nicht reparieren konnten, ist atemberaubend bewundernswert. Wenn das passiert, ist es sehr befriedigend, Superman zu sein; wenn sie ein Kind finden, bevor sein letzter Atemzug seinen Körper verlassen hat. Das ist für mich erstaunlich; Was mich jedoch wirklich erstaunt, ist, wie diese Polizisten und Wildhüter ihr Leben so eingerichtet haben, dass sie Dinge tun müssen, die zwar unerträglich schmerzhaft sind, aber nicht unbedingt dazu beitragen, den Schaden oder das Böse, das sie um sich herum sehen, zu reparieren oder ungeschehen zu machen ist wirklich außergewöhnlich und bewundernswert.

Und in diesem besonderen Fall war Anna Love das Opfer.

Anna war die Hauptermittlerin in meinem Fall. Sie ist eine äußerst ernsthafte junge Dame, die ich schon seit einiger Zeit kannte, bevor ich gemeinsam an diesem Fall arbeitete.
Schon lange vorher konnte man sie sich leicht als Detektivin vorstellen; Sie ist klug, ernst und hat ein herzförmiges Gesicht – was es dem Publikum leicht macht, sich etwas vorzustellen. Durch die Untersuchung all dieser Informationen und die Suche nach plausiblen Orten, an denen sich Verdächtige verstecken könnten, fanden sie einen, der es erforderte, ihn wiederholt zu befragen und alle beteiligten Zeugen zu befragen, bevor sie mit ihm zum Tatort zurückkehrten.

Und das alles in nur drei Tagen?! Sie hat diesen Fall wirklich erfolgreich abgeschlossen.

Sie tat. Aber zwischen all diesen Aktivitäten schlich sie mit einer Milchpumpe ins Büro des Leutnants; Sie hatte vor kurzem ein Kind zur Welt gebracht und musste ihrem Mann (ebenfalls Polizist) Flaschen nach Hause schicken, damit er die Milch direkt ihrem neugeborenen Kind geben konnte. Ich fand diese Geste wirklich liebenswert.

In Ihrem Artikel wurde hervorgehoben: „In einer idealen Kultur würden junge Mädchen mit Anna Love-Actionfiguren spielen, die mit Abzeichen und Milchpumpen geschmückt sind."

Anna Love war in vielerlei Hinsicht eine ideale Detektivin für diesen Fall. Paradoxien wie diese können nicht gelöst werden; Sie müssen sie einfach als getrennte Dinge existieren lassen. Einerseits hatten Sie dieses schreckliche Ereignis, das nicht in jeder Hinsicht fair und ungerechtfertigt war; Doch alle diese Typen reagierten, einschließlich Anna Love als stillende Mutter, die sich an dieser Person rächte, die Christinas Tod verursacht hatte; doch nichts davon änderte etwas; nur dass beide Parteien gleichzeitig existierten – was meiner Meinung nach sowohl genug als auch nicht genug ist?
Ihre Worte offenbaren etwas Tiefgründiges und gleichzeitig Einfaches: Wenn Wunder vorübergehend Leben wiederherstellen, dauern diese Wunder möglicherweise nur kurz – meist handelt es sich nur um eine Auferstehung der Liebe und nicht um eine körperliche Wiederherstellung.

Das Christentum und ich sind oft uneins, weil ich das Gefühl habe, dass es Fragen beantwortet, die ich nicht gestellt habe. Wenn der wichtigste Wert in Ihrem Leben einfach darin besteht, zu atmen und herumzulaufen, Sandwiches und dergleichen zu essen, dann wird das zu Ihrer Antwort auf alles und der Tod wird irrelevant – denn egal, wer jetzt lebt, sie alle sterben irgendwann, und wir müssen all diese anderen Konzepte, die wir vertreten, postulieren Ich habe es noch nicht gesehen oder mich damit verbunden; doch als jemand mit praktischen Interessen würde mich das nicht befriedigen; Ich möchte etwas Greifbares, Konkretes, das ich sehen und direkt umsetzen kann.

Wenn ich stattdessen davon ausgehe, dass die Liebe das Wichtigste ist, erhalte ich am Ende eine Welt voller Leid, Bösem und Schmerz; Dennoch habe ich immer noch etwas, das sich lohnt. etwas, das ich anstreben kann und etwas, das ich beitragen kann. Persönlich gesehen funktioniert das besser.

Hören Sie sich den Austausch zwischen John Powell und dem Autor Peter Thiel an

Es gab einen Punkt, an dem ich mich mit allem überfordert fühlte und mit meinem Vater sprach, als ich das Gefühl hatte, wirklich keine Kontrolle mehr über alles zu haben. Er sagte mir, ich solle nicht versuchen, alles alleine zu machen, sondern erkannte meine Schwierigkeiten an, indem er mich daran erinnerte, dass Gott bei mir sei; obwohl mein Fehler darin bestand, dass ich versucht hatte, mich um ihn herum zu organisieren und nicht um mich selbst. Mir wurde klar, dass mein Fehler darin bestand, dass ich seinen Rat nicht befolgt hatte, als ich mich auf die gleiche Weise wie er um Gott herum organisierte.
Also...

Ihr ursprünglicher Modus war weiß.

Absolut korrekt; Deshalb glaube ich, dass wir beide unsere Komfortzonen verlassen und gemeinsam daran arbeiten sollten, aus ihnen auszubrechen.

Zusammengenommen stellen diese Aussagen eine interessante Beobachtung in einem anderen Interview dar: Die Mehrheit der Weißen bevorzugt heute integrierte Nachbarschaften und Schulen als noch 1950; obwohl ungewiss bleibt, was dies bedeutet; Ungeachtet dessen haben sich unsere Welt und unsere Demografie verändert; Weiße Enklaven bieten wenig spirituelle Nahrung und sind im Laufe der Zeit spirituell korrupt geworden." Darüber hinaus haben Sie erwähnt, dass die meisten Menschen, ob weiß, schwarz, lateinamerikanisch oder anderswo, die Dinge gerne anders sehen würden, „aber leider nicht wissen, wie oder überhaupt." Stellen Sie sich vor, das Leben wäre anders." Darüber hinaus haben Sie folgende Aussage gemacht: „Ich denke, die meisten Menschen, ob weiß, schwarz, lateinamerikanisch oder sonstwie, würden gerne etwas anderes, wissen aber nicht wie oder haben sich eine alternative Realität vorgestellt."

Sie sprechen für mich und viele andere Menschen, wenn Sie sagen, dass wir damit konfrontiert sind; Ich bin der Meinung, dass diese Unfähigkeit, anders zu sehen, in erster Linie angegangen werden muss. Ihre Geschichte über Oak Park in der Nähe von Chicago hat mir wirklich geholfen, diese Geschichte zu verstehen. Normalerweise geht man davon aus, dass die Integration dazu führt, dass der Wert von Wohnraum sinkt. Diesmal haben Sie eine sehr praktische Maßnahme beschrieben, die ergriffen wurde, um den Wert von Wohnraum nicht zu verändern – diese kleinen Geschichten sind ebenso wichtig wie größere Erzählungen.

Oak Park liegt in Chicago und ist eines der vielen abgesonderten Gebiete; Cook County weist die höchste schwarze Bevölkerungszahl aller US-Countys auf und es wurden dort viele Studien zur Rassentrennung durchgeführt. Oak Park zeichnet sich durch eine außergewöhnliche kleine Gemeinde aus, die sich gegen Segregation stellt. Dadurch wird Oak Park noch markanter.
Liberale Weiße waren anwesend und Schwarze begannen einzuziehen, was liberale Weiße dazu veranlasste, ihre Besorgnis darüber zum Ausdruck zu bringen, dass der Wert ihres Hauses sinken könnte, ohne dass es sofort verkauft würde. Deshalb schlug die Kommunalverwaltung eine Versicherungspolice vor, die bei Wertverlusten einen Ausgleich bietet – etwas, das schließlich umgesetzt und als Richtlinie übernommen wurde.

Weiße Einwohner haben keine Police bezahlt. Weiße zogen nicht weiter in die Vororte. Und das gilt seit 50 Jahren – was dies zu einer faszinierenden Beobachtung auf mehreren Ebenen macht, da man argumentieren könnte, dass diese Weißen rassistisch seien; Vielleicht benutzen sie ihre Versicherungspolicen als Ausrede. Aber sind wir bereit, sie beim Wort zu nehmen und sie dort zu umarmen und einzubeziehen, wo sie stehen? Menschen haben Ängste, sogar mehrere gleichzeitig. Denken Sie an Katrina; Diese Geschichten über Katastrophen, die uns plagen, sind überall um uns herum, doch wir reden nicht viel darüber. Als das Wasser zu steigen begann, saßen Schwarze auf Dächern fest. Was nicht öffentlich gemacht wurde, ist die Tatsache, dass alle Amerikaner, eigentlich alle Rassen, großzügig gespendet haben. Es handelte sich um eines der größten zivilen Spendenprogramme zwischen der Bevölkerung, die es je in der amerikanischen Geschichte gegeben hat. Also spendeten weiße, lateinamerikanische und asiatische Amerikaner, um den ihrer Meinung nach schwarzen Amerikanern zu helfen. Die Menschen behaupteten, unsere Menschlichkeit sei geteilt, wobei interrassische Paare eine der am schnellsten wachsenden Bevölkerungsgruppen seien. Keine Latinos, sondern interrassische Paare und interethnische Paare, die an der Spitze des Wandels stehen; Menschen, die damals schon sie selbst waren und versuchten, sich ein anderes Amerika vorzustellen, mit Ausdrücken davon überall um uns herum, wenn wir nur anfangen würden, danach zu suchen. Beim Hinsehen tauchten überall Ausdrücke auf – oft unerwartet.

Sie werden selten anerkannt, besprochen oder berücksichtigt – es ist an der Zeit, dass wir sie annehmen und unterstützen!

Hören Sie sich einen Austausch zwischen Vincent Harding und dem Autor an.

Kürzlich habe ich BBC gehört, der uns aus der Ferne beobachtet hat. Es wurde ein interessanter Vergleich mit den 1960er Jahren gezogen – einer weiteren Zeit sozialer Unruhen und Morde –, aber ein Journalist bemerkte, dass der Hauptunterschied die Hoffnung sei: Selbst in Zeiten großer Unruhen und Gewalt hätten die Menschen immer noch das Gefühl gehabt, dass sie Fortschritte in Richtung ihrer Ziele machten, was jetzt fehlt. Was denken Sie über diese Analyse?

Im Kern ist dieses Thema so kompliziert, dass ich es nur mit begrenztem Erfolg lösen kann. Was ich überall im Land beobachtet habe – wo auch immer ich hingehe –, scheinen die Menschen aus einem Gefühl der Hoffnung und Möglichkeit heraus zu agieren: Ob in Detroit, Atlanta, auf dem Campusleben in Philadelphia oder überall in den Kirchen sind Frauen und Männer voller Frauen und Männer voller Hoffnung und Optimismus.

Mein Eindruck ist, dass es in den 1960er Jahren wahrscheinlich ein größeres Gefühl der Hoffnung gab, das jeder erkennen und auf das er sich konzentrieren konnte. Einer der tiefgreifenden Veränderungen, die derzeit für weiße Gemeinschaften in ganz Amerika stattfinden, ist die wachsende Unsicherheit hinsichtlich ihrer eigenen Rolle, ihrer eigenen Kontrolle und was dies für ihr Leben und ihre Freiheiten bedeutet. Es hat seine Komfortzone verlassen und Neuland betreten, das es zuvor nicht zu erkunden erlaubte.

Und dort befinden wir uns heute; Daher ist es unbedingt erforderlich, dass wir verstehen, wovon Martin Luther King sprach, als er von der Schaffung einer geliebten Gemeinschaft sprach und erkannte, dass einige aufgeben müssen, was einst nur ihnen gehörte, damit dieser Traum Wirklichkeit wird. Kann es eine geliebte Nation geben? Lass es uns versuchen und es herausfinden.

Ihre Texte werfen oft eine spannende Frage auf: „Ist Amerika möglich?" Welche Antworten auf die verkörperte Hoffnung fallen Ihnen bei der Beantwortung dieser Frage ein?

Eine der großen Freuden des Lebens über meinen 80. Geburtstag hinaus war es, viele wundervolle Menschen zu treffen und Zeit mit ihnen zu verbringen. Philadelphia zum Beispiel ist der Ort, an dem ich einen Großteil meiner Zeit verbringe. Auf der Nordwestseite habe ich mich eng mit einer methodistischen Kirche verbunden, die von einer außergewöhnlichen Pastorin geleitet wird, die ihr Herz und ihre Arme weit geöffnet hat für junge Menschen, die in anderen Kirchen oft ausgegrenzt werden – und ihnen gezeigt hat, was sie durch ihre Arbeit erreichen können.

Irgendwann während ihres Besuchs in Denver kam eine Gruppe Philadelphianer, um unser Projekt zu besichtigen und waren von den Straßen Philadelphias gekleidet; Ihre Bewegung spiegelte diesen Manierismus wider, als sie mit verschiedenen Bewohnern dort interagierten. Zwei junge Philadelphianer – ein Mann und eine Frau – hielten mich für einen Moment auf: Zwei junge Männer kamen einzeln auf mich zu und fragten: „Könnten wir uns kurz unterhalten?" Sie nannten mich schon Onkel Vincent und wollten wissen, warum ich sie so liebte. Was ich sah, war, dass sie ein Bewusstsein hatten, das es ihnen ermöglichte, diese Liebe von mir zu erkennen; Etwas, das vielen Amerikanern fehlt, wenn sie im Ausland neue Leute kennenlernen. Ich habe gesehen, dass sie wussten, dass sie, wenn sie neue Leute kennenlernten, etwas Großes in sich spüren konnten, das sie erkennen ließ, wenn sie jemanden wie mich trafen oder diese Neuigkeiten hörten: dies zu wissen.
Liebe kann nur von innen kommen, und jeder sollte erkennen, dass er die Macht und Verantwortung hat, etwas Positives für seine Gemeinschaft beizutragen, für das zuvor nicht gesorgt war.

Ich weiß, dass es sie gibt, weil ich einige der Erwachsenen kenne, die an Orten wie Greensboro, North Carolina, mit ihnen arbeiten; Detroit, Michigan; in Reservaten im Raum New Mexico und Los Angeles – wir haben in diesen Situationen Beziehungen zwischen jungen Menschen und erwachsenen Pflegekräften aufgebaut – denn wenn ich ihre liebevolle Fürsorge sehe, spüre und annehme, weiß ich, dass sie das Zeug dazu haben, die von uns geliebten Gemeinschaften aufzubauen Alle streben danach, etwas zu erschaffen.
In meiner Arbeit beschäftige ich mich mit denen, die als hoffnungslos, nutzlos und ziellos gelten – so wie ich sie in den 1960er Jahren im tiefen Süden gesehen habe –, die als rückständig und unfähig gelten, Veränderungen für ihre Nation herbeizuführen. Wenn ich an den Platz des Himmlischen Friedens und an Prag zurückdenke, erinnere ich mich daran, wie dieselben Leute in Mississippi und Alabama, die als nutzlos abgetan wurden, in der Lage waren, weltweit Veränderungen herbeizuführen – ich sehe, dass sich das in diesem Land ständig abspielt und junge Menschen, die sich lieben, neue Möglichkeiten eröffnen; Daraus ergibt sich meine Antwort: „Ja, solange wir es möglich machen."

Wenn ich mich an den Glauben aus meinem frühen Leben erinnere, sind damit Ängste verbunden. Aber nicht nur Angst, sondern auch Sehnsucht lebte dort.

Sobald ich anfing zu lesen, boten mir Bibelrätsel Momente der Beweglichkeit, des Trostes und eine belebende Weite an Möglichkeiten, die mich durch die Schule und die Kirchenmusik begleiten konnten – wenn auch damals noch nicht ganz in dieser Form! Das Singen von Hymnen, die mein kleines Leben mit der Großartigkeit des Kosmos und dem christlichen Drama über Raum und Zeit hinweg verbanden, wurde zu einer meiner frühesten Erfahrungen, in denen Atem, Körper, Geist und Seele zusammenkamen und im Einklang mit vertrauten und unbekannten Menschen sowohl dem Mysterium als auch der Realität bewusst wurden war ein solcher Moment; Diese Erfahrung hat mitgeprägt, wie ich Glauben heute definiere: Es bedeutet, zu glauben, was man über sich selbst glaubt, wenn man von Gott oder für sich selbst spricht! chaudiere Wer bin ich, um für Gott oder in seinem/ihrem Namen zu sprechen? Aber das glaube ich:
Wenn Gott existiert – was an sich schon eine unglaubliche Vereinfachung ist – dann braucht Er/Sie uns nicht dringend; Er/Sie begehrt und braucht uns und sorgt dafür, dass wir im täglichen Leben dankbar, aufmerksam und mutig sind.
Eine meiner liebsten klassischen Herangehensweisen an Gottesdefinitionen lautet: Wenn Gott der „Geist hinter dem Universum" ist, ehrt er unseren Geist; während er als unser „Grund des Seins" unsere Ganzheit segnet.
Bei der Religion meiner Kindheit ging es für mich vor allem darum, sich zu messen – um moralische Perfektion und den ewigen Preis, wenn man hinterherhinkt. Nun beinhaltet Glaube für mich moralische Vorstellungskraft im Unterschied zu moralischer Vollkommenheit; Ich versuche immer noch herauszufinden, was genau das bedeutet und wie ich es am besten in mir und anderen fördern kann; Schwierigkeiten mit der Frage, wie diese Sprache im Alltag zum Ausdruck kommen könnte; Die Ergebnisse überraschen mich oft, da sie sich so sehr von öffentlichen religiösen Bildern seit Menschengedenken unterscheiden und weit von dem entfernt sind, wo ich angefangen habe; Doch wenn man diese Sprache wieder versteht, werden große Traditionen in ihrer ganzen Pracht wieder zugänglich.

Glaube ist dynamisch; in allen Kulturen und Lebenszeiten. Sogar diejenigen, die behaupten, an Gott oder das Gebet zu glauben, könnten irgendwann feststellen, dass diese Überzeugungen ständig überarbeitet werden, da Erinnerungen und Erfahrungen im Laufe der Zeit die Art und Weise prägen, wie wir diese Grundüberzeugungen interpretieren. Weisheit liegt darin, wie wir mit den Überraschungen und Geheimnissen des Alltags umgehen und nicht mit stagnierender Stagnation; wenn unerwartete Überraschungen eintreten, die sich nicht zusammenfassen oder wegerklären lassen; Solche Momente haben die Kraft, uns tief von innen heraus zu verändern, wenn wir sie zulassen.

Das westliche Christentum verlor einige seiner transformativen Kräfte, als es sich mit dem Imperium und später mit der Wissenschaft verbündete. Mein Großvater schien sich wegen seines großen und aktiven Geistes unwohl zu fühlen; Es gab ein nervöses Zögern, wenn es darum ging, Dinge zu akzeptieren, die in der Bibel nicht behandelt wurden oder nicht erklärt werden konnten. Es bestand die Befürchtung, dass sie der gottlosen Gewissheit der Wissenschaft erliegen und für immer für diejenigen verloren gehen könnten, die gläubig waren. Er konnte nie vorhersehen, dass die Wissenschaft des 20. Jahrhunderts an ihre scheinbar letzten Grenzen stoßen und sich dann auf ihre Kerntugend der Demut besinnen und Überraschungen als Chancen willkommen heißen würde. Wir haben neben anderen erschütternden Fakten herausgefunden, dass die Expansion des Universums sich nicht verlangsamt, sondern beschleunigt; und durch Erklärung, dass das meiste davon aus Kräften besteht, mit denen wir nie gerechnet hatten und die wir immer noch nicht vollständig verstehen – „dunkle Materie" und „dunkle Energie".

Zu Beginn dieses Jahrhunderts versuchten Physiker, Kosmologen und Astronomen das Mysterium nicht mehr zu vertreiben, sondern förderten es stattdessen wieder. Stringtheorie und parallele Realitäten klingen immer noch wie Science-Fiction, sind aber in Wirklichkeit Versuche, Einsteins Ideal einer „Theorie von allem" zu verwirklichen. , indem es alle Aspekte des Zusammenwirkens unserer Welt in einer übergreifenden Erklärung für alles vereint.

Wie Einstein berühmt bemerkte, stimmt unser Verständnis der kosmischen Realitäten nicht mit deren Funktionsweise auf der Mikroebene, dem Quantenbereich, überein. Doch die Quantenphysik – von einigen einst als „Voodoo" betrachtet – hat uns mit Mobiltelefonen und Personalcomputern ausgestattet, Technologien, die wir jeden Tag nutzen, um Cyber-Versionen des Weltraums zu erforschen.

Immersive, wissenschaftsbasierte Erfahrungen beleben die alte menschliche Intuition, dass die lineare Realität nicht alles ist, was es gibt; dass es außerdem virtuelle Realität und Cyberspace gibt, wie Alice, die in den Kaninchenbau fällt; unser Online-Leben führt uns wie Alice durch dieses Kaninchenloch; Jeden Morgen, wenn wir aufwachen, machen wir uns auf den Weg nach Narnia durch hintere Schranktüren oder durch die Kartierung von Gehirnen durch künstliche Intelligenz – es wird immer wunderbarer, dass unser Bewusstsein erstaunlich erscheint.

Sherwin Nuland, ein Agnostiker, der chassidisch-jüdischer Abstammung ist, zitierte oft die Einsicht des Heiligen Augustinus, dass der Mensch Verantwortung für sich selbst im Leben übernehmen und entscheiden muss, wie er es verbringen möchte.

Menschen wagen sich in die Natur, um ihre immensen Höhen zu bestaunen, die gewaltigen Wellen des Ozeans und vorbeirauschende Flüsse, die unermessliche Weite des Universums und die Sterne, die darauf scheinen – doch oft gehen sie alleine vorbei, ohne zu erkennen, welche Schönheit vor ihnen liegt.

In unserer Zeit ist es in Mode gekommen, das Geheimnis, das wir sind, mit neuer Begeisterung zu erforschen. Einstein sah die Ehrfurcht vor dem Wunder im Zentrum von Wissenschaft, Religion und Kunst – etwas Wunderbares ermöglicht es uns, mit großem Eifer zu handeln. Das Staunen ist auch eine wirksame Methode, um mit unterschiedlichen Gewissheiten oder Zweifeln über Disziplinen hinweg ein gemeinsames Mysteriumsvokabular auszusprechen; Der Psychiater Robert Coles identifizierte diesen Impuls als seinen Ursprung in der kindlichen Entwicklung sowie in spirituellen Überzeugungen; Ich habe Robert in einem frühen Stadium meines Radioabenteuers in seinem mit Büchern gefüllten Haus außerhalb von Boston interviewt, was einen guten Kontext für spätere weitere Entwicklungen bot.

Hören Sie sich einen Austausch zwischen Robert Coles und dem Autor Robert A. Coles an.
Kein Zweifel: Wir scheinen aus dem Nichts zu kommen! Unsere Eltern haben sich natürlich kennengelernt; dann kommt unsere physiologische Entwicklung; Schließlich beginnt unser psychologisches und spirituelles Selbst durch Erfahrung und Bildung bestimmter Art durch Eltern, Nachbarn, Lehrer, Verwandte und uns selbst zum Vorschein zu kommen – dieser Prozess bleibt eine endlose Quelle des Staunens! Religiöse Traditionen aus der Kindheit liefern zahlreiche Beweise dafür, dass die Verschmelzung natürlicher Neugier mit religiöser Neugier eine große Rolle in diesem Entwicklungsprozess spielt – kein Wunder also, dass viele Religionen heute nebeneinander gedeihen!

Robert Coles stieß während der turbulenten Ära des sozialen Wandels der 1960er Jahre ungewollt selbst auf diese Form der Sprache. Als junger Psychiater in New Orleans erlebte Dr. Christopher White, wie eine Menge Erwachsene Ruby Bridges verspotteten, als sie als erstes afroamerikanisches Kind die Rassentrennung in einer Grundschule im Süden aufhob. Er war fasziniert von ihrer Würde, freundete sich mit ihrer Familie an und schrieb preisgekrönte Bücher über das psychologische, politische und moralische Leben von Kindern. Später in seiner Karriere schlug Anna Freud vor, noch einmal einen Blick zurück auf all seine Forschungen zu werfen, um zu sehen, ob ihm etwas entgangen sei. Bemerkenswerterweise entdeckte er, dass seine Notizen voller religiöser und spiritueller Beobachtungen von Kindern waren, die er aus akademischen Gründen ignoriert hatte. Diese Beobachtungen bildeten die Grundlage für sein bekanntestes Werk: „Das spirituelle Leben der Kinder".

Robert Coles sieht das spirituelle Leben nicht mit kindischen Augen: Wenn er über das spirituelle Leben von Kindern spricht, meint er nicht einen überwundenen Überschwang, sondern eine anhaltende und neugierige Neugier, die im Erwachsenenalter zu einem Leben voller Größe, Kreativität und Widerstandsfähigkeit geführt hat; wie Dorothy Day oder William Carlos Williams oder Dietrich Bonhoeffer in dieser Welt. Robert hat eine unvergessliche Radiostimme, die perfekt für Radiosendungen wie seine Show geeignet ist: und bleibt auch einer dieser weisen, aber neugierigen Menschen seiner Achtziger.

Hören Sie sich den Austausch zwischen den Autoren Robert Coles und Robert Ollea an.

Es ist faszinierend, dass Sie bei Kindern sowohl mit religiösem als auch nichtreligiösem Hintergrund einen solchen „Fragengeist" beobachtet haben – selbst bei denen, die in Haushalten mit strengeren Traditionen leben. Was Sie im Gespräch mit Kindern und beim Zuhören herausgefunden haben, verrät mehr als nur die Kindheit; Es offenbart einen Aspekt der Religion, den wir möglicherweise völlig übersehen.

Das ist in der Tat eine tragische Wendung der Ereignisse: Wenn man das Judentum betrachtet, gehören zu seinen großen Persönlichkeiten seine Propheten wie Jeremia, Jesaja und Amos. Diese Propheten stellten einige der tiefsten und unbequemsten Fragen und wagten es oft, über die Grenzen von Macht und Privilegien hinauszugehen, um sie immer wieder zu stellen. Und dann kam Jesus von Nazareth – der Lehrer wurde. Man könnte ihn als einen reisenden Lehrer betrachten, der durch das alte Israel – das heutige Israel, Palästina und den Nahen Osten – streifte, auf der Suche nach Antworten, nach Antworten suchte, Menschen, denen er unterwegs begegnete, befragte und sie herausforderte, Fragen zu stellen, die anderen verboten waren oder die anderen beigebracht wurden zu bestimmten Themen nicht zu fragen. Jesus war auf der Suche nach Gefährten, die er auf seiner spirituellen Suche begleiten konnte; wir könnten sie in unserem Sprachgebrauch seine Freunde oder Bekannten nennen. Dies waren Menschen, die bereit waren, sich mit ihm auf dieser Suche nach spirituellen Entdeckungen zu verbünden, zu der er sich hingezogen fühlte oder die er verfolgte.

In religiösen Institutionen wie dem Judentum und dem Christentum gibt es Regelsetzer, die manchmal alles verzehrend oder sogar unterdrückend wirken können; Aber Kinder reagieren am besten auf den Geist der Religion: ihre Fragen, ihr Forschen und ihre Begeisterung, Antworten in unserer Welt zu finden.
Was Sie meiner Meinung nach in Bezug auf Kinder und Religion meinen, hat etwas mit ihrer Intrige als Individuen selbst zu tun.

Das Mysterium ist ein so wesentlicher Bestandteil des Lebens; Seine Anwesenheit fördert Neugier und Nachforschungen. Flannery O'Connor – eine einflussreiche katholische Autorin – stand in ihrer Spiritualität über dem Katholizismus; sie hatte tiefe Wurzeln jenseits des Katholizismus. Einmal diskutierte sie darüber, was eine gute Romanautorin ausmacht, und hoffte, dass sie eines Tages in ihre Reihen aufgenommen werden würde, wagte es aber nie anzunehmen. Sie bemerkte wunderschön: „Die Aufgabe des Romanautors besteht darin, das Mysterium zu vertiefen." „Aber das Mysterium kann für den modernen Geist eine Peinlichkeit sein, die uns dazu bringt, dagegen anzukämpfen, um alle Mysterien zu lösen." Leider müssen wir es lösen; wir können es nicht bleiben lassen; noch seine Präsenz als Teil des Lebens feiern oder bekräftigen, obwohl es Teil des Lebens selbst ist; Dennoch ist das Mysterium ein wesentlicher Bestandteil, der uns beide gleichzeitig herausfordert und belohnt. „Ja", erklärte sie, „Mystery kann eine große Herausforderung sein, aber auch ein unschätzbar wertvoller Begleiter."

* Es gab einmal eine Zeit, in der ich Mysterien als etwas betrachtete, das man besser nicht untersuchte; Jetzt tröste ich mich mit seinem Geheimnis und sehe es als Chance. Wenn ich von Wissenschaftlern höre, dass Menschen die mit Abstand komplexesten Lebewesen im Universum sind (Schwarze Löcher sind in mancher Hinsicht erklärbar, lebende Lebewesen jedoch nicht), gibt mir die Gewissheit, dass das Leben unendlich verwirrend bleibt – etwas, das dem spirituellen Leben hilft, indem es seine beiden Zwecke anerkennt und Gefahren, seine Schönheit und seine Verluste.

Das spirituelle Leben sollte realistisch und als Weg zur Realität angegangen werden, ohne Anspruch auf Transzendenz oder Transzendenz. Spiritualität erkennt alle Aspekte der Menschheit an; Schönheit und Vergnügen neben Trauer und Schmerz sowie unsere Widerstandsfähigkeit gegen das, was wir wollen oder brauchen – es umfasst das Leben voll und ganz!
Reinhold Niebuhrs modernistischer Klassiker „Die Natur und das Schicksal des Menschen" beginnt perfekt: „Der Mensch ist sein eigenes Schicksal." Ich applaudiere Reinhold Niebuhr für diese zum Nachdenken anregende Aussage über die Menschheit, ebenso wie für seine prägnante Eröffnungszeile:
„Erbsünde" war immer die Antwort meines Großvaters, wenn er mit einem schwierigen Problem konfrontiert wurde; Seine Lehren darüber haben sich bei mir eingeprägt, wie sie es über Jahrhunderte durch Religionen wie das Christentum in westliche Kulturen eingeprägt haben. Doch im Laufe der Zeit erwies sich Oklahoma als voller lebensbejahender Freude, selbst inmitten dessen, was ich einst als Akte sündigen Verhaltens empfand. Bei „Sünde" ging es weniger um die Verurteilung von Taten als vielmehr darum, Klarheit für psychologisches Wachstum und geistige Klarheit zu schaffen.

Mit 25 begann ich erneut, mich mit Religion zu beschäftigen, dieses Mal mit der Anglikanerin. Die poetische Sprache und die Beschreibung der Menschheit im Book of Common Prayer erregten sofort mein Interesse. Thomas Cranmer schrieb an König Heinrich VIII. und notierte: „Wir haben die Dinge getan, die wir nicht tun sollten", eine Allegorie für die menschliche Natur, die alles verkörperte, was in der Geschichte großgeschrieben wurde. „Und wir haben die Dinge unerledigt gelassen, die hätten getan werden sollen" – was unsere alltägliche Unfähigkeit hervorhebt, inneres Streben mit äußerer Realität zu verbinden. Ein Versäumnis, Schönheit zu schätzen, die Dinge in Ordnung zu bringen, regelmäßig dankbar zu sein, sich Zeit für Fremde in Not zu nehmen oder das zu geben, was ich weiß, um den Leidenden unter uns zu helfen, mein bestes Selbst mit denen zu sein, mit denen ich mein Leben oder meine Arbeit teile mit, vergib anderen, wenn sie meinen Ansprüchen nicht gerecht werden usw.

Viele kulturelle Aktivitäten, denen wir nachgehen, betäuben uns zunächst und helfen uns, die Konfrontation mit uns selbst zu vermeiden – das drängt uns zu Selbsterkenntnis und tiefer gelebter Integrität, nach der wir uns wirklich sehnen. Marie Howe bemerkt, dass Poesie „beim Eintritt ein wenig weh tut; sie beruhigt und vertieft uns, während sie gleichzeitig wehtut". Ebenso wie Elemente, die der Seele eine Stimme verleihen: Stille, Gesang, Gemeinschaftsrituale und Hörerlebnisse sowie mitfühlende Präsenzen wie Zuhören und mitfühlende Präsenz (wie buddhistische Begriffe für spirituelle Erleuchtung). Doch jeder Moment stellt uns vor die Wahl zwischen Ablenkung oder tieferer Selbsterkenntnis oder tiefer gelebter Integrität; Es gibt alle Optionen, die helfen, diese schmerzhafte Abrechnung zu vermeiden, die uns bevorsteht.

Erbsünde kann auf unterschiedliche Weise verstanden werden: vielleicht als der unfreiwillige Drang, der Versuchung zu erliegen und sich ihr gewohnheitsmäßig hinzugeben. Dieses Phänomen nimmt verschiedene Formen an; Hier manifestiert es sich als mein Wunsch, mit jedem Satz auf dieser Seite dem Hintergrundruf der Technologie zu folgen und mich durch die sich endlos verändernden Anforderungen der Technologie von dieser Forschungsrichtung ablenken zu lassen; In Berlin während der Jahre des Kalten Krieges wurde diese Praxis noch dramatischer: Jede Ablenkung hatte geopolitische Bedeutung – bei jeder Aktion oder Untätigkeit strahlte die Geopolitik – während ich aus nächster Nähe Diplomaten mit all ihren komplexen Strategien im Spiel sah – was dies zu einem Erlebnis machte Eine aufregende, aber hautnahe Erfahrung, die Diplomaten auch geopolitisch wie nie zuvor zusammenbrachte – alles ganz anders als jetzt

Journalisten, politische Entscheidungsträger und Journalisten, die ihre ganze persönliche Energie der Pflege eines kraftvollen Außenlebens gewidmet haben. Ich habe diese Sprache damals nicht verwendet, da auch ich überwiegend politischer Natur war – dennoch waren sie spirituell unterentwickelt und nicht daran gewöhnt, innere Schönheitslandschaften zu kultivieren, die sie über die Arbeit hinaus verankern und stützen würden – insbesondere die intimen Räume, in denen wir alle außerhalb der Arbeit leben – Ein Botschafter, mit dem ich zusammengearbeitet habe, war ein renommierter Experte für Atomwaffen, der brillante Reden hielt, die das Publikum faszinierten, während er sich mit sowjetischen Führern auseinandersetzte; Dennoch schickte er zu Hause über das Personal kurze und unangenehme Nachrichten an seine Frau im Obergeschoss, die sich oben aufhielt.

Unsere Kinder möchten, dass wir aufhören, dieses Muster der unbeabsichtigten Selbstzerstörung zu verherrlichen: äußerlich bereichern und innerlich verarmen lassen. Als Versuch einer Korrekturmaßnahme haben sie Wörter wie „Transparenz, Authentizität und Integrität" in unseren bürgerlichen Wortschatz eingeführt; Bei solch fragilen Begriffen besteht die Gefahr, dass sie überstrapaziert oder vereinfacht werden, doch ich höre in ihnen eine beharrliche Weigerung von uns allen, das, was wir wissen, nicht von dem zu trennen, wer wir sind, welche Überzeugungen unser Leben leiten oder wer wir sind; Hinter diesen fragilen Worten verbergen sich herzzerreißende und doch heilige Sehnsüchte aus unserem Inneren – ein Versuch, von der Intelligenz zur Weisheit aus unserem Inneren zu gelangen – die den Übergang von der Intelligenz zur Weisheit aus unserem Inneren vollzieht.

Spiritualität war in meinem Leben schon immer etwas, mit dem ich vorsichtig umgegangen bin, da ich Angst vor ihrer weiten Interpretation und oberflächlichen Anwendung auf individuelle Bedürfnisse und Anliegen hatte. Aber ich habe beobachtet, wie sich unsere kulturelle Begegnung mit Spiritualität – und ihre Beziehung zu Religion und Kultur – in den letzten Jahrzehnten erheblich weiterentwickelt hat. Was ich mit Sicherheit weiß, ist Folgendes: Keine einzelne Analyse kann eine vollständige und sichere Prognose darüber geben, wie sich die Dinge entwickeln werden. „Spirituell, aber nicht religiös" ist heute ein allgemeiner Teil des gesellschaftlichen Sprachgebrauchs und stellt nur einen Teil dessen dar, was sich im Laufe der Zeit dramatisch verändert hat. Unsere Generation zeichnet sich dadurch aus, dass sie zu den ersten gehört, die ihre religiöse Identität im Allgemeinen nicht durch Familien- oder Stammeszugehörigkeit erben, ganz gleich, wie Haarfarbe oder Standort dies bestimmen. Aber die Fließfähigkeit des Lebens – mit all seinen Möglichkeiten zur Wahl und Unterscheidung persönlicher spiritueller Wege – führt nicht zu spirituellem Niedergang, sondern zu dessen Wiederbelebung. Wir verändern uns gemeinsam, da die Religion auf unerwartete Weise kulturell aufgefrischt wird. Ich treffe jedes Jahr viel mehr Gläubige als zuvor!
Wissenschaftler, die von „Religiosität ohne Spiritualität" sprechen – einer Haltung der Ehrfurcht vor Ritualen im menschlichen Leben und Gemeinschaftswerten ohne Betonung von etwas Übernatürlichem Transzendentem – beziehen sich oft auf den sogenannten Neuen Humanismus als moralische Vorstellungskraft und ethische Leidenschaften als wesentliche Bestandteile .

Laut Meinungsumfragen stellen „Nicht-Menschen" eines der am schnellsten wachsenden Segmente der spirituellen Identifikation dar. Seit Anfang dieses Jahrzehnts haben Meinungsforscher registriert, dass 15 Prozent der US-Bürger und ein Drittel der Menschen unter 30 Jahren bei der Beantwortung von Multiple-Choice-Fragen zur Religionszugehörigkeit mit „keine" geantwortet haben; Die Massenberichterstattung in der Luft und in den Printmedien hat sich auf diese Gegenkulturbewegung konzentriert, die Amerikas historisches Selbstverständnis als christliche Nation in Frage stellt.

Junge Menschen, die in den 1980er und 90er Jahren geboren wurden, scheinen religiöse Bekenntnisse nicht überraschend zu finden, da sie in einer Zeit erwachsen wurden, in der religiöse Stimmen wie Jerry Falwell und Pat Robertson zu giftigen Kräften in der amerikanischen Kultur wurden. Persönlichkeiten wie Falwell und Robertson gewannen übermäßig viel Sendezeit als repräsentative Figuren der „Religion", selbst nachdem sie nicht mehr die meisten Evangelikalen, Fundamentalisten oder gläubigen Menschen repräsentierten – geschweige denn alle Christen oder gläubige Menschen.

Genauer gesagt: Die expandierende Welt der Nones – der neuen Nichtreligiösen – ist einer der spirituell lebendigsten und zum Nachdenken anregendsten Räume des modernen Lebens. Kein Ort ohne spirituelles Leben, sondern einer, der sich religiösen Auswüchsen und Oberflächlichkeit widersetzt. Große Teile unserer Welt sind voller ethischer Überzeugung und neugieriger theologischer Neugier, die sich an unerwarteten Orten und auf unerwartete Weise manifestieren. Nathan Schneider zeichnet sich als innovativer öffentlicher Intellektueller aus, der Journalismus, Wissenschaft, sozialen Aktivismus und Religion umfasst. Er verfasste einen unorthodoxen, aber überzeugenden journalistischen Bericht über die Ursprünge der Occupy-Wall-Street-Bewegung nach dem Finanzkollaps 2008 aus ihren Reihen und wies auf spirituelle Dynamiken hin, die andere Kommentatoren übersehen hatten.

Hören Sie sich diesen Austausch zwischen dem Autor Nathan Schneider und Nathan Schneider an.

Die jungen Leute von Occupy Wall Street richteten ihren Fokus auf Kirchen, als sie begannen, vor ihnen zu protestieren; Nicht weil sie nicht mit dem übereinstimmten, was diese bestimmten Gemeinden zu glauben behaupteten, sondern häufiger aus Verzweiflung: Diese Demonstranten sagten: „Kirche, benimmt euch wie eine Kirche!" Viele hatten noch nie zuvor eine Kirche oder irgendeine Form einer Religionsgemeinschaft erlebt oder verspürten, wenn sie dies zuvor getan hatten, ein Gefühl der Entfremdung; Ihre allgemeine Identität ist die von Nones.

Nathan Schneider lebt einen unkonventionellen Lebensstil des 21. Jahrhunderts. Er wurde von Eltern erzogen, die ihn mit verschiedenen spirituellen Traditionen vertraut machten und ihn gleichzeitig ermutigten, eigene zu schaffen. Er verfügt über eine vielseitige Erfahrung, die sich jeder Kategorisierung entzieht. Während seiner gesamten Jugend beschäftigte er sich sowohl intellektuell als auch erfahrungsmäßig mit der Materie – bis er sich mit achtzehn Jahren in die katholische Kirche taufen ließ. Jetzt, da die Menschen Konfessionen nicht mehr durch genetische Vererbung geerbt haben, können wir sogar eine Orthodoxie wählen, die am besten zu uns passt. Nathan hat ein weiteres Buch geschrieben, in dem er die Suche nach Beweisen für Gott „von der Antike bis zum Internet" untersucht, ein Ansatz, den ich für weise Suchende in aufstrebenden Generationen so charakteristisch finde. Nathan schlägt unter Berufung auf meine Sprache vor, dass wir korrigieren müssen, wenn wir über die Gültigkeit der Religion in der heutigen Gesellschaft, ihren Platz darin und alle Veränderungen, die sie erfährt, diskutieren.

Hören Sie zu, wie Nathan Schneider sein Wissen teilt.

Als ich älter wurde und anfing, Religion formeller zu studieren, wurde mir eines klar: Viele unserer Kämpfe sind einigen der großen Denker und Erneuerer aus religiösen Traditionen, die wir jetzt zu kontrollieren und einzudämmen versuchen, wohlbekannt. Dies wurde besonders deutlich nach dem 11. September, als neue Atheisten auftauchten.
Sind Religion und Gewalt wirklich getrennte Einheiten, oder verursacht Religion Gewalt zwischen ihren Anhängern? Ich begann, meine Umgebung nach Antworten auf meine brennenden Fragen zum Thema Religion zu erkunden: Sind Religion und Gewalt real? In welcher Beziehung steht es zur Gewalt? Existiert/existiert dort irgendetwas? Als ich anfing, tiefer in traditionelle Ansätze einzutauchen, die versucht hatten, diese Frage zu beantworten, wurde mir klar, dass es bei den meisten Argumenten, die zum Beweis der Existenz Gottes vorgebracht wurden, eher darum ging, Beziehungen zu knüpfen, die Gott durch eine Darstellung menschlicher Beziehungen zum Ausdruck bringen, als darum, diese spezifische Frage direkt zu beantworten.

Ihre Generation, dieses Zeitalter, hat dieses Phänomen hervorgebracht, das als „die Nones" bekannt ist. Ich glaube, dass es bei dem, was Sie und sie hier besprechen, nicht so sehr darum geht, Gott zu definieren, sondern darum, den Kern dieser Traditionen über Zeit und Raum hinweg zu verstehen und herauszufinden, wie sie ihn am besten zum Ausdruck bringen.

Als ich römisch-katholisch wurde, war ich zunächst sowohl von der mittelalterlichen kontemplativen Tradition als auch von der Tradition des mutigen sozialen Zeugnisses angezogen, wie sie in Dorothy Days „Catholic Worker" und vielen anderen Beispielen dieser Art im Laufe der Geschichte und auf der ganzen Welt zum Ausdruck kommt.

Aber als ich katholische Kirchen besuchte, bemerkte ich schnell, dass viele Besucher sich dieser Dinge oder ihrer Traditionen nicht wirklich bewusst waren – sie machten einfach weiter, ohne wirklich zu verstehen, warum sie in vielen Fällen dort waren; In vielen Fällen, jedoch nicht unbedingt in allen Fällen, herrschte eine gewisse Trägheit.

Andererseits waren Menschen, denen ich außerhalb dieser religiösen Institutionen begegnete, äußerst an diesen Themen interessiert und hatten zwingende Fragen, mit denen sie selbst ringen mussten. Auch wenn sie zu diesem Zeitpunkt möglicherweise nicht das Gefühl hatten, dass sie sich voll und ganz auf eine Institution festlegen könnten, blieben sie neugierig und wollten es verstehen.
Dieser Aufschrei von Occupy berührte mich stark; „Verhalten Sie sich wie eine Kirche." Wenn ich bis heute mit meinem Handy auf meine Social-Media-Seiten wie Facebook oder Twitter zugreife, zeigt mein Hintergrundbildschirm ein Bild aus der Zeit nach dem Hurrikan Sandy, als die Besatzer Kirchen mit Hilfsgütern füllten, um ihren Mitmenschen zu helfen.

Und das war es, was zu Occupy Sandy führte. Leider wurde über diese Geschichte nicht so viel berichtet und war den Menschen nicht so bekannt – nur wenige wissen, dass ihre Wurzeln in Occupy Wall Street liegen – können Sie also hier etwas von dieser Geschichte erzählen?

Sobald Hurrikan Sandy New York und die umliegenden Regionen traf, beschloss eine kleine Gruppe von Occupy Wall Street-Aktivisten, eine Art Hilfsaktion zu organisieren. Innerhalb weniger Stunden richteten sie die erste Website ein, richteten Orte ein, an denen Menschen Hilfsgüter abgeben konnten – Kirchen – und spielten in den frühen Phasen der Hilfsarbeit eine wichtige Rolle.

Aber es war faszinierend zu beobachten, wie diese Gruppe – von der sich viele in traditionellen religiösen Institutionen nicht wohl fühlten – in diesem Prozess mit religiösen Menschen und Gemeinschaften zusammenarbeitete. Einerseits würden sie Zeuge der Stärke und Widerstandsfähigkeit dieser Religionsgemeinschaften werden, die ihre Bewegung nicht schaffen konnte; Andererseits ließen sie sich von den Vorstellungen dieser Traditionen inspirieren – insbesondere durch die Erkenntnis, dass hinter der Religion etwas Reales steckte, das mit ihrer Frustration über die Gesellschaft als Ganzes zusammenhing. Über den Begriff „Jubiläum" begannen sie zu diskutieren, als ihnen klar wurde, dass es etwas Reales gab, das sie alle trotz des Konflikts zwischen dem säkularen Amerika und den sie umgebenden Religionsgemeinschaften verband.
Erst kürzlich besuchte ich Süditalien, wo sich Technologieaktivisten – hauptsächlich Hacker aus Europa – versammelten. Hier habe ich gesehen, wie sie Hardware-Geräte aus allen möglichen Orten Europas übernommen und damit gespielt haben.

Den heiligen Benedikt hacken. Diese Innovatoren adaptieren die Benediktsregel als Grundlage des westlichen christlichen Mönchtums als Inspiration für die Schaffung nachhaltiger Gemeinschaften. Klöster trugen die Zivilisation durch das Mittelalter und schützten gleichzeitig Schreibkünste wie Manuskripte. Jetzt nutzen diese Aktivisten religiöse Traditionen als Möglichkeit, bei Null anzufangen; Überlegen Sie, welche Veränderungen in den Beziehungen zwischen der heute verwendeten Technologie und dem Lebensstil vorgenommen werden könnten, ähnlich wie es die Mönche vor Jahrhunderten taten.

Auch hier gilt, dass diese Personen keiner bestimmten Religionsgemeinschaft angehören; Doch etwas innerhalb dieser Traditionen zieht sie an. Sie erkennen dort etwas und haben dennoch das Gefühl, dass sie zu Forschungszwecken keinen Zugang zu bestehenden Institutionen haben; also erforschen sie es unabhängig.

Das Mönchtum erscheint als Unterströmung in der gesamten spirituellen Landschaft. Ich finde die Verbindungspunkte faszinierend: Wüstenväter und -mütter, Benedikt oder Franziskus oder Ignatius von Loyola traten an verschiedenen Stellen in der langen Geschichte des Katholizismus als Visionäre auf – sie alle entstanden in Distanz zu einer Kirche, die sie als imperial, äußerlich domestiziert, kalt, den Kontakt zu seinem spirituellen Kern verloren.

Auch junge Christen – vom Evangelikalismus zu anderen Konfessionen – verändern sich als Reaktion auf die Nones-Bewegung dieser Generation. Sie sind zunehmend abgestoßen von deren strengen Gottesdienstpraktiken, sind aber entschlossen, sie stattdessen zu reformieren. Eine einflussreiche Bewegung, die lose unter dem Dach des Mönchtums zusammengefasst ist, ist als Neues Mönchtum bekannt; Shane Claiborne gehört jetzt mit vierzig zu seinen Vorbildern und Ältesten. Er wurde in Tennessee auf dem Höhepunkt der Ideologie der moralischen Mehrheit geboren und verbrachte einen Großteil seiner Jugend damit, für Dan Quayle als Vizepräsidenten zu werben. Er ist eine charismatische, charismatische Figur mit Dreadlocks, die aussieht, als gehöre er zu den Wüstenvätern und -müttern. Während seines Studiums an der Eastern University außerhalb von Philadelphia – einer evangelischen Hochschule, die für ihr soziales Engagement bekannt ist – engagierten er und einige Freunde sich aktiv für die Unterstützung und Betreuung einer großen Gruppe von Obdachlosen und deren Familien.
Menschen, die auf der Straße lebten, hatten in einer verlassenen Kirche in Nord-Philadelphia Zuflucht gesucht und standen vor der Zwangsumsiedlung. Ihre Ironie war ihnen nicht entgangen: Sie begannen sich zu fragen, ob Jesus erkennen würde, was dort und in anderen Kirchen, die sie als Kinder besuchten, geschah. Er teilt seinen Bericht in seinem langen Tennessee-Stil mit:

Hören Sie sich diesen Dialog zwischen Shane Claiborne, Autor, und mir über das Schreiben einer akademischen Abschlussarbeit an.

Als ich die Worte Jesu las, fragte ich mich, ob heute noch jemand daran glaubt. Eine Person, die mir sofort in den Sinn kam, die diese Lehren Christi so brillant zu verkörpern schien, war Mutter Teresa; Ihr Leben verkörperte seine einfachen Worte und Lehren so perfekt, dass wir ihr einen Brief schrieben. Wir schickten eine E-Mail: „Hey, ich weiß nicht, ob Sie Praktika in Kalkutta anbieten, aber wir würden gerne zur Arbeit kommen", bekamen aber nie eine Antwort; Sie muss eine Menge Post bekommen haben. Also riefen wir stattdessen in Kalkutta an und erwarteten ein höfliches „Missionare der Nächstenliebe, wie können wir Ihnen helfen?" Stattdessen hörte ich eine heisere alte Stimme sagen: „Hallo? Hallo?" Und ich hatte Angst, dass ich die falsche Nummer hatte; Jede Minute kostet 4 $. Also begann ich schnell zu sprechen: Ich sagte ihr, dass wir die Missionare der Nächstenliebe von Mutter Teresa da draußen erreichen wollten; Als sie antwortete, sagte sie, das sei Mutter Teresa und „Nun, das ist Mutter Teresa und das ist Mutter Teresa – komm, komm, komm." Sofort lud sie uns ein! Und wir könnten rauskommen! Sie sagte uns, wir könnten mitmachen. Das war großartig – kommen Sie vorbei!

Damals habe ich so viel gelernt. Wir waren Teil einer beeindruckenden Bewegung für soziale Gerechtigkeit, bei der es darum ging, gegen Ungerechtigkeiten zu protestieren und gleichzeitig verhaftet zu werden – wir wussten, wogegen wir waren; wofür wir nicht wussten. Als ich eine Leprakolonie in Kalkutta besuchte, entdeckte ich die Anleitung von Menschen, die von der Gesellschaft gezwungen wurden, etwas anderes in ihrer einstigen alten Welt zu schaffen – ein Moment des Erwachens, in dem meine Vision für etwas Besseres zum Vorschein kam, als meine Heldin Dorothy Day sagte: „Lasst uns etwas aufbauen." zusammen!"
Bauen Sie eine Gesellschaft auf, in der es für die Menschen einfacher ist, gut zueinander zu sein.
Shane und seine Freunde kehrten aus Kalkutta mit der Absicht nach Hause zurück, die Gemeinschaft „The Simple Way" zu gründen, nicht als traditioneller Klosterorden, sondern als bewusste Gemeinschaft, die sich auf klösterliche Weisheit stützt, um das gemeinsame Leben im Rhythmus miteinander und mit dem Stadtleben insgesamt zu strukturieren . Im Laufe der Zeit ist es von einem Haus auf sechs angewachsen, in denen verschiedene Projekte und Dienste stattfinden, und es dient als Pilgerstätte für junge Menschen mit unterschiedlichem Hintergrund; Sie dient als Dachorganisation, die Gruppen über mehrere Standorte hinweg zusammenbringt und gleichzeitig das kirchliche Spiritualitätsleben neu definiert.

Hören Sie sich diese Diskussion zwischen Shane Claiborne und dem Autor an.

Eines Tages beschloss eine Gruppe von uns, zu versuchen, die Kirche so zu gestalten, wie sie es früher getan hatte: Wir lasen in der Apostelgeschichte, dass alle Gläubigen alles gleichmäßig unter sich aufteilten; Niemand beanspruchte das Eigentum an irgendetwas, was er besaß, und es gab keinen bedürftigen Menschen unter ihnen. Obwohl viele von uns Erfahrung in verschiedenen Kirchenformen hatten (sowohl bei der Genesung von Evangelikalen als auch bei desillusionierten Katholiken), entschieden sie, dass sie, anstatt sich weiter darüber zu beschweren, versuchen würden, ihre Traumkirche aus dem Vorhergehenden zu erschaffen.

Es gab keine große Vision für unsere Nachbarschaft; Vielmehr gingen wir jeden Tag als Lernende an und öffneten unsere Tür für alle Bedürftigen. Unsere Mission bestand einfach darin, Gott zu lieben, die Menschen zu lieben und Jesus nachzufolgen. Wenn wir das gemeinsam herausfinden könnten, wäre unsere Arbeit erfolgreich gewesen; Dies führte dazu, dass wir auf viele Obdachlose trafen, die durch das Haus kamen, sowie auf Kinder, die Hilfe bei Schularbeiten brauchten. Infolgedessen kamen viele Obdachlose am Haus vorbei; sowie zahlreiche Kinder, die Unterstützung bei schulischen Fragen brauchten.

Daraus resultierte alles, was wir getan haben. Nord-Philadelphia ist ein Ort voller Kampf, aber auch großer Hoffnung; Unser Ziel war es, einander Hoffnung zu geben und gleichzeitig dabei zu helfen, verlassene Räume zurückzugewinnen. Leider habe ich heute die ganze Gartenarbeit verpasst. Unsere Nachbarschaft unternimmt Schritte, um zwei zuvor mit Müll und Nadeln gefüllte Grundstücke zurückzugewinnen, indem sie auf dieser Fläche Gärten anlegt und dort unseren kleinen Gebrauchtwarenladen betreibt. Bald werde ich hier abreisen und unsere Lebensmittelbank wird 50 Tüten an Bedürftige verteilen. Die Initialisierung unserer Gemeinschaft bedeutete, auf die Krise zu reagieren. Aber wie Dr. Martin Luther King es so eloquent ausdrückte: Irgendwann ist es für uns alle an der Zeit, als „barmherzige Samariter" aufzutreten und andere aus bedrückenden Situationen zu befreien – und gleichzeitig zu spüren, dass Jericho selbst zum Wohle aller verändert werden muss.

Irgendetwas stimmt nicht mit Ihrer Herangehensweise – nicht nur gegenüber dem Christentum, sondern auch gegenüber der ganzen Welt. Ihr ganzheitlicher Standpunkt scheint unter den heutigen christlichen Gemeinschaften einzigartig zu sein; Nehmen wir zum Beispiel das alte Sprichwort, dass man jemandem das Angeln beibringen kann, um lebenslang zu essen. Sie sagen, wir müssen auch fragen, wem der Teich gehört und wer ihn verschmutzt hat, bevor wir fragen: „Wir müssen auch fragen, wem der Teich gehört und wer ihn verschmutzt hat." es; vielleicht haben die Menschen noch nie in einer Zeit gelebt, in der ein solches Denken möglich war, also haben sicherlich Generationen vor dem Leben in früheren Epochen tief genug über ihre Generationengeschichte nachgedacht? Haben Sie darüber nachgedacht, in dieser Hinsicht oder in Ihrer Generation darüber nachzudenken? diesmal?

Überall, wo ich hingehe, ermutigen mich die Fragen, die Menschen stellen, selbst innerhalb einer evangelischen Kirche, die oft davor zurückschreckt, solche Fragen zu stellen. Die meisten jungen Erwachsenen, denen ich in dieser evangelischen Tradition begegne, überschreiten Links-Rechts-Paradigmen, indem sie nach Wegen suchen, eine bessere Welt zu schaffen und zu verstehen, dass unsere fragile Existenz von uns allen ein anderes Zusammenleben und mit mehr Vorstellungskraft als zuvor erfordert. Sie sagen, dass es an uns allen als Individuen liegt, Wege zu finden, anders zu leben und dabei unserem Wesen als Individuen und als Christen treu zu bleiben. Kreativität ermöglicht es uns, über unsere persönlichen Freundesnetzwerke hinaus zu expandieren.

Das macht mir Mut, und ich glaube, wenn die christliche Kirche diese Generation verliert, liegt das nicht daran, dass wir es versäumt haben, sie zu unterhalten, sondern vielmehr daran, dass wir sie nicht mit der Wahrheit über das Leben und die Lebensführung herausgefordert haben. Nicht weil wir das Evangelium zu anspruchsvoll gemacht haben, sondern weil wir es zu einfach gemacht haben – einfach mit Kindern spielen, anstatt sie zu ermutigen, darüber nachzudenken, wie sich ihr Lebensstil auf andere auswirkt. Was ich an vielen Dingen, die bei den jüngeren Generationen vor sich gehen, am meisten bewundere, ist die Erkenntnis, dass alle Menschen Widersprüche haben und man nicht glauben muss, dass wir alles verstanden haben. Nichts reizt mich so sehr wie der Besuch einer Kirche, die zu glauben scheint, dass sie alles im Griff haben, wie die Kirche meiner Heimatstadt, die das zu glauben schien. Es hat etwas Überzeugendes, sich mit Gleichgesinnten zusammenzuschließen, die sagen: „Hey, wir haben das noch nicht alles herausgefunden; Verlassen wir uns alle aufeinander."

Moderne Nones werden oft als inklusiv, humanistisch und transreligiös charakterisiert; Doch in ihren Reihen gibt es spirituelle Rebellen und Sucher, die darauf abzielen, die Tradition wieder in ihren unzähmbaren, gegenkulturellen Kern zurückzuführen und gleichzeitig nach serviceorientierter Exzellenz zu streben.

* * * Seine Religion bietet mehr als nur Leben. Im Laufe der Menschheitsgeschichte und der modernen Welt kann Religion eine verschärfende Rolle sowohl im Guten als auch im Schlechten spielen – und beides verstärken. Angst und Wut – immer verbunden, zwei Seiten einer emotionalen Medaille – können explosiv sein, wenn sie mit einer kosmischen Weltanschauung und einem Vokabular vermischt werden, die Fehlverhalten mit Bösem oder Verdammnis assoziieren. Gewalt im Namen des Islam, der zweitgrößten Religion der Welt, ist zur charakteristischen Krise dieses Jahrhunderts geworden; Niemand hätte eine solche Gewalt vorhersagen können, als die Berliner Mauer so friedlich fiel. Wir hätten beobachten können, dass das Ende des

Kalten Krieges zu ethnischen und religiösen Spannungen führte, die durch die Dominanz der Supermächte im Weltgeschehen unterdrückt worden waren. Völker, deren Schicksal lange Zeit von der Geschichte diktiert wurde, könnten nun erleben, wie sich ihre Grenzen erneut erweitern, während die Freiheit nach Hause zurückkehrt. Von geopolitischen Spekulationen und Handel zu leben, ist keineswegs förderlich für einen freudigen Übergang in eine Welt ohne Angst, in der sich die Wut sowohl öffentlich als auch privat manifestiert. Angst erzeugt Feindseligkeit.

Es gab immer jemanden, den ich sehr bewundere – egal, ob dieser Mensch aus einem anderen Teil des Landes oder ganz woanders stammt. Als sich vor etwa einem Jahr die Gelegenheit ergab, mit einer Gruppe eine Radtour für wohltätige Zwecke in Schottland zu unternehmen, habe ich ohne zu zögern zugegriffen und dabei einige unglaubliche Erinnerungen gesammelt! Die menschliche Natur, die Verflechtung der Kulturen des Islam mit der Globalisierung und dieser Kulturen, in denen es keine gibt. Junge Menschen, die ohne Tradition aufwachsen, aber von allem desorientiert sind – all diese Faktoren zusammen haben zu dem Chaos des Terrorismus geführt, der sich hauptsächlich gegen andere Muslime richtet, der aber aufgrund der Globalisierung betrifft uns alle. Der Islam ist sechshundert Jahre jünger als das Christentum, doch in diesen sechshundert Jahren führten Christen heilige Kriege, entweihten alte heilige Stätten und verbrannten Ketzer auf dem Scheiterhaufen. Militante Islamisten und Kreuzfahrer agieren im Internetzeitalter mit hoher Sichtbarkeit, bleiben aber völlig im Widerspruch zum modernen westlichen Selbstverständnis. Ihre Verwendung religiöser Bilder war seltsam aufschlussreich und wurde auf unerwartete und überzeugende Weise wiederbelebt. Nach dem Besuch eines der syrischen Flüchtlingslager, das von einer Organisation namens „Islamischer Staat" eingerichtet wurde, bezeichnete der in Harvard geborene, in Südkorea geborene und buddhistisch erzogene UN-Generalsekretär Ban Ki Moon es als „den tiefsten Kreis der Hölle".

Mit der Zeit finde ich es immer weniger sinnvoll, an einen Gott zu glauben, der sich um mich kümmert und zuhört. Gleichzeitig ist mir jedoch klar, dass ein unbestreitbarer Aspekt unserer modernen Wissenschaft, der sich im Journalismus widerspiegelt, wie ich ihn zum ersten Mal praktizierte, darin besteht, dass Objektivität als Illusion anerkannt wird. Einfach ausgedrückt: Menschen sind in diesem Universum, in dem wir leben, immer Teilnehmer und niemals Beobachter. Unsere Subjektivität, Präsenz und unser Wille sind alle kosmisch wichtig, ob es uns gefällt oder nicht. Meine spirituelle Vorstellung stellt folgende Frage: Wenn es auf unserer Seite keine wahre Leidenschaftslosigkeit gibt, kann das dann möglicherweise das Universum definieren, aus dem wir kommen?

Auch wenn mir einige Aspekte des Glaubens, die meinen Großvater beunruhigen würden, immer unsicherer werden, bleibe ich fester denn je in etwas verankert, das er mir beigebracht hat: Gott ist Liebe. Obwohl ich mich zunehmend von spirituellen

Themen im Allgemeinen und meiner Stadt im Besonderen distanziere, bleiben meine Augen weit offen für Tragödien sowohl in der Nähe als auch in der Ferne. Dennoch begreife ich – sowohl mit Verstand als auch mit Herz –, dass Gott existiert und alle Menschen gleichermaßen liebt; Dennoch besteht in allen Dingen irgendwie die Möglichkeit, die mit diesem Konzept einhergeht: Die Liebe selbst ist Gott selbst. Fürsorge, die uns verwandelt – Liebe, die stark und widerstandsfähig ist – ist Ausdruck einer Realität, die der Realität zugrunde liegt, eingebettet in die schöpferische Kraft, die dem Leben seinen Sinn gibt.

Eine der großen laufenden Debatten in der Geschichte der Mathematik dreht sich um die Frage, ob die Mathematik erfunden oder entdeckt wird. Hat Einstein seine Gleichung e = mc2 erfunden oder hat er entdeckt, dass sie irgendwo in der Realität lauert und darauf wartet, entdeckt zu werden? In der menschlichen Lebens- und Glaubensgeschichte dient die Liebe als so etwas wie eine ewige Grundrealität, die wir im Laufe des Lebens entdecken – Reisende, die ihre Möglichkeiten erkennen, Abenteurer, die ihren Geheimnissen begegnen. Ich tröste mich ein wenig mit dem Wissen, dass ich nicht der Einzige bin, der das Gefühl hat, dass „im Zentrum dieser Existenz ein Herz schlägt, das vor Liebe schlägt." Desmond Tutu brachte es einmal auf den Punkt:

Kate Braestrup vom Maine Game Warden Chaplain Service inspiriert und überzeugt mich. Kate ist selbst seit ihrem Erwachsenenalter eine Unitarische Universalistin und sagt, dass Gott ist Liebe nichts mit Glauben oder Transzendenz zu tun hat, sondern alles mit Handlungen und Menschen zu tun hat. Dieses Konzept fand bei mir Anklang, weil ähnliche Wissenschaftler, die ich kenne, diesen Standpunkt teilen.

Hören Sie sich diesen Austausch zwischen der Autorin Kate Braestrup an.

Im Kern ist Gott für mich die treibende Kraft, die uns dazu ermutigt, einander besser zu sehen, einander aufrichtiger zu betrachten, zärtlicher füreinander zu sorgen und angemessener zu reagieren. Es reicht aus, dies zu kultivieren; dass es die Aufgabe des Lebens ist, ihn zu kultivieren, darüber nachzudenken, ihn anzubeten, ihn zu pflegen und ihn in mir selbst oder anderen Menschen zu fördern; Ich brauche nichts Größeres; Gott muss nirgendwo anders als in meiner persönlichen Beziehung existieren – dieser Gott, mit dem ich arbeite, reicht aus!
Jetzt stellt sich die Frage – und ich weiß, das ist etwas, mit dem man sich ständig herumschlägt –, wie wir uns von innen heraus mit diesem Gott der Liebe verbinden können.
Kennen Sie die Geschichten über verschwundene Kinder, über Ehepartner, die auf zu dünnem Seeeis Schlittschuh laufen, oder über junge Frauen, die vergewaltigt und dann im Wald ausgesetzt werden?

Nun, die ersten beiden Schritte sollten relativ einfach sein. Ein Kind wird geliebt und die Menschen geben sich bereitwillig der Mühe, es zu finden. Und wenn wir erst einmal akzeptieren, dass der Tod für uns alle unvermeidlich ist, wird das zu etwas, worauf wir achten und uns daran erinnern müssen.

Die Liebe und Fürsorge, die sie umgeben, sind wertvolle Geschenke.

Ja. Wenn man mich fragt, wo Gott dabei steckt, antworte ich, dass er durch all die Menschen präsent war, die zusammengekommen sind, um Ihnen zu helfen und Ihr Kind ausfindig zu machen. Das hilft den Menschen enorm; das ist alles wahr.

„Die Frage ist nicht, ob wir harte, unangenehme Dinge tun müssen; das ist eine absolute Selbstverständlichkeit; die Frage ist vielmehr, ob wir diese Hindernisse alleine bewältigen müssen oder nicht."

Natalie Batalha, die Astrophysikerin, die Liebe mit dunkler Materie vergleicht, sagt mir, dass Carl Sagan es am besten ausgedrückt hat: Für Menschen, die in einem so riesigen Universum wie uns leben, ist die Liebe das, was alles erträglich hält – obwohl Carl selbst ein Atheist war, der das nicht wollte Verbinden Sie dieses Gefühl der Liebe mit jedem Konzept, das als Gott bekannt ist.

Ich schätze die Gespräche, die ich mit Kosmologen und Physikern führe, sehr. Ihr Standpunkt steht auf einem Boden, der zuvor in der Geschichte der Menschheit so lange von religiösen Denkern dominiert wurde, und stellt sich die Natur des Kosmos und unseren Platz darin vor. Obwohl nur ein bescheidener Anteil religiös im herkömmlichen Sinne dieses Wortes ist, zeigen ihre Berechnungen keinen Raum für menschlichen Willen, Wahl oder Liebe als ultimative Realitäten; Unsere Intuition davon könnte einfach eine Illusion sein, die durch mächtige Naturkräfte verursacht wird, die unseren Sinnen derzeit verborgen bleiben.
Brian Greenes brillante Erklärung war sowohl spielerisch als auch provokativ, als er über die Liebe sprach: Meine Wahrnehmung besteht aus Partikeln, wie sie auf diesem Tisch zu finden sind, an dem ich gerade schreibe. Mein Bewusstsein liegt irgendwo in diesem Spektrum.
Dass dieser Tisch fest und rot ist oder dass der Himmel blau ist, ist nicht die Realität; Vielmehr ist es meine Interpretation, die auf dem sensorischen Input meiner Hände und Augen basiert. Auch wir gehen davon aus, dass die Zeit für alle gleichmäßig vergeht, doch auch das ist eine Illusion. Aus Jamesons Perspektive bleibt uns die Realität, soweit wir sie derzeit erfassen können, in diesem Stadium der menschlichen Entwicklung grundsätzlich verborgen; Daher verstehe ich nicht, wie diese Kräfte mein

Handeln in der Welt beeinflussen – vielmehr führen mich meine Sinne, Erfahrungen und Überzeugungen in die Irre.

Die Stringtheorie schlägt ein Szenario vor, in dem unsere Realität als holografische Projektion einer Informationsbasis an einem anderen Ort verstanden werden kann; Die Zivilisation und wir selbst dienen zum Beispiel als Wolkenkratzer auf dieser Blaupause/Wissensbasis – aber diese Basis existiert woanders, jenseits jedes einzelnen Individuums oder seiner Vorstellungskraft. Diese Vorstellung bringt mich zurück zu den schwierigen Fragen, die in meiner Kindheit aufkamen: Wenn Gott das Universum erschaffen hat, wer oder was hat Gott erschaffen? Darüber hinaus kann man sich berechtigterweise fragen: Wer hat diesen Bauplan erstellt oder entworfen?
Mein Gespräch mit Brian Greene wirft schließlich einen weiteren faszinierenden Gedanken auf: Unser sich weiterentwickelndes Verständnis der Physik könnte eines Tages an die Stelle dessen treten, was unsere Vorstellungskraft und unsere Worte immer als Gott identifiziert haben; Oder könnte die Entwicklung der Wissenschaft auf einen undefinierbaren „Gott" hinweisen, von dem wir bei Kopernikus, Galileo und Newton – Wissenschaftler, die glaubten, ihre Erforschung der Natur würde ihren Schöpfer enthüllen –, von dem wir nicht einmal träumen konnten, und den wir uns nicht einmal ansatzweise vorstellen konnten? Mein Austausch mit Brian Greene endet für beide Seiten folgendermaßen:

Hören Sie sich dieses Gespräch zwischen Brian Greene und Brian Scott von Fox News an.

Ich finde die Verborgenheit der Realität verwirrend. Es erscheint nicht elegant – das Wort, mit dem Sie Wahrheiten beschreiben, die durch die Wissenschaft entdeckt wurden. Sie haben einmal erwähnt, dass die Betrachtung des Lebens durch die Linse des Alltags so wäre, als würde man Van Gogh durch eine leere Cola-Flasche betrachten.
Die Quantenmechanik ermöglicht es uns, Berechnungen mit einer Genauigkeit von 10 Dezimalstellen – wie zum Beispiel 13596 – mathematischer Berechnungen durchzuführen. Wenn wir dann magnetische Eigenschaften messen, stimmen unsere Beobachtungen genau mit unseren auf Papier gekritzelten Berechnungen überein! Das sollte jeden sprachlos und überzeugt machen, dass die Quantenphysik eine tiefgreifende Wahrheit über die Realität enthüllt, die der direkten Wahrnehmung verborgen bleibt – doch die Mathematik macht diese Geschichte umso bemerkenswerter!

Einstein verwendete oft das Bild einer „Intelligenz" oder eines „Geistes" hinter dem Universum – nicht unbedingt Gott –, um seinen Standpunkt zur Verborgenheit als Teil seiner Botschaft zu veranschaulichen. Wenn man sich eine solche Entität hinter der Realität vorstellt, wie können wir uns dann deren Zweck oder Bedeutung vorstellen?

Denken Sie daran, dass viele Physiker eine atheistische Sichtweise vertreten. Wir gehen nicht davon aus, dass hinter allem eine übernatürliche Kraft steckt, sondern glauben vielmehr, dass mächtige Gesetze am Werk sind, die Leistungen vollbringen können, die alle Erwartungen übertreffen. Aber ich habe mich oft gefragt, wie die allgemeine Relativitätstheorie, die einfache Gleichung der Quantenmechanik und das Standardmodell der Teilchenphysik es geschafft haben, so komplexe kognitive Wesen wie Sie und mich hervorzubringen? Wie könnten wir uns jemals nur aus physikalischen Gesetzen entwickelt haben, die durch evolutionären Wandel wirken, und dennoch so komplex und kompliziert sein, dass selbst wir als Geschöpfe mit freiem Willen einfach entstehen könnten? Aber das ist die Kraft der Mathematik. Wenn Sie also wollen, könnte man davon ausgehen, dass Gott seine Hand durch unsere Gleichungen gespielt hat, um uns heute hierher zu bringen. Ich würde es einfach als die verborgene Hand der Mathematik bezeichnen, die uns von Anfang bis Ende begleitet.

Obwohl dies auf den ersten Blick eine gute Lösung zu sein scheint, kann es wie bei allem, was regelmäßige Pflege erfordert, zu Problemen kommen – dieses Mal jedoch im Hinblick auf meine Zähne! Diesmal scheint es also Hoffnung zu geben.

Wieder einmal sehen wir, wie unsere geschätzten Kollegen sich für uns stark machen und ihre Zeit außerhalb der Familie oder der Arbeit opfern, um sich für wohltätige Zwecke zu engagieren. * * *

Eine Idee, die ich zu Beginn meiner Gesprächsreise kennengelernt habe, hallt immer noch tief wider: die eines Bündnisses zwischen wissenschaftlicher Spiritualität und mystischer Spiritualität: Beide streben danach, die Wahrheit zu erkennen und bleiben gleichzeitig aufgeschlossen gegenüber dem, was dahinter liegt. Lindon Eaves, ein engagierter Genetiker und anglikanischer Priester, der Pionierarbeit bei bahnbrechenden Langzeit-Zwillingsstudien geleistet hat. Er teilte mir mit, wie schwierig es sein kann, seine Doppelrolle als Wissenschaftler und Theologe in sich zu vereinen. Er erklärte mir, wie oft diese unterschiedlichen Teile in ihm friedlich koexistieren müssen. Er vergleicht die großen Glaubensbekenntnisse des Christentums mit operativen Hypothesen in seinem Labor – die zum jetzigen Zeitpunkt so genau sind, wie sie nur sein können, aber noch nicht vollständig. Sowohl Mystiker als auch Wissenschaftler leben zuversichtlich mit den bereits gemachten Entdeckungen und sind gleichzeitig offen für weitere Entdeckungen, die noch vor ihnen liegen könnten.

Während ich mein erstes Buch schrieb, suchte ich Zuflucht an der Westküste Irlands, in der Nähe ihrer üppigen, rauen Ränder, die mich an Schottland erinnerten, wo Schönheit zum ersten Mal in mir erwachte. Diese Landschaften wurden von den alten

Kelten als „Thin Places" bezeichnet; hier scheinen die Grenzen zwischen Zeitlichkeit und Ewigkeit mit der Zeit zu verschwinden. Viele Besucher waren vom Rückzugsort dieses angesehenen Schriftstellers zu einer Frau namens Mary Madison gepilgert, einer attraktiven, aber zeitlosen Figur, die angeblich Steine lesen konnte. Trotz meines Engagements für die Erforschung des spirituellen Lebens hatte ich zunächst Zweifel an allem „New Age", einschließlich dem Lesen von Steinen. Doch immer wieder kamen die Menschen erstaunt zurück, dass diese mysteriöse Frau irgendwie in ihre Seelen, Herkunftsfamilien, Lebenserfahrungen und überzeitlichen Liebesbeziehungen hineinschaute.

An einem Julinachmittag saß ich barfuß und hatte meine Füße in einer Schüssel versunken, die mit wunderschönen Steinen gefüllt war, die sie an der Küste vor ihrem Fenster gesammelt hatte. Aber um die Steine ging es nicht wirklich; Diese Frau hatte eine außergewöhnliche Gabe, die selbst heute noch schwer zu erklären oder angemessen zu beschreiben ist. Da sie nur meinen Vornamen nannte, erzählte sie mir alle möglichen faszinierenden Informationen über meinen Beruf und die Persönlichkeiten meiner Kinder – sie sprach sogar von verstorbenen Verwandten, die immer noch anwesend waren und ihre Anwesenheit in meinem täglichen Leben zum Ausdruck brachten: Sie sah meinen Großvater als ernst an und sagte, sie müssten lange Listen mit Geboten und Verboten gehabt haben, so strenge Selbstbeherrschung, wie er auch strenge Maßstäbe an sich selbst gehabt haben muss!

Mary Madison sprach eloquent: Er verstand jetzt, dass wir engstirnig werden, wenn Nachforschungen wertvoller sein könnten." Ich hatte diesen amüsanten Widerspruch in seiner äußeren Askese vergessen – er liebte seine Autos! (Diese urkomische Inkonsistenz hatte ich völlig vergessen.) Mein lebenslanger Abstinenzler-Großvater erhob ein Glas auf euch beide und sprach Worte, die mir direkt bis ins Mark gingen: Er verstand jetzt, wie wir uns verschließen, wenn Nachforschungen Vorrang haben sollten.

Woher dieser Gedanke ursprünglich kam: Mary Madisons Gedanken; mein Großvater aus welchem Himmel auch immer; oder vielleicht aus einem Echo aus einem anderen Universum, in dem sich seine Gedanken zu dieser Beobachtung entwickeln könnten – ist für mich ein faszinierendes Rätsel. Ich finde das Konzept der Tugend der Untersuchung gegenüber vertrauten geschlossenen Kategorien sowohl anregend als auch zufriedenstellend ausgedrückt. Darüber hinaus erkenne und schätze ich Lehren und Theologien, die durch Gespräche über Generationen hinweg und im Laufe der Zeit entstanden sind. Aber viele unserer Kategorien, die in Formen und Institutionen definiert und verpackt waren, die nicht mehr vollständig funktionierten, waren zu eng geworden. Bestimmte Arten von Religiosität wurden zu Kästen, die nur zu wenig Licht und Luft hinein- oder hinausließen; Ähnliches gilt für bestimmte Unglaubensvorstellungen. Dogmatischer Atheismus ist intellektuell nicht glaubwürdiger als dogmatischer Glaube, da beide trotz gegenteiliger Beweise eine absolute Gewissheit in unbewiesenen Angelegenheiten voraussetzen. Der Forschergeist und die Tugend des Forschens tendieren normalerweise zu Nuancen. Sowohl das Leben als auch die Religion und die Wissenschaft sind von einem geheimnisvollen Element begleitet, das zu ihrer Vitalität und ihrem Wachstum beiträgt.

Eine Spiritualität, die Wunder und die Aussicht auf kontinuierliche Entdeckungen umfasst, bietet Orthodoxen aller Traditionen einen Weg nach vorne, um mit dem Geheimnis unserer gemeinsamen Welt zu leben, einschließlich religiöser Andersartigkeit und Unglauben. Alle unsere Traditionen bestehen darauf, das zu respektieren, was unbekannt bleibt und nicht innerhalb eines Lebens erklärt werden kann; Dies lädt uns ein, unsere Besonderheiten und Leidenschaften in das gemeinsame Leben einzubeziehen und gleichzeitig die Würde jedes Einzelnen zu wahren – eine Einladung nicht als Nachtrag, sondern als Teil der Treue selbst.
Rabbi Lord Jonathan Sacks, Oberrabbiner der Vereinigten Hebräischen Kongregationen des Commonwealth – besser bekannt als Oberrabbiner des Vereinigten Königreichs – ist über zwei Jahrzehnte bis 2013 einer unserer führenden Denker zu religiösen Vorahnungen und erlösenden Sowohl-als-auch-Verhältnissen. Er findet in der jüdischen Tradition und in der Religion im Allgemeinen Werkzeuge, die es ihm ermöglichen, sich mit der „Gegenwart" auseinanderzusetzen.
„Würde der Differenz" und die Wahrung lebendiger Identitäten über Glaubens-, Wissenschafts- und Kulturgrenzen hinweg sind für den Erhalt lebendiger Gemeinschaften von größter Bedeutung.

Hören Sie sich den Austausch zwischen Rabbi Lord Jonathan Sacks und dem Autor Jonathan Safran Foer an.

Es ist jedes Mal etwas Besonderes und Unvergessliches, in einen blühenden Garten nach Hause zu kommen! Ich weiß, dass ich allein in dieser Hinsicht niemals den Idealen unseres Schöpfers gerecht werden könnte! Nach dem 11. September 2001 erklärte ein intelligenter amerikanischer Journalist, dass diese Reihe von Ereignissen gezeigt habe, dass monotheistische Religionen wie Judentum, Islam und Christentum, um im 21. Jahrhundert zu überleben und einen konstruktiven Beitrag zur Gesellschaft zu leisten, auf exklusive Wahrheitsansprüche verzichten müssten. Ihre Argumentation hat viele Menschen zutiefst überzeugt. Ihr Standpunkt ähnelt dem meinen, dass die Traditionen produktive Teile des 21. Jahrhunderts sein können, Sie gehen jedoch einen alternativen Weg. Lassen Sie uns diskutieren, wie das Judentum sein Wesen, seinen Wahrheitsanspruch und die Würde der Differenz behält, während es sich gegenüber religiösen anderen ausdehnt, anstatt sich zu verkleinern.

Meine Metaphern helfen vielleicht einigen, anderen jedoch nicht. Ein Ansatz könnte darin bestehen, die Biodiversität zu berücksichtigen: Dank der Entdeckung der DNA durch Crick und Watson und der Entschlüsselung menschlicher und anderer Genome verstehen wir jetzt, dass alles Leben dieselbe Quelle hat; alle drei Millionen Lebens- und Pflanzenarten haben einen einzigen Ursprung; Alle Lebewesen haben in Alphabetform geschriebene genetische Codes, die das DNA-Alphabet teilen. Einheit bringt Vielfalt. Denken Sie daher nicht im Sinne eines einzigen Gottes und einer einzigen Wahrheit, sondern bedenken Sie, dass ein Gott 6.800 Sprachen geschaffen hat, die wir täglich verwenden, um mit ihm/ihr/ihr/ihr/ihr/ihnen zu kommunizieren, wenn wir über unsere Verbindung mit ihm/ihr nachdenken.

Die Bibel erinnert uns ständig daran: Verwechseln Sie Gott nicht mit etwas Simplifizierendem. Er ist dort zu finden, wo man ihn nicht erwarten würde. Allerdings vergessen wir dies im Alltag oft.
"Wer bist du?" Moses fragte Gott am Brennenden Dornbusch und Er antwortete mit drei Worten, die oft falsch ins Englische übersetzt werden: „Hayah asher hayah.“ Diese drei hebräischen Wörter können ins Englische falsch übersetzt werden als „Ich bin das, was ich bin“, doch diese drei hebräischen Wörter bedeuten mehr: „Ich werde sein, wer oder wie oder wo ich sein werde“ und erinnern uns so daran, mich nicht vorherzusagen; Gott überrascht uns gerne durch unerwartete Begegnungen wie buddhistische Mönche oder Sikh-Gastfreundschaftstraditionen oder hinduistische Großzügigkeit, die Gott in ihnen allen offenbart. Denken Sie nicht, dass Religion ihn oder uns einschränkt, wenn Sie mit Menschen aus anderen Kulturen sprechen – Gott überschreitet Grenzen! Denken Sie nicht, dass religiöse Kategorien Gott innerhalb ihrer Kategoriengrenzen einschränken! Gott geht über die Religion hinaus!

Obwohl Sie behaupten, dass Gott größer ist als die Religion – ich gehe davon aus, dass es sich hierbei um eine „und“-Aussage und nicht um eine „oder“-Aussage handelt –, bleibt eine besondere Beziehung bestehen, die durch heilige Texte und Bündnisse, die dem jüdischen Volk eigen sind, bewiesen wird, also selbst wenn Sie ehren Obwohl es heute Unterschiede zwischen uns gibt, halten Sie die Spezifität auch für einen ehrenvollen Aspekt.

Indem ich der bin, der ich nur sein kann, gebe ich der Menschheit, was nur ich geben kann. Indem ich ich selbst bin und meine einzigartigen Qualitäten zum gemeinsamen Erbe der Menschheit beisteuere. Dies fasst den jüdischen Imperativ seit Abraham zusammen: Dem eigenen Glauben treu zu bleiben und gleichzeitig andere unabhängig von ihrem zu segnen, ist paradoxerweise hilfreich, um seine Tiefe zu erreichen.

Ich verstehe es auch nicht; Ein Jesaja kommt daher und macht seine Prophezeiungen so spezifisch für einen Glauben, einen Ort und eine Zeit, dass sie tief in dieser

Religion, diesem Ort oder dieser Zeit Anklang finden – und doch weltweit Anklang finden! Deshalb nenne ich Jesaja „den Dichterpreisträger der Hoffnung". Martin Luther King zitierte während seiner „I Have a Dream"-Rede auf ihrem Höhepunkt zwei Zeilen wörtlich aus Jesaja, Kapitel 40 – etwas, was Jesaja mehr als 27 Jahrhunderte zuvor nicht vorhersehen konnte, als die Schriften im Nahen Osten Ägyptens jemals schwarze Bürgerrechtsaktivisten erreichen würden über alle Kulturen weltweit hinweg! Dennoch fand seine Besonderheit großen Anklang und berührte viele Herzen, so dass sie auf allen Kontinenten Anklang fand!

Martin Luther King bemerkte einmal: „Das sind wir als Volk. Niemand weiß warum oder wie, aber authentische Erfahrungen geben uns das Gefühl, reicher am Leben zu sein als generische und universelle, wie zum Beispiel eine Kaffeesorte nach der anderen." " Ein Leben ohne Originalität und Einzigartigkeit ist dagegen leblos, uninteressant und letztlich unkreativ.

Ihre Kommentare zur Religion wurden gut aufgenommen, als sie zum ersten Mal von Eboo Patel, einem jungen muslimischen interreligiösen Führer aus Indien, zitiert wurden. Sie sagten: „Religion ist nicht das, was die Aufklärung sich vorgestellt hat – stumm, marginal und mild – und wir müssen ihre Flamme schützen. Wo entstehen Samen einer tieferen moralischen und spirituellen Vorstellungskraft, die heute aus Ihrer Tradition und anderen Traditionen hervorgehen? und wo kann man Hoffnung finden?

Gott hat uns zu Beginn des 21. Jahrhunderts vor eine gewaltige Herausforderung gestellt: So nahe an der Differenz mit ihrem zerstörerischen Potenzial zu leben, ist eigentlich nur die Wahl, die er uns gibt, um W. H. Auden zu zitieren: Wir müssen einander lieben oder sterben! Ich bin hoffnungsvoll, denn da es wirklich funktionieren kann, einander zu lieben, besteht große Hoffnung, dass wir als Menschheit zusammen überleben werden.

* * * Unsere Traditionen liefern reichhaltiges Quellenmaterial darüber, wie wir einander lieben und ein hoffnungsvolles Leben führen sollten, obwohl sie weder im privaten noch im öffentlichen Umfeld noch über bestimmte Grenzen der Differenz hinweg immer energisch praktiziert wurden. Aber sie bleiben Bewahrer von Intelligenz und Praktiken, die dringende Weisheit für das 21. Jahrhundert liefern, einschließlich Tugenden, auf die ich in Gesprächen und durch dieses Schreiben immer wieder zurückkomme; solche Tugenden wie Mitgefühl, Versöhnung, Barmherzigkeit und Achtsamkeit – die Konstellation großer und kleiner Gewohnheiten, die sich zu Mitgefühl, Versöhnung, Barmherzigkeit und Achtsamkeit summieren – Liebe zum Nächsten und zum Feind gleichermaßen. Was in unserer Zeit neu ist, ist die Ausschüttung und Übertragung solcher Weisheiten: Tugenden als spirituelle Technologien mehr als in früheren Zeitaltern.

Lesen und hören Sie frei verfügbares Material zu Traditionen verschiedener Kulturen; Es stehen auch Traditionen zur Verfügung, die individuelle und gemeinschaftliche Bedürfnisse berücksichtigen.

Was ich revolutionär finde, ist die Art und Weise, wie Sozial- und Biowissenschaften eine wesentliche Rolle dabei spielen, zu erklären, wie Tugenden und Lehren funktionieren und warum sie wichtig sind; Ihre Anwendung untersucht außerdem, ob wir tatsächlich die Fähigkeit zu Wahl, Moral und Liebe besitzen, ungeachtet dessen, was einige Physiker über das menschliche Bewusstsein behaupten. Biologen, Neurowissenschaftler und Psychologen spielen heute eine entscheidende Rolle dabei, dem modernen Publikum alte Weisheiten zugänglich zu machen. Sie bringen große Tugenden – Vergebung, Mitgefühl, Empathie und Liebe – ins Labor, indem sie erforschen, wie wir ihre Entwicklung unter uns fördern können. Rabbi Sacks beobachtet diese Arbeit mit Freude als eine, die die alte heilige Intelligenz bereichert und erneuert: ihre „Bedienungsanleitungen" konkretisieren und verfeinern.

Hören Sie sich einen Austausch zwischen dem Autor und Rabbi Lord Jonathan Sacks an.

Hier untersuchen wir diese Anweisungen mit quantitativer und experimenteller Wissenschaft noch einmal und entdecken, was die großen Weisheitstraditionen vor drei oder vier Jahrtausenden sagten. Heute verstehen wir, dass Gutes für andere, starke und unterstützende Beziehungen und das Gefühl, dass sich das Leben lohnt, drei wesentliche Faktoren für Glück sind – diese alten, edlen Wahrheiten werden uns gegen unseren Willen erneut aufgedrängt – jetzt mehr denn je in einer bisher unbequemen Situation schwierige Zusammenarbeit zwischen Religionsführern, Wissenschaftlern, Sozialwissenschaftlern und Soziologen.

Michael McCullough erforscht Bedingungen, die Vergebung wahrscheinlicher und dauerhafter sowie biologisch natürlich machen. Richard Davidson half bei der Entdeckung der Neuroplastizität mit Studien, die im Auftrag des Dalai Lama an meditierenden tibetischen buddhistischen Mönchen durchgeführt wurden.
Jetzt geht er seiner Überzeugung nach, dass Kinder auf die gleiche Art und Weise, wie sie Sprache lernen, dazu veranlagt sind, Mitgefühl zu lernen. Es wurden umfangreiche Studien zu den gesundheitlichen und gesellschaftlichen Auswirkungen durchgeführt, die mit freundlichen und dankbaren Handlungen verbunden sind. Derzeit laufen Experimente, die darauf abzielen, die Amygdala zu verkleinern – den Teil unseres Gehirns, der unseren Kampf- oder Fluchtinstinkt beherbergt, der als Schutz vor tödlichen Gefahren entwickelt wurde, aber oft dafür verantwortlich ist, dass wir individuell und kollektiv unethisch handeln. Rachel Yehuda hat gezeigt, wie sich physische und psychische Traumata über die Zeit hinweg auf Generationen auswirken, und nutzte diese Erkenntnisse als eine Form der Kraft, um über die Zeit hinweg

Widerstandsfähigkeit und Heilung zu fördern. Institutionen wie Berkeley und Stanford erschließen das Silicon Valley, führen fortlaufend Studien zu Themen wie Ehrfurcht und Empathie durch und erforschen innovative Virtual-Reality-Anwendungen, um Mitgefühl zu lehren.

Auf der anderen Seite dieser neuen Gleichung stehen religiöse Institutionen, die versuchen, ihre institutionelle Gesundheit und ihren Beitrag zu einer sich entwickelnden Welt neu zu denken. Dieser Kampf selbst hat heilige Räume als Gemeinschaftsräume hervorgebracht, in denen Tugenden, die wir besser verstehen, praktiziert und angewendet werden können – wie die Kirchen, in denen die Occupy Sandy-Kinder Zuflucht fanden, obwohl sie dagegen protestierten.

Auch Klöster spielen in dieser Geschichte eine wesentliche Rolle. Das Zentrieren von Gebet, spiritueller Führung, Exerzitien und Meditation galt lange Zeit als die Aufgabe klösterlicher Gemeinschaften – von Klostermönchen oder Nonnen oder hingebungsvollen Oblaten und Pilgern, die tief in all unseren Traditionen verwurzelt sind. Obwohl viele westliche Klostergemeinschaften wie die Benediktinerinnen von Collegeville oder die Schwesterngemeinschaft von Schwester Simone zahlenmäßig kleiner sind als früher, sind ihre physischen Gebets- und Rückzugsräume heute jedoch von Menschen überfüllt, die vor ihrer Rückkehr zur Ruhe, zum Schweigen oder zur Zentrierungspraxis kommen in Familien, Arbeitsgemeinschaften oder Schulen.

Nathan Schneider begann auf einem Retreat in einer Trappistengemeinschaft, die von seiner nichtreligiösen Mutter während einer intensiven existentialistischen Phase existenzieller Suche geschickt wurde, zum Glauben zu finden, und erzählt eine fesselnde Geschichte, die sowohl Pathos als auch Ironie dieses Moments des Glaubens einfängt – dessen, was seltsam und doch vertraut ist Bezug zum Glauben heute.

Nathan erzählte mir, wie der Glaube ein Leben lang und in der Gesellschaft als Ganzes lebt, stirbt und wiedergeboren wird. Unser Gespräch begann, als ich mich nach einigen Gedichten von William Blake erkundigte, die er in seinen Schriften als bedeutsam zitierte: „Sich zu sehr an die Freude zu binden, wird sie mit Sicherheit töten / Während das Küssen der aufsteigenden Freude den Sonnenaufgang der Ewigkeit herbeiführen kann." Nathan erklärte.

Hören Sie sich einen Austausch zwischen Nathan Schneider und Nathan Farrow an.

Im Kloster meines Taufpaten fand ich diese Zeilen an die Wand geklebt. Er war einer der größten Mentoren meines Lebens gewesen, doch die meiste Zeit unserer gemeinsamen Zeit verstarb er langsam – oft Schrecken nach Schrecken mit an seinem Körper befestigten Maschinen – und jeder Schrecken war an die eine oder andere Maschine angeschlossen. Vor dem Eintritt in ein Kloster und nach dem erneuten Eintritt begleitete ihn ein reiches und kompliziertes Leben. Als ich diese an seiner

Wand fand, fragte ich, welche Rolle sein Glaube an Gott während seines Sterbeprozesses spielte. welchen Trost es ihm auf dem Weg gegeben hatte.

Er erzählte mir etwas, was ich vermutet hatte – dass er diesen Glauben nicht mehr vertrat – was mich vor Schock, Traurigkeit und Verlust erschüttern ließ; Aber seine Ehrlichkeit in diesem Punkt löste bei mir gleichzeitig ein Gefühl der Dankbarkeit, Freude und Demut aus – zum Beispiel, dass jemand, der seinen Glauben verloren hatte, meinen Weg dorthin geebnet hatte!

Oft sehe ich die neuen Dynamiken des spirituellen Lebens heute als Gaben uralter Weisheit – auch wenn sie den Glauben, wie wir ihn schon seit einer gefühlten Ewigkeit kennen, in Frage stellen. Der Wissenstransfer über Religions-, Kultur- und Wissenschaftsgrenzen hinweg stärkt spirituelle Technologien und macht die Praxis leichter zugänglich.
Tugenden, tatsächlich die wesentlichen Elemente der Gerechtigkeit, waren für die Menschheit noch nie so erreichbar wie heute. Auch die Art und Weise, wie moderne Menschen das erkunden, was der weise Schriftsteller Pico Iyer, einer von denen, die sich regelmäßig in Einsiedeleien wie den Rishi Ashram in Ashramiana in Indien zurückziehen, die „innere Welt" und die „Kunst der Stille" nennt, nimmt zu. Bestrebungen und Tugend beruhen seit langem auf einem Gleichgewicht in uns; Viele lernen, wie sie angesichts der heutigen hektischen und unsicheren Welt bewusster bleiben können. Wir lernen, wie unvollkommen und inkonsequent auch immer, innere Weisheit zu kultivieren, die das äußere Leben formt und die Welt belebt, die wir sehen und berühren können. Der Glaube hat somit einen Überlebensweg gefunden, durch den er tiefer als je zuvor in sein Kernwesen hineinwachsen kann.

Hinweise zu Endnotizen (END NOTES)

Pico Iyer betrachtet sich selbst nicht als spirituellen Lehrer oder Praktiker im herkömmlichen Sinne, obwohl ihn seine Abschlüsse in Eton, Oxford und Harvard in einzigartiger Weise dafür qualifizieren, intellektuelle und spirituelle Welten zu verbinden. Seine familiären Wurzeln reichen bis in den Buddhismus zurück, bis hin zu einem katholischen Ketzer der Renaissance seiner Zeit; Hinduistische Priesterkultur; und theosophischen Einflüssen dient sein Familienleben als Brücke für dieses Ziel.

Hören Sie sich diese faszinierende Diskussion zwischen dem Autor Pico Iyer und Iyer selbst an.

Da ich als Kind viel gereist bin – ich wurde als Sohn indischer Eltern in England geboren, bevor meine Familie mit sieben Jahren nach Kalifornien zog – wurde es viel günstiger, meine Ausbildung während der Ferien in England fortzusetzen, als örtliche

Privatschulen zu besuchen; So bestand mein Leben ab etwa 9 Jahren aus dem Leben im Flugzeug.

In der Schule bin ich alleine über den Nordpol geflogen. Später im Leben, in meinen Zwanzigern, machte ich mich daran, den Globus zu kartieren, indem ich so viele Länder und Orte wie möglich besuchte; Und als ich in meinen 30ern frei wurde für alles, versuchte ich schnell, genau das zu tun – so schnell wie möglich so viel wie möglich zu kartieren – und erinnerte mich daran, wie glücklich es sich anfühlte, Teil einer Generation zu sein, die eines Morgens aufwachen konnte Nur wenige Tage später finden sie sich irgendwo in Tibet, Bolivien oder im Jemen wieder – etwas, mit dem meine Großeltern nie gerechnet hätten!

Es lohnt sich, regelmäßig innezuhalten und über diese außergewöhnliche Veränderung in unserem Leben nachzudenken, nicht wahr?

Ja, und mit dieser dramatischen Transformation ging auch eine dramatische Veränderung einher, bei der meinen Großeltern das Zuhause in ihrer Gemeinschaft, ihrem Stamm und ihrer Religion bei der Geburt geschenkt wurde, während es für mich etwas ist, das ich mir zu eigen machen kann – was vielleicht Herausforderungen mit sich bringt, es aber kann bieten auch unglaubliche Möglichkeiten. Irgendwann wurde mir klar: Nun ja, ich hatte wirklich das Glück, viele, viele Orte besuchen zu dürfen. Jetzt liegt das wahre Abenteuer in mir selbst: Emotionen, Eindrücke und Erfahrungen zu sammeln, indem ich Zeit damit verbringe, Erinnerungen an vergangene Erlebnisse zu sammeln. Jetzt möchte ich nur noch jahrelang still sitzen und meine innere Landschaft erkunden, denn jeder, der reist, weiß, dass es beim Reisen mehr darum geht, bewegt zu werden, als sich selbst zu bewegen. Auf den ersten Blick sehen Sie vielleicht nicht nur den Grand Canyon oder die Chinesische Mauer; Sie repräsentieren vielmehr Stimmungen, Andeutungen oder Orte in Ihrem Inneren, die Sie im Alltag normalerweise nicht bemerken. Ich erinnerte mich an Henry David Thoreau und Thomas Merton, die unbekannte Gebiete erkundeten; Ich möchte in ihre Fußstapfen treten und dieses riesige, unerforschte Gebiet erkunden, das noch unerforscht darin liegt.

Ihr Leben und seine kontemplativen Praktiken, die ich als Stille bezeichnen würde, haben einen inspirierenden Namen: Stille. Was für eine fantastische Art und Weise, wie Sie dieses Wort in Ihr Schreiben und Ihr tägliches Leben eingeführt haben! Sehen wir, wann Menschen begannen, Wörter wie diese zu verwenden, um ein inneres Gefühl auf diese Weise zu bezeichnen?

Wie ich bereits erwähnt habe, bin ich schon immer viel gereist; Allein in meinen Dreißigern fiel mir auf, dass ich allein bei einer US-Fluggesellschaft bereits eine Million Meilen gesammelt hatte! So wurde mir klar, dass mein Leben aus viel Bewegung, aber möglicherweise zu wenig Stille bestand. Ungefähr zur gleichen Zeit brannte das Haus meiner Familie in Santa Barbara bis auf die Grundmauern nieder, sodass ich ohne all meine Besitztümer zurückblieb – abgesehen davon, dass ich an diesem Abend eine Nachtzahnbürste im Supermarkt kaufte –, sodass ich mich am nächsten Morgen sehr desorientiert und allein fühlte. So wurde mein Leben immer unruhiger. Mein Schullehrerfreund schlug vor, dass ich einige Zeit in einer katholischen Einsiedelei verbringen sollte. Aber obwohl ich weder Katholik noch Einsiedler bin, erzählte er mir von einem Ort, an dem er immer Unterricht nahm, was selbst seinem zerstreutesten, unruhigsten und von Testosteron geplagten Teenager dabei half, sich ruhiger und klarer zu fühlen, wenn er dort seine Kurse besuchte. Und da etwas bei Teenagern so effektiv funktioniert, sollte doch alles, was funktioniert, auch bei mir funktionieren?

Und ich fuhr entlang der Küste nach Norden und folgte dem Meer, wobei die Straßen immer schmaler wurden, je mehr ich ihm folgte; bis ich schließlich eine noch schmalere, kaum gepflasterte Straße erreichte, die sich zwei Meilen lang einen Berg hinauf schlängelte, um dieses Kloster zu erreichen, wo die Luft stark vor Energie pulsierte. Zuerst war es sehr ruhig – nicht weil es keinen Lärm gab, sondern weil diese transparenten Wände, die von Mönchen geschaffen wurden, sehr hart arbeiteten, um uns in unserem täglichen Leben zur Verfügung zu stehen. Als ich mein kleines Zimmer zum Übernachten betrat, war es ziemlich einfach: Es gab nur ein Bett und einen Schreibtisch; über ihnen befand sich ein langes Panoramafenster mit Blick auf einen Garten mit Stühlen; Dahinter befand sich nur die Weite des Pazifischen Ozeans.

Eine Sache, die mir während der Fahrt auffiel, war, dass mein Kopf mit Gedanken, Gesprächen oder Auseinandersetzungen raste; Schuldgefühle, weil ich meine Mutter zurückgelassen hatte, und die Angst, meine Vorgesetzten könnten sich über meine Verspätung ärgern, waren ständige Begleiter.
Bald nach meiner Ankunft an diesem Ort wurde mir klar, dass es eigentlich keine Rolle spielt, wo ich bin, und dass ich durch die Anwesenheit hier meiner Mutter, meinen Freunden und meinen Vorgesetzten besser die Unterstützung bieten kann, die sie benötigen. Abschließende Anmerkung zu diesem Thema: Meine Mutter lebt jetzt in Kalifornien auf genau 1.200 Fuß Höhe – genau das entspricht der Höhe des Klosters – und genießt von ihrem Haus auf einem Hügel aus einen atemberaubenden Blick auf das Meer. Von außen betrachtet wirkt ihr Zuhause ruhig und sicher; Doch wenn ich allein zu Hause bin und ein Buch lese, bin ich ständig darauf vorbereitet, dass entweder mein Telefon mit neuen Post klingelt oder jemand an meiner Tür klopft und mir mitteilt, dass meine Post in einem anderen Zimmer angekommen ist. Also zwinge ich mich dazu, in Bewegung zu bleiben, indem ich mich ständig unterbreche – selbst wenn das bedeutet, nur ein Lakers-Spiel anzusehen! Und wenn meine Gedanken in Richtung Sternenbeobachtung wandern, erinnert mich mein Gehirn schnell daran, dass noch andere Aufgaben auf mich warten. Oder wenn es zu einem

intensiven Gespräch kommt, könnte das Lakers-Spiel bald im Fernsehen gezeigt werden – es muss noch etwas anderes erledigt werden, bevor man wieder auf die Stars blicken kann. Zu Hause beeinträchtigt mein Leben unweigerlich meine Klarheit und Konzentration; Das erinnert mich daran, warum Menschen wie ich bewusste Schritte unternehmen müssen, um in die Stille und Stille einzutreten und ihre verjüngende Wirkung zu entdecken – sie befreit uns wirklich von allen Sorgen und Stress.

Seit 1994 mache ich regelmäßig Ausflüge zur Carmel Valley Ranch. Über 70 Mal sind vergangen, und es fühlt sich wirklich wie mein heimliches Zuhause an – zusammen mit meiner Frau und meiner Mutter bleibt es in einer Welt voller Veränderungen und manchmal Vergänglichkeit beständig. Wenn ich irgendwohin reise, denke ich immer an dieses kleine Zimmer mit Blick auf den Pazifik und seine Kapelle zurück – beide Erinnerungen beruhigen und erden mich in Zeiten des Konflikts und der Unsicherheit.

Im Kern liegt eine so wesentliche Botschaft: Während Sie sowohl körperlich als auch in Ihrem Inneren nach Stille suchten, bestand eine große Spannung zwischen diesem Streben und der Rückkehr in die Welt. Besonders gut hat mir gefallen, was Sie hier geschrieben haben: „Der Sinn der Suche nach Stille besteht nicht einfach darin, an dem einen oder anderen Ort mehr Gelassenheit oder Frieden zu schaffen; vielmehr soll es Frieden in die Gesellschaft als Ganzes bringen."
Nachdem Ihr Buch über Graham Greene erschienen war, nahm ich an einem Gespräch zwischen Ihnen und Paul Holdengraber in der New York Public Library teil. Sie haben dort etwas gesagt, das mich dazu veranlasste, mich darauf zu freuen, mit Ihnen darüber zu sprechen: Spiritualität war wie Wasser, während Religion sein Behältnis darstellte; Sie sagten, sie würden sich wie Teetassen fortbewegen, könnten aber möglicherweise mit der Zeit zerbrechen. Ich habe mich gefragt, ob Spiritualität wie Wasser wäre, während Religion wie Tassen wirken und ihr im Laufe der Zeit ihre Form geben könnte, aber möglicherweise jeden Moment ins Wanken geraten könnte?

Ich liebe die Metapher des Pokals. Und wenn Sie mich jetzt nach Spiritualität fragen würden, würde ich antworten, dass es um unsere leidenschaftliche Beziehung zu dem geht, was am tiefsten in uns liegt, und um unser inneres Licht, das manchmal schwächer wird, manchmal aber hell strahlt. Religion bietet uns eine Gemeinschaft, einen Rahmen, eine Tradition und Verbündete, mit denen wir teilen können, was wir in uns finden. Ich stimme mit vielem von dem, was oben gesagt wurde, überein – insbesondere mit Ihrem letzten Satz! Wie ich oben bemerkt habe, habe ich mich bei der Diskussion über Wasser und Tee möglicherweise stark an den Dalai Lama angelehnt. Er betont oft, wie überlebenswichtig Freundlichkeit ist – ohne sie würden wir zugrunde gehen! Für ihn ist Freundlichkeit wie Wasser und Religion wie Tee. Tee ist ein luxuriöses Erlebnis, das den Geschmack des Lebens steigert. Daher kann der

Genuss von Tee die Freuden enorm steigern und Ihr Erlebnis bereichern. Wasser bleibt jedoch lebenswichtig und daher sollten tägliche Freundlichkeit und Verantwortung die Grundlage jeder Lebensreise bilden – eine hervorragende Erinnerung daran, uns zuerst bei denen zu verankern, die uns am Herzen liegen, bevor wir uns zu tief in Texte oder die Bedeutung absoluter Konzepte vertiefen.

Arthur Zajonc, ein Physiker und Kontemplativer, glaubt, dass die äußersten Grenzen der Wissenschaft zu einer radikalen Neuausrichtung der Werte führen.
Die Integration von Natur- und Geisteswissenschaften ist laut Zajonc einfach eine andere Art zu sprechen, „alles, was uns ausmacht, mit dem zu verbinden, was diese Welt ausmacht".

Hören Sie sich einen Austausch zwischen Arthur Zajonc und Arthur Zejonc an.

Spiritualität muss sich nicht nur um den Glauben drehen; Vielmehr sollte es sich als dem Wissen verpflichtet verstehen. Durch Meditation und Kontemplation, die ich seit meinem 20. Lebensjahr regelmäßig praktiziere, hat mich die Meditation zu der Überzeugung geführt, dass es innerhalb der kontemplativen Spiritualität einen Erfahrungsbereich gibt, der geklärt werden kann; In gewissem Sinne sogar wissenschaftlich – denn seine Grundlage liegt in menschlichen Erfahrungen, die über Jahrtausende hinweg geteilt wurden und mit denen wir uns heute auf eine Weise auseinandersetzen können, die mit meiner wissenschaftlichen Arbeit vereinbar ist.

Hier ist Ihre Definition von Moral: „Moral bezieht sich auf unsere Beziehungen zu anderen Menschen und auf die weitere Umgebung, in der wir leben."

Moral hat für mich ihre Wurzeln in meiner katholischen Erziehung; deshalb war es oft mit Schuldgefühlen verbunden. Wissen Sie, Sünden und lässliche Sünden ...

Fehltritte.
Und doch hatte man immer Angst davor, dass man irgendwie, irgendwie, jemand erwischen könnte, aber irgendwann schien das unwahrscheinlich; die Angelegenheit konnte nicht einfach von einer kirchlichen Hierarchie diktiert werden; Es musste eine andere Quelle geben. Und es musste auch jemand dahinterstecken, der alles besser versteht.
Ethik war wichtig, nicht in ihrer Gesamtform, sondern als Teil des individuellen Verhaltens, daher wurde die Wissenschaft zu einer attraktiven Möglichkeit, die Fehler des deterministischen Denkens zu erforschen. Chaosdynamik oder Quantenmechanik lassen vermuten, dass die Dinge weniger starr sein könnten; biologische Imperative sind möglicherweise nicht vollständig; es könnte Raum für Freiheit geben; Möglicherweise sind auch moralisch gerechtfertigte Maßnahmen erforderlich. Aber

wenn wir alle Kräfte, die von Eltern, Priestern, Lehrern, Gleichaltrigen oder der Biologie auf uns ausgeübt werden – die alle eine immense Kraft ausüben – abstreifen und Raum für uns selbst schaffen, was wären dann Ihr moralischer Kompass oder Ihre moralischen Mittel? Kann ich das direkt erforschen, statt hypothetisch oder durch Meditation? Und gibt es einen Ansatz, der sich moralisch verbunden anfühlt und mir hilft, mein Leben darin zu verorten? Für mich ist das zu meiner Erfahrung geworden.

Präsenz ist etwas, das Sie von Moment zu Moment kultivieren.

Richtig. Aber Ihr Standpunkt ist klar. Die Realität ist expansiv, die Subjektivität existiert in der Realität und ist unser Freund; Tatsächlich stellt diese neue Wissenschaft „eine radikale Neuausrichtung auf das Leben" dar und liefert die Grundlage für ein moralisches Leben.

Ja. Die Argumentation geht etwa so: Seit dem 17. Jahrhundert dominieren Mechanismus und Materie. Zwischen 1900 und 1925 erlebte die Physik jedoch eine unglaubliche Revolution, als wir erkannten, dass wir Beobachter nicht völlig ignorieren konnten; obwohl wir das vielleicht bis zu einem gewissen Grad erreichen können, indem wir sie annähern, ohne genau hinzuschauen; aber nicht, wenn wir unsere Wissenschaft richtig betreiben; Stattdessen sind wir immer irgendwie involviert, entweder durch Quantenmechanik und Relativitätstheorie oder durch subjektive Dimensionen in der allgemeinen Wissenschaft – etwas, was unsere Vorgänger bis vor Kurzem nicht erkannt hatten, als sie Mechanismus und Materie gemeinsam untersuchten!
Überall ist ein Beobachter – ob real oder eingebildet – der beobachtet, was vor sich geht, was das Universum von uns verlangt. Wir können dies nicht einfach als eine angenehme Sichtweise abtun; Dieses Element muss existieren, damit jeder Kosmos überhaupt einen Sinn ergibt. Es gibt keine Außenperspektive, von der aus man alles beobachten könnte, während es sich entfaltet – daher fühlt es sich für mich immer wie eine einzige große Geschichte an, die sich vor mir abspielt.

Erfahrung, Geschichte und Erzählung sind in gewisser Weise die einzig wahren Dinge.

So seltsam es auch klingen mag, das Erleben der subjektiven Realität führt uns zurück in die Erfahrung und Subjektivität – nicht auf willkürliche oder kapriziöse Weise, sondern als mit meiner Person verbundene Realität. Von diesem Standpunkt aus wird die Subjektivität nicht zum Feind, sondern zum Verbündeten in meinem Leben. Sobald dies geschieht, kehren moralische Dimensionen ins Leben zurück, denn durch die Bereinigung der subjektiven Erfahrung lässt man keinen Raum für moralische Möglichkeiten.

Wie immer kommt die Moral wieder ins Spiel, denn letztendlich zählt, was man tut?

Realität ist das, was man tut und erlebt, doch irgendwie wird das, was wir in unserem täglichen Leben als real erleben – von Kindern und Leiden bis hin zum Älterwerden und der Geburt von Babys –, durch alte Paradigmen in Bezug auf verschiedene Dinge erklärt. Manchmal halte ich das für Götzendienst: Man zeigt auf Götter, kann sie aber nicht richtig sehen, also erschafft man Statuen; Ähnlich verhält es sich in der Physik, wo es Modelle gibt, aber noch keine tatsächlichen Ergebnisse vorliegen, die Antworten liefern könnten, die die Realität besser darstellen könnten, sondern stattdessen angebetet statt verehrt werden, wie sie das, was sie wirklich darstellt, verehren und nicht ehrfürchtig verehren sollten; Ihre Erfahrung wird zur Realität, anstatt das anzubeten, was im antiken Denken oder einer anderen Quelle beabsichtigt war.
Es ist schwer zu verstehen, welche Seite dieser Kluft im Zentrum liegt, doch man muss sich manchmal wie ein Bilderstürmer verhalten, um direkte Erfahrungen, Offenbarungen und Einsichten in Muster wiederzubeleben, die zurück in gelebte Erfahrungen führen. Dadurch eröffnen sich mir auch moralische und ethische Dimensionen, die es mir ermöglichen, das Leben noch umfassender neu zu entdecken.

Richard Rodriguez ist einer der größten amerikanischen Autoren über das Selbst und die Gesellschaft. Er beobachtet, wie sich die Rassenbeziehungen in früheren Generationen aufgrund dessen, was er als „Bräunung" Amerikas bezeichnet, verändern; Darüber hinaus bemühte er sich als Katholik um Verständnis für die Muslime in der Welt nach dem 11. September. Richards Leben umfasst Diskurse von links nach rechts, von Einwanderern über intellektuelle bis hin zu säkularen religiösen Traditionen.

Hören Sie sich dieses Gespräch zwischen Richard Rodriguez und der Autorin Amy Idleman an.

Ich bin römisch-katholisch erzogen, aber das wird dem nicht gerecht. Ich bin in Sacramento, Kalifornien, in einem Viertel aufgewachsen, das man am besten als unscheinbar beschreiben kann; „weiß" erzählt nicht die ganze Geschichte: ob Ihr Vater als Bergmann gearbeitet hat oder ob Ihr Sohn beim Kanufahren auf tragische Weise ums Leben gekommen ist. Meine Schulerfahrung war überwiegend weiß: Alle meine Klassenkameraden waren katholisch, mit Ausnahme von Bobby Wright, der Episkopalkirche war und den Kopf senkte, wenn wir gemeinsam beteten. Irische

Stimmen füllten mein Klassenzimmer und dienten mir als Einführung in die englischen Wörter und die englische Kultur. Wie so oft war Irland mein Einstieg in das Erlernen der englischen Sprache – da alle Priester, Nonnen und Ministranten irische Frauen waren, lernte ich zum ersten Mal die englische Sprache. Außerdem lernte ich als Messdiener Latein, indem ich dem Priester auf Latein antwortete. Auch heute noch ist es etwas, das mich zum Lächeln bringt, wenn ich daran zurückdenke. Ich erinnere mich, dass ich dabei geholfen habe, einen Sarg von seiner Grabstätte zu einer Tagebaugrube zu transportieren, bevor ich in einer Stunde schnell zum Rechenunterricht zurückgekehrt bin – so war das Leben damals. Doch die starke Wirkung von Erinnerung, Poesie und Prosa auf junge Geister zeigt sich, wenn man Priestern mit lateinischen Sätzen antwortet wie: „Ich werde zum Altar Gottes gehen, der meiner Jugend Freude schenkt." Wenn die Leute also fragen, was Kirche mir jetzt bedeutet? Meine Antwort: Es war zutiefst fesselnd.

Ihre Memoiren „Hunger of Memory" enthielten eine interessante Aussage, die mir besonders auffiel: Sie schrieben: „Von allen Institutionen, die an ihrem Leben beteiligt waren, schien sich nur die katholische Kirche darüber im Klaren zu sein, dass meine Mutter und mein Vater Denker und Menschen waren, die sich ihrer eigenen Erfahrungen bewusst waren." Leben.

Ja. Die Macht der Religion, uns zum Nachdenken über unser Leben anzuregen, scheint mir eine Innerlichkeit zu fördern, die man als intellektuell bezeichnen könnte. Krista, es ist für mich wirklich erstaunlich, wie die Bauernkirche immer noch so vielen auf der Welt Trost spendet – selbst denen, die vielleicht selbst nicht an Religion glauben! Mittlerweile verbringe ich die meiste Zeit mit nichtreligiösen oder antireligiösen Menschen. Mein Bruder betrachtet sich nicht nur als Atheist, sondern auch als Antitheist. Für ihn spiegelt der Begriff „Atheismus" seine Einstellung zur Religion nicht vollständig wider; Wenn ich also über Religion schreibe, mache ich mir Sorgen, was meine säkularen Leser von meinem Schreiben halten könnten, wenn mein Ton offen oder zu sehr religiös erscheint.
Sind sie für ein säkulares Publikum geeignet oder zu stilvoll für religiöse Schriftsteller? Meiner Meinung nach würden diese Bücher wahrscheinlich in eine der beiden Kategorien fallen; Manchmal bleibt der Einsatz von Ironie und Paradoxon in religiösen Schriften unbemerkt.

Sobald sich der 11. September ereignete, markierte er einen Wendepunkt in unserer Kultur, an dem der Islam – diese Religion mit über einer Milliarde Anhängern – als „Anderer" sichtbar wurde. Sie haben einen interessanten gegenkulturellen Schritt unternommen, indem Sie Ihre Verwandtschaft mit Terroristen untersucht haben, indem Sie denselben monotheistischen Gott verehrten wie sie, und Ihre Verbindungen zu diesen Männern untersucht haben, indem Sie Ihre Antwort geschrieben haben: „Ich habe auch den Gott meines Vaters angebetet, also muss da eine Verbindung bestehen." Sie wollten aus dieser Perspektive verstehen, was geschehen war.

Nun, das Erste, was ich verstehe, ist ein Geheimnis. Nachdem ich in die Wüste im Nahen Osten gezogen war, wurde mir klar, dass Abrahams Gott – der Gott, den Juden, Christen und Muslime gleichermaßen teilen – sich dort offenbarte. Obwohl es heilig ist, kann es die Menschen auch beunruhigen, wenn wir das Gefühl haben, dass Gott für uns genauso einsam ist, wie er für ihn scheint. Stammestreue wird notwendig; Dies führt sowohl zu tröstendem Trost als auch zu heftigem Streit, den wir jetzt sehen.

Wenn Sie die Wüste durchqueren, ist es wichtig zu erkennen, wie hell und blendend das Sonnenlicht sein kann. doch wie wohltuend Dunkelheit und Schatten sind. Viele Religionen betrachten Schatten und Dunkelheit als Geschenke Gottes; Mohammed hatte seine Offenbarung sogar in einer Höhle, die nur durch natürliches Licht beleuchtet wurde! Das Judentum bringt Moses auch in eine geschlossene Höhle, damit er nicht von deren Helligkeit geblendet wird; Die Auferstehung fand sogar in einem anderen statt! Wir vergessen manchmal, dass wir an dunklen Orten leben – doch die Akzeptanz der Dunkelheit als Teil unseres Glaubens sollte dazu beitragen, ihn zu stärken!

Nun, das führt mich zu meiner Frage an Sie. Wie haben Sie verstanden, wie die Wüsten- und Höhlentradition Ihre katholische Spiritualität geprägt hat, die Sie als erlösend empfinden?

Christopher Hitchens, unser großer amerikanischer Atheist und Kabelfernsehkommentator, machte es sich zur Aufgabe, uns davon zu überzeugen, dass Gott tot ist. Ich lebe einen Teil des Jahres in London und kann Ihnen versichern, dass Gott hier sicherlich nicht tot ist: Sowohl Muslime als auch Hindus sind dort in Hülle und Fülle anzutreffen. Nach dem Tod von Mutter Teresa tauchten mehrere Briefe an Beichtväter und Bischöfe auf, die zeigten, dass ihr Leben in den letzten 40 Jahren ihres Bestehens von Dunkelheit geprägt war.
Ich wollte fragen, warum Sie sich entschieden haben, Ihr Buch so zu beenden, dass Christopher Hitchens sein Leben lang bis zu seinem Tod seinen Glauben an eine Anti-Gott-Philosophie verkündet, während Mutter Teresa in ihrer Verzweiflung hoffnungslos religiös bleibt.

„Einmal ging ich mit ihr ins Gefängnis von San Quentin. Es war der bemerkenswerteste Nachmittag, an den ich mich aus religiösen Gründen erinnern kann: Es gab eine Gruppe von Schlägern aus der Todeszelle, die sich wie Schuljungen benahmen; sie sagte ihnen mit ihrer dünnen Stimme, dass sie Gott sehen sollten

Schauen Sie sich diejenigen an, die neben ihnen stehen – Gefangene mit Tätowierungen am Hals oder diejenigen, die andere ermordet und vergewaltigt haben: Dort ist Sein Gesicht zu finden! Vorher dachte ich, wurde mir aber nicht bewusst: Die ganze Zeit hatte ich hingeschaut stattdessen heilige Bilder; dieser Moment, in dem es mehr Sinn gemacht hätte! Pater George Coyne und Bruder Guy Consolmagno waren an diesem Nachmittag bei uns im Gefängnis von San Quentin.

Mehr als dreißig Objekte auf dem Mond wurden nach Jesuiten benannt; Schließlich halfen Jesuiten bei der Kartierung seiner Oberfläche. Ein Jesuit gehörte zu den Pionieren der modernen Astrophysik; Allein vier in der Geschichte – Ignatius von Loyola ist einer von ihnen – haben Asteroiden nach ihnen benannt – wobei die vatikanischen Astronomen Bruder Guy Consolmagno und Pater George Coyne derzeit auf diese Weise geehrt werden.

Hören Sie sich diesen Austausch zwischen Bruder Guy Consolmagno, Autor, und Pater George Coyne, spiritueller Berater, an.

Ich würde gerne hören, wie Ihre beiden Sichtweisen, die stark von der Wissenschaft geprägt sind, mit der katholischen Theologie und der Tradition im Allgemeinen übereinstimmen. Guy schrieb irgendwo, dass katholische intellektuelle Leistungen „die menschliche Fehlbarkeit mit den damit einhergehenden Reichtümern und dem Pathos im Mittelpunkt haben". Sie sprachen doch sicher nicht nur von der katholischen Theologie selbst, sondern von ihrem Einfluss auf Literatur, Kunst, Poesie und Kultur insgesamt?

Bruder Guy: Richtig. Als ich es schrieb, dachte ich noch: Das wird zurückkommen und mich verfolgen! Das Aufschreiben dieser Gedanken hat mir jedoch geholfen zu erkennen, wohin es führen könnte, und es sowohl intellektuell als auch emotional anzugehen. Eine der Freuden des Katholizismus ist unsere lange intellektuelle Tradition, die auch Düfte, Glocken und Hymnen umfasst, die das Bewusstsein widerspiegeln, dass es diesen Gott da draußen gibt und dass ich etwas für ihn tun möchte.

Pater Coyne: Lassen Sie mich nur einen kleinen Punkt hinzufügen. Es ist aufregend, unwissend zu sein, und unsere Unwissenheit in der Wissenschaft hängt möglicherweise mit dem Glauben zusammen – was Unsicherheit in Bezug auf Liebesbeziehungen zu Gott mit sich bringt, die ich Glauben nenne. Beispielsweise habe ich auf einer wissenschaftlichen Tagung einen Vortrag über Unsicherheiten bei Methoden zur Altersbestimmung gehalten.

Wie lange existiert das Universum schon? Es gibt verschiedene Methoden zur Ermittlung dieses Problems, wobei jede Methode einen unterschiedlichen Grad an Präzision erfordert. Wenn ich an wissenschaftlichen Konferenzen teilnehme, trage ich normalerweise keine religiöse Kleidung; das würde die Sache nur noch weiter verwirren! Aber ich hatte gerade in einer Kirche oder so einen Vortrag gehalten und dabei meinen römischen Kragen getragen. Während der Diskussion stand ein Herr auf und das erste, was er zu mir sagte, war: „Vater." Zunächst fühlte ich mich demütig, als er mich als „Vater" anerkannte, aber dann vertiefte er unsere Diskussion, indem er etwas Tiefgründiges sagte: „Vater, es muss erstaunlich sein, dass Sie trotz aller Unsicherheiten bei wissenschaftlichen Aktivitäten immer noch den Glauben als Quelle der Unterstützung haben." . „Wer hat gesagt, dass mein Glaube immer da war?" Ich antwortete der Reihe nach. „Jeden Morgen, wenn ich aufwache, habe ich Zweifel und Unsicherheiten." Jeder Tag ist eine Anstrengung, ihn weiter wachsen zu lassen, denn Glaube ist Liebe; So wie Ehe, Freundschaft, brüderliche oder schwesterliche Liebe nicht statisch bleiben und uns immer Halt geben.

Was ich damit meine ist, dass Unwissenheit in der Wissenschaft die Aufregung bei der Ausübung der Wissenschaft hervorruft, und jeder, der sich damit beschäftigt, weiß, dass Entdeckungen nur zu noch mehr Unwissenheit führen. Bruder Guy: Je mehr entdeckt wird, desto mehr wird uns klar, dass wir es immer noch nicht wissen.

Und stimmen Sie zu, dass der Glaube für Sie eine ähnliche Bedeutung hat?

Bruder Guy: Absolut richtig. Anne Lamott prägte einen treffenden Ausdruck, als sie davon sprach, dass Glaube das Gegenteil sei; Gewissheit ist ihr Gegensatz. Wenn Ihnen etwas sicher genug erscheint, wird der Glaube unnötig.

Der Glaube kann zum Vorschein kommen, wenn Zweifel bestehen, unabhängig davon, ob es sich dabei um wissenschaftliche Erkenntnisse handelt oder nicht. Erwähnte sie Glaube nicht auch als Verb statt als Substantiv?

Bruder Guy: Ja. Was George in Bezug auf Unwissenheit bespricht, ist eine alte Tradition, die auf Sokrates zurückgeht, der sagte: „Ich bin klüger als alle anderen, weil ich meine Unwissenheit kenne." Nikolaus von Kues, der im 14. Jahrhundert über außerirdische Wesen schrieb, schrieb über dieses Thema unter dem einen oder anderen Namen wie „Das Buch der Unwissenheit" oder einem ähnlichen Namen, wie die Übersetzung vermuten lässt.

Pater Coyne: Die Wissenschaft hat dieses Konzept immer demonstriert, aber in den letzten Jahrzehnten haben wir erkannt, wie expansiv das Universum wurde. Wir wunderten uns, dass seine Expansion an der Schwelle zwischen ewiger Ausdehnung oder Zusammenbruch zu stehen schien – genau an der Schwelle der Möglichkeiten. Im Kern ist das an sich schon erstaunlich. Aus allen möglichen Szenarien, die man sich zu Beginn vorstellen konnte – so schnelle Expansion, dass sich keine Galaxien oder Sterne bildeten; oder langsam genug, dass es fast in sich selbst zusammenbricht, sobald es zu expandieren beginnt – unser Universum befand sich genau an der Schwelle zwischen diesen extremen Möglichkeiten und hat uns erfreut und überrascht, bis wir dank genauer Beobachtungen entfernter Quasare wissen, dass es sich beschleunigt ausdehnt.

Seit Newton ist die Schwerkraft seit langem der Kern des menschlichen Verständnisses. Aber diese Idee stellt die Schwerkraft als Grundstein in Frage.

Aber ich glaube, was Sie hier andeuten, ist, dass Unwissenheit etwas sein kann, an dem man Freude haben kann.

Pater Coyne: Wissen erzeugt Unwissenheit.

Bruder Guy: Die Erkenntnis, dass wir nicht alle Antworten kennen. Wenn das der Fall wäre, würde unser Leben bedeutungslos werden; Das Leben würde tatsächlich bedeutungslos werden.

Als ich neun Jahre alt war, erinnere ich mich an einen Nachmittag, an dem der Regen mich daran hinderte, draußen zu spielen, und mich stattdessen aus irgendeinem Grund drinnen festhielt. An diesem regnerischen Sonntagnachmittag, als meine Mutter ein Kartenspiel zum Teilen herausbrachte und wir zusammen Rommé spielten, schlug mich meine Mutter aufgrund meines Alters oft beim Kartenspielen; aber das war nicht der Grund, warum wir gespielt haben! Stattdessen war es für sie eine Möglichkeit zu zeigen, dass sie mich liebte, ohne direkt zu sagen: „Sohn, ich liebe dich." Die Wissenschaft kann uns ein so intimes Wissen über die Schöpfung als einen weiteren Akt der Liebe Gottes selbst vermitteln; Dadurch erhalten wir ein intimes Wissen, das sowohl spielerisch als auch selbst ein Akt der Liebe ist!

Pater Coyne: Das ist eine faszinierende Idee – entweder das oder Gott spielt mit uns. Beides könnte richtig sein: Er hat ein attraktives Universum geschaffen. Wissenschaft zu betreiben ist für mich wie die Suche nach Gott; Die Wissenschaft liefert niemals endgültige Antworten, weil ihre Natur zu ihrem Geheimnis beiträgt. Wenn ich alles über alles um mich herum wüsste, würde ich einfach mit einem Gin Tonic unter einer Palme sitzen und zusehen, wie das Leben an mir vorüberzieht!

Bruder Guy: Das wäre ab und zu keine so schlechte Idee. Pater Coyne: Gelegentlich wurde es ziemlich eintönig.

Margaret Wertheim studierte Physik, bevor sie sich dem wissenschaftlichen Schreiben zuwandte, um den Reiz wissenschaftlicher Forschung in der Geschichte und Kultur der Menschheit zu vermitteln und ihre Relevanz für uns alle persönlich zu machen. Margaret wurde in Australien geboren und gründete mit ihrer eineiigen Zwillingsschwester und Künstlerschwester das Institute for Figuring in Los Angeles.

Hören Sie sich diesen Dialog zwischen Margaret Wertheim und Margaret Adacker an

Als Kind war ich zutiefst fasziniert von den natürlichen Erscheinungsformen mathematischer Konzepte in der Natur. Als ich mit 6 oder 7 Jahren auf einem Stück Gras lag und in die Sonne starrte, nachdem ich in der Schule gerade eine Lektion über Pi (einen untrennbaren Teil von Kreisen) erhalten hatte, drehten sich meine Gedanken um die Frage, ob diese Zahl wirklich existierte: Ist Pi echt oder einfach so? vorgestellt? Was bedeutet es, dass es eine rätselhafte Zahl im Kern unserer Sonne, Radkappen oder einem anderen kreisförmigen Objekt gibt, das Sie sehen? Und je mehr man sich mit Physik beschäftigt, desto bemerkenswerter werden die Beispiele dafür, dass Mathematik überall in der Natur vorkommt – wie soll man dieses Phänomen interpretieren? Was bedeutet es, dass es diese äußerst komplexen Gleichungen gibt, die Phänomene wie Laser beschreiben? Und kann uns das Verständnis dieser Gleichungen zu Technologien wie Mikrochips führen? Das ist die zentrale philosophische Frage, die ich im Leben besser verstehen möchte: Warum ist Mathematik Teil unseres täglichen Lebens?

Deshalb finde ich es faszinierend, dass die Wissenschaft erkennt, dass Licht sowohl als Teilchen als auch als Welle existieren kann, je nachdem, wie man danach fragt. Dies zeigt, was wir alle erleben: dass widersprüchliche Erklärungen für die Realität beide richtig sein können. „Die Dualität der Wellenteilchen ist der Kern unserer Welt bzw. ihrer mathematischen Darstellung." Aber es ist wichtig zu erkennen, dass das Universum ganz gleich bleibt und nicht in unzusammenhängende Fragmente zerfällt, egal wie mehrdeutig unsere Bilder sind. Tatsächlich treibt diese verlockende Ganzheit die Physiker voran, während ein ewig verlockendes Licht immer näher kommt; Und doch immer gerade außer Reichweite." Wow, das ist sehr schön. Können Sie diesem Gedanken noch etwas hinzufügen?

Ja. Über ein Jahrhundert lang verfügte die Physik über zwei Möglichkeiten, die Realität zu beschreiben – Wellen als kontinuierliche Phänomene und Teilchen als diskrete oder diskrete Ereignisse – beide nutzte sie für ihre Beschreibung. Die Quantenmechanik repräsentierte diese dichotome Sicht auf die Realität.
Die Allgemeine Relativitätstheorie beschreibt Teilchen diskret, während die Quantenmechanik wellenförmige kontinuierliche Eigenschaften beschreibt. Die Allgemeine Relativitätstheorie operiert auf kosmologischer Ebene, während die Quantenmechanik auf subatomarer Ebene hervorragend gedeiht, doch mathematisch gesehen passen diese Theorien nicht gut zusammen. In den letzten etwa 80 Jahren war eine der entscheidenden Fragen in der Physik: „Können wir einen einheitlichen Rahmen finden, der allgemeine Relativitätstheorie und Quantenmechanik in einer mathematischen Synthese vereint?" Einige glauben, dass die Stringtheorie diese Lösung liefern könnte. Zeitgenössische Physiker schreiben von unserer Welt, als ob

dies ein grundlegendes Problem wäre; aber in Wahrheit ist es nur eine Unannehmlichkeit für den Menschen; Alles andere verläuft wie erwartet in der Natur.

Richtig, ich glaube also nicht, dass das Universum schizophren ist – vielmehr sind wir Menschen schizophren. Und das bedeutet nicht, dass irgendetwas mit dem, was Physiker tun, nicht stimmt; Sowohl die Quantenmechanik als auch die allgemeine Relativitätstheorie haben sich in Experimenten als auf 20 Dezimalstellen genau erwiesen; das ist wirklich beeindruckend. Doch ihre Inkommensurabilität zeigt, dass es in unserer Welt noch viel zu entdecken gibt!

Sie haben erklärt, dass die Neurowissenschaft uns niemals eine allumfassende Theorie liefern wird, um uns selbst – Glück, Liebe und Schmerz – oder warum wir tun, was wir tun, zu erklären; Du denkst, es bleibt noch etwas übrig; Ich habe gehört, dass Sie in vielen Ihrer Aussagen erwähnen, dass Sie sich sowohl als Katholik als auch als Atheist betrachten.
Nein, ich betrachte mich nicht als Atheist; Aber sagen wir es mal so: Auch wenn ich vielleicht nicht im herkömmlichen Sinne an Gott glaube, ist mein Lieblingsbuch die Göttliche Komödie, und das bringt vielleicht etwas Licht ins Dunkel. Dante dringt in das Gefüge des Universums ein, um die Liebe in seinem Herzen zu finden; Auch ich glaube, dass es eine solche Essenz gibt, und bin dankbar für Dantes Vision ihrer Entdeckung. Man könnte also wohl sagen, dass ich an Gott glaube. Und das ist Teil dessen, was das Konzept „Sind Sie Atheist oder nicht?" ausmacht. schwierig. Meine Sorge ist, dass unser Verständnis der Göttlichkeit so trivialisiert und banal geworden ist, dass es fast unmöglich geworden ist, diese Frage ohne Rückgriff auf Dogmen zu beantworten. Darüber hinaus ist die wachsende Bedeutung des militanten Atheismus in der Gesellschaft traurig; Ich finde seine Zerstörungskraft nicht hilfreich und glaube nicht, dass es die Wissenschaft überhaupt voranbringt.

Und ich verstehe, was Sie andeuten wollen, wenn Sie sagen, dass die Sprache rund um Gott durch Verwendung oder Streit in Misskredit geraten kann. Auch wenn Sie also diese Terminologie verwenden oder nicht, habe ich den Eindruck, dass Sie aufgrund Ihrer Geschichtsforschung zu unserer menschlichen Wissenschaftsgeschichte nicht sprechen so sehr um einen „Ismus" der Religion, sondern eher um etwas „Darüber hinaus", das eine Art dritten Weg zwischen Menschlichkeit oder wissenschaftlichem Materialismus, der ein imaginäres Wesen diskreditiert, und der Realität selbst darstellen könnte.

Nun, ich denke, wir können die Gottesfrage in Bezug auf die Wissenschaft so verstehen, dass christliche Vorstellungen von Gott vor der Entstehung der modernen Wissenschaft zwei Funktionen erfüllten. Er war sowohl Schöpfer des Universums als auch Erlöser für die Menschheit. Mit dem Aufkommen der modernen Wissenschaft wurde seine Rolle als Erlöser jedoch beiseite gelegt und alle Fragen und öffentlichen Diskussionen konzentrierten sich auf seine Rolle als Schöpfer – das war der Grund, warum Darwin zu einem solchen Bilderstürmer wurde; seine Argumente schienen dieses Konzept von Gott als Schöpfer zu untergraben.

Heute dominiert im Westen die Debatte über Gott und seine schöpferische Funktion; Außerhalb theologischer Kreise scheinen wir nicht in der Lage zu sein, die Erlösung außerhalb religiöser Kreise effektiv zu diskutieren. Ich denke, wir müssen freier über die Erlösung sprechen. Man muss nicht an ein Konzept der Erbsünde glauben, um über Erlösung zu diskutieren; Jeder Einzelne macht Fehler, genau wie alle anderen auch – und macht gemeinsam gewaltige Fehler. Es bleibt die Frage: Wie können wir uns erlösen, um Wiedergutmachung zu leisten?

Reza Aslan bietet eine herausfordernde und doch erfrischende Perspektive auf Religionen auf der ganzen Welt – eine, die sowohl die Geschichte als auch die Menschheit berücksichtigt, die in den Nachrichten oft vernachlässigt wird. Aslan wurde in Teheran geboren, wuchs aber in der San Francisco Bay Area auf. Er studierte Religionen an der Cornell University und ist dafür bekannt, Bestseller über den Islam und Jesus zu schreiben und gleichzeitig unabhängige Medien und Informationen aus Ländern des Nahen Ostens zu kuratieren.

Hören Sie sich diesen Austausch zwischen Reza Aslan und Reza Arif an.

Zu diesem Zeitpunkt nahm ich seine Warnungen nicht ernst und dachte, dass es klug wäre, den Iran zu verlassen, bis sich die Lage etwas beruhigt hätte. Das war vor 30 Jahren – zur Ruhe kam es nicht!

Religion sollte als mehr als nur Glaube verstanden werden: Sie ist ihre Geschichte."

Nun, es lässt sich nicht leugnen, dass alle großen Religionen mit ähnlichen Problemen im Zusammenhang mit Politik und Gewalt konfrontiert sind, während sie gleichzeitig versuchen, mit einer sich ständig weiterentwickelnden modernen Welt zurechtzukommen. Unter den meisten gläubigen Menschen scheint die falsche Vorstellung zu herrschen, dass Propheten aus dem Nichts auftauchen und mit vorgegebenen Botschaften zur Übermittlung bereitstehen, wodurch in einem Augenblick völlig neue Religionen entstehen. Aber Propheten erfinden keine Religionen – sie dienen lediglich als Reformatoren derjenigen, in denen sie aufgewachsen sind. Jesus hat das Christentum nicht erfunden – er war selbst Jude und reformierte das Judentum, während Buddha, ein anderer Hindu, den Hinduismus reformierte.

Als Religionshistoriker müssen wir anerkennen, dass Propheten eng mit der Umgebung verbunden sind, aus der sie hervorgegangen sind. Bei der Erörterung der Ursprünge bestimmter Religionen halte ich es für wichtig, darauf hinzuweisen, wie nahtlos der Übergang von der Zeit vor Mohammed über das Prophetentum und darüber hinaus zur Zeit nach dem Propheten verläuft. Mohammed ist ein hervorragendes Beispiel.

Je mehr Erfahrung ich im Gespräch mit Muslimen gesammelt habe, desto mehr habe ich festgestellt, dass die Idee, dass der Islam einer Reformation bedarf, keinen guten Anklang findet. Christen können zum Beispiel nicht sagen: „Was der Islam und die Muslime wirklich brauchen, sind Reformen wie unsere."
Ich stelle jedoch fest, dass Sie diese Sprache verwenden und einen interessanten Vorschlag machen, dass eine Reformation innerhalb des Islam bereits seit fast 100 Jahren stattgefunden hat – dass sie bereits da ist und wir sie durchleben. Könnten Sie erklären, was diese Aussage beinhaltet und genau beschreiben?

„Reform" beschreibt einen Konflikt, der allen religiösen Traditionen innewohnt: Wer bestimmt, wie Glaube definiert werden soll: Ist es die Institution oder der Einzelne? Im Fall des Christentums war es letztendlich diese Trennung zwischen Institutionen und Individuen, die zu dem führte, was wir heute als protestantische Reformation versus katholische Unnachgiebigkeit bezeichnen, die zu ihrer Geburt führte – als ob die protestantische Reform auf magische Weise über die katholische Unnachgiebigkeit gesiegt hätte! Aber in Wirklichkeit funktionierten die Dinge nicht so.

Martin Luther war ein weiterer Mensch, der ein besserer Katholik werden wollte.

Rechts. Und einer, der gegenüber jedem Reformkollegen, der anderer Meinung war als er, absolut unversöhnlich war.

Ja gut, das auch.

Sobald wir es dem Einzelnen jedoch ermöglichen, Religion entsprechend seiner individuellen Wahrnehmung zu interpretieren, eröffnen wir einen endlosen Vorrat an Würmern. Wenn jede Interpretation gleichermaßen gültig wird und jede Interpretation gleichermaßen gültig wird, dann werden nicht nur gleichzeitig Stimmen erhoben, sondern die lautesten und heftigsten neigen dazu, mit der Zeit die Oberhand zu gewinnen. Der Islam hat seit dem Ende der Kolonialherrschaft eine lange Geschichte der Reformation von institutioneller Autorität in individuelle Hände durchgemacht – ein anhaltender Trend.
Die Autorität begann zu bröckeln, als wir Zeuge eines umfassenden Zugangs zu neuen und neuartigen Informationsquellen und eines dramatischen Anstiegs der

Alphabetisierung und Bildung im Nahen Osten und in Ländern mit muslimischer Mehrheit wurden. Darüber hinaus führte der Kolonialismus zu einem verstärkten Gefühl des Individualismus unter den afrikanischen Völkern. Wie so oft unter solchen Umständen entsteht eine individualistische Interpretation, die Frieden, Toleranz, Feminismus und Demokratie fördert. Individualistische Interpretationen fördern Gewalt, Frauenfeindlichkeit, Hass und Terror. Dem Islam, der weltweit über 1,6 Milliarden Anhänger hat und der am zweithäufigsten praktizierte Glaube der Welt ist, fehlt ein maßgeblicher religiöser Führer, der definieren könnte, wer oder was einen wahren Gläubigen ausmacht; Eine solche Einheit existiert nicht, da es kein zentrales muslimisches religiöses Gremium wie einen Papst oder einen Vatikan gibt, der darüber entscheidet, wer als Muslim gelten sollte oder nicht und welches Verhalten islamischem Verhalten entspricht und welches nicht. Was Sie haben, ist einfach ein hässlicher Geschreikampf zwischen unterschiedlichen Interpretationen, wobei Gewalt eine indirekte Folge der Reform ist und nicht der Beweis dafür, dass sie stattfinden muss. An diesem unglaublichen Wendepunkt in den Weltreligionen erleben wir, wie sich vor uns etwas wahrhaft Umwälzendes abspielt. Aber wir sollten bedenken, dass der Fundamentalismus ein reaktionäres Phänomen und keine eigenständige Kraft ist. Wenn ich den Aufschwung des Fundamentalismus sehe, weiß ich, dass das einfach auf die Fortschritte in der Gesellschaft zurückzuführen ist; Daher entscheide ich mich, mich auf sein Wachstum zu konzentrieren, anstatt dagegen zu reagieren.

Sylvia Boorstein war eine der jungen jüdischen Gottsuchenden aus den 1960er und 1970er Jahren, die dazu beitrug, die buddhistische Philosophie in die westliche Mainstream-Kultur zu integrieren, und sie ist bis heute eine einflussreiche und vielseitige spirituelle Persönlichkeit.
Im Laufe der Zeit hat sie jüdische Lehren und Rituale geschickt und erfolgreich mit buddhistischen Überzeugungen und Praktiken integriert, um eine ansprechende Synergie zu schaffen, die beide Gruppen bereichert.

Hören Sie diesem Austausch zwischen Sylvia Boorstein und ihrer Autorin zu.

Was meine Erziehung betrifft, waren beide Eltern berufstätig und ich war ein Einzelkind. Meine Eltern gingen zur Arbeit, also übernahm meine Großmutter einen Großteil der mütterlichen Pflichten, indem sie mich nach meinem Geschmack badete, wusch und anzog, mir die Haare flocht und Essen zubereitete, das meinen Gaumen erfreute. Sie reagierte nicht, wenn Kinder wiederholt ihre Unzufriedenheit zum Ausdruck brachten: Ich würde sagen: „Aber ich bin nicht glücklich." Meine Großmutter fragte oft: Wo steht geschrieben, dass wir alle danach streben müssen, jederzeit fröhlich zu bleiben? Sie benutzte in diesem Zusammenhang nie die talmudische Sprache; Vielmehr ist es einfach ethnisch. „Wo steht geschrieben, dass das Glück immer vorherrschen sollte?" In diesem Moment begann meine spirituelle

Praxis von neuem: zu akzeptieren, dass das Leben eine Herausforderung sein kann, und Wege zu finden, es mit Intelligenz zu meistern, ohne die Dinge noch weiter zu komplizieren. Nachdem 40 Jahre vergangen waren, entdeckte ich, dass der Buddhismus diese Einstellung teilte; Auch sie erkannten, dass das Leben zweifellos eine Herausforderung ist, aber wie können wir uns darin zurechtfinden, ohne mehr Belastung als nötig hinzuzufügen?

So sehr wir möchten, dass sie in einer oft furchteinflößenden Welt hart bleiben, so sehr möchten wir auch, dass sie widerstandsfähig bleiben.

Ich kann nicht genau sagen, wann es passiert ist, aber es ist definitiv passiert, denn das ist etwas, was die Leute in Retreat-Zentren oft sagen: Hier fühlt sich jeder sicher und ruhig und wenn ich nach draußen gehe, wäre ich zu verletzlich. Denn es gibt mir die Gelegenheit zu sagen: Ehrlich gesagt glaube ich nicht, dass wir zu verletzlich werden können. Ich warte auf den Tag, an dem sich die ganze Welt plötzlich so unsicher fühlt, dass wir uns alle umschauen und sagen: Anhalten, teilen und dafür sorgen, dass es überall genug Essen gibt. Krista, wir können unsere Wege, Hoffnungen und Träume teilen, aber einander zu töten reicht nicht aus. Darüber hinaus darf die Zerstörung unserer Umwelt nicht so geschehen, wie sie jetzt geschieht – das wäre mein Rat an jemanden, der einen Rückzugsort verlässt.

Als Eltern erkläre ich gerne, dass Kinder, wenn sie erwachsen werden, unweigerlich mit der Welt interagieren müssen. Wir als Eltern haben nur begrenzte Kontrolle darüber, wie viel Zeit ihr Kind fernsieht oder wie oft es seinen Schmerzen ausgesetzt ist; Wenn das Leben unerträglich erscheint, finde ich Trost darin, Menschen zu bestaunen. ihre Widerstandsfähigkeit; wie Menschen sich um diejenigen kümmern, die sie nicht einmal kennen, wenn jemand an öffentlichen Orten stürzt oder in Schwierigkeiten gerät; Der Mensch verfügt über diese unglaubliche Fähigkeit und benötigt dafür keinen Unterricht; Wir neigen dazu, eine entgegenkommende Spezies zu sein!

Wenn ich auf die Menschen schaue, wird mir klar, dass das Leben wirklich erstaunlich ist – die Sonne ist heute Morgen genau dort aufgegangen, wo sie sein sollte – ist wirklich wunderbar. Feiern Sie Jahreszeiten, Geburtstage und Feiertage, um besondere Ereignisse wie Jubiläen zu würdigen. Und das alles, während wir den riesigen Kosmos da draußen zur Kenntnis nahmen, auf den auch unsere Vorfahren blickten! Ich halte dieses Gefühl des Staunens in mir lebendig, um lebenslang zu wachsen und zu lernen. Manchmal kann es erstaunlich sein. Meine Enkelkinder äußern sich oft erstaunt darüber, dass ich ihnen etwas so Gewöhnliches wie den Mond zeige: wenn drei Tage Mondsaison sind, meinen Lieblingsmond. Wenn man es ihnen zeigt, kann das nur dazu führen, dass sie denken, es sei auch ihr liebster Drei-Tage-Mond! Dies sind wichtige Gleichgewichte: So wie Buddha lehrte, das Leid in unserer Welt zu sehen, damit wir mit Freundlichkeit reagieren können, erinnerte er uns auch daran, das Leben zu schätzen und mit großer Wichtigkeit zu schützen.

Dies hat mich dazu veranlasst, darüber nachzudenken, wie wichtig es ist, dass wir uns darüber im Klaren sind, was unsere Kinder uns beibringen und ihnen vermitteln können, da einige Dinge, die sie bereits verstehen, besser vermittelt werden, als wir es jemals könnten. Meine Tochter kommentierte kürzlich, nachdem sie etwas in den Nachrichten gesehen hatte, gegen das sie sich entschieden hatte: „So viele schöne Leben auf der Welt und das ist alles, worauf sie sich konzentrieren!"

Sie machen keine Schlagzeilen. Wissen Sie, es wäre wunderbar – obwohl ich nicht weiß, ob es finanziell tragbar wäre – wenn es einen Nachrichtensender gäbe, der sich den positiven Ereignissen um uns herum widmet.

Als Journalist finde ich es schwierig, gute Nachrichten ansprechend zu gestalten. Noch ein Gedanke, über den ich oft nachdenke. Vielleicht sollten gute Nachrichten wie Freundlichkeit betrachtet werden: Ihre Wirkung kann tiefgreifend sein, aber nur, wenn wir uns darin üben, auf diese Momente der Transformation zu achten. Schöne Leben entstehen in diesen kleinen, aber entscheidenden Momenten, wenn wir nur hinschauen.

Zwei wichtige Erkenntnisse wurden angesprochen. Erstens: Wenn wir anderen wirklich Aufmerksamkeit schenken – was Achtsamkeit umfasst –, verbinden wir uns wirklich. Oftmals sind wir aufgrund von Eile oder aus anderen Gründen nicht einmal für unsere eigenen Kinder vollständig da; Es ist etwas ganz Besonderes, volle Aufmerksamkeit zu schenken.

Meine Erfahrung hat mich gelehrt, dass Kinder absorbieren, was ihre Eltern leben. Ein Beispiel ist Jim Finley, ein Anwalt.
„Ich habe das Beten gelernt, als ich neben meiner Mutter in der Kirche saß", sagt die christliche kontemplative Psychotherapeutin JoAnn Reisner. Sie erklärte: „Was mich an seinem Nachunterricht am meisten interessierte, war nicht, die Worte zu lernen, sondern zu erfahren, welche Gefühle sie ausdrückte, als sie dort saß."

Spiritualität besteht nicht nur aus stillem Sitzen und Meditieren; Spiritualität bedeutet, liebevoll Handtücher zu falten und den Familienmitgliedern auch nach einem anstrengenden Tag Freundlichkeit zu zeigen. Sagen Sie ihnen vielleicht so etwas wie: „Hören Sie, ich weiß, dass Sie mich heute Abend alle zum Abendessen brauchen, aber wenn das helfen würde, würden Sie das lieber ruhig zusammenlegen" oder was auch immer in diesem Moment angemessen ist. Die Leute sagen mir oft, dass sie in ihrem

Alltag keine Zeit für irgendetwas Spirituelles haben – aber kluge oder spirituelle Eltern zu sein, erfordert keine zusätzliche Zeit – das ergibt sich von selbst durch Erziehungsmaßnahmen wie diese!

Hören Sie sich einen Austausch zwischen Shane Claiborne und Shane Caiborne an

Betrachten Sie sich als Teil einer revolutionären Bewegung in irgendeiner Hinsicht? Vielleicht wurde dieses Wort bereits in Ihrer Diskussion erwähnt.

Mein Zögern ist deutlich zu hören.

Ja.
Ich achte darauf, mich nicht an eine bestimmte Bewegung oder Revolution zu binden, und das Leben Jesu lehrt mich, dass Revolution nichts Großes sein muss; Wir können es schrittweise ausleben, indem wir in kleinen Gemeinschaften arbeiten.
Dietrich Bonhoeffer war für uns ein unschätzbarer Lehrer in Fragen der Gemeinschaft.

Deutscher Theologe, der in einem Nazi-Gefängnis starb.

Dietrich Bonhoeffer behauptet: „Wer seine Vision von Gemeinschaft liebt, wird sie zerstören; aber wer sich tief um die Menschen um ihn herum kümmert, wird sie überall erschaffen." Was uns zusammenhält, ist, uns nicht auf irgendeine Bewegung oder Revolution einzulassen, sondern unser Leben gleichzeitig radikal und einfach zu leben. Ich glaube, dass unsere heutige Welt einen aufregenden Wandel im Denken durchlebt. Vor allem junge Kirchgänger machen viel Hoffnung.

Erzählen Sie mir mehr über einige der Menschen in Ihrer Gemeinde, die Ihrer Meinung nach die gegenwärtige Realität prägen oder zu dieser neuen Vision beitragen, die Sie sich vorstellen.

Es gibt so viele Gemeinschaften, die mir Hoffnung geben. Kürzlich traf ich eine Vorstadtfamilie, die mir sagte: „Wir erforschen, was es bedeutet, unseren Nächsten wie uns selbst zu lieben." Für uns bedeutet das, dass wir für jedes leibliche Kind, das wir aufs College schicken, einen Stipendienfonds einrichten und dafür sorgen, dass wir ein Stipendium erhalten gefährdete Jugendliche können das College besuchen – wenn wir ihre Familien kennenlernen und mit ihnen interagieren und so den Traum wahr werden lassen! „Wissen Sie, wir versuchen herauszufinden, wie wir Kalkutta in unserer Nähe finden können, so wie Mutter Teresa es vorgeschlagen hat: Kalkuttas." sind überall, wenn wir nur Augen hätten, um zu sehen." Sie gingen noch weiter und erzählten mir: „Wir sahen uns um, bis wir auf dieses Altersheim stießen und

hineingingen; diese Kinder sind adrette Teenager-Cheerleader; Also erzählten sie mir: „Wir sind da reingegangen und haben nach allen Frauen gefragt, die keinen Besuch haben, oder nach Familienangehörigen, die Besuch brauchen; dann haben wir alle diese Frauen einzeln besucht, damit wir sie alle zusammen besuchen und ihnen alle Geschenke mitbringen konnten." Freude daran, ihre persönlichen Freunde zu besuchen. Also erzählten sie mir: „Wir gingen dorthin und befragten alle Frauen ohne Besuch oder Familie, dann besuchten wir alle diese Frauen einzeln und brachten ihnen auf dem Weg Freude und Hoffnung."
Während wir ihre Nägel und Zehennägel lackieren, nehmen wir uns Zeit, ihren Geschichten zuzuhören.

Die Menschen beginnen heute, das Leben außerhalb der Kernfamilie zu erkunden und stellen fest, dass dies ihre Perspektive erweitert und sie persönlich bereichert. Ein Ehepaar, bei dem ich wohnte, erzählte mir, dass sie aufgrund der Einnahme von Antibabypillen keine Kinder bekommen könnten. „Als sie durch unsere Nachbarschaft gingen, trafen sie auf eine schwangere, obdachlose Frau. Nachdem sie vorübergehend Unterstützung für ihre Schwangerschaft geleistet und bei Bedarf eine Unterkunft bereitgestellt hatten, brachten sie sie zurück zu ihrem Haus, wo sie sagten: „Lass uns das im Laufe der Zeit herausfinden" – was sich änderte." in etwas viel Größeres; bald hatte sie ein Kind zur Welt gebracht und lebte mit ihnen zusammen! Erstaunlicherweise lebten sie weiterhin zusammen und zogen das Kind gemeinsam auf. Kürzlich besuchte ich sie erneut, und jetzt, nach über 10 Jahren, leben sie immer noch als Ehemann zusammen und Ehefrau; die ehemals obdachlose Frau arbeitet jetzt als Krankenschwester; ihr Kind ist fast zur Heranwachsenden herangewachsen; noch erstaunlicher ist, dass eines der ehemaligen Ehepaare jetzt an Multipler Sklerose erkrankt ist und im Sterben liegt, während es von einer Krankenschwester in ihrem eigenen Zuhause gepflegt wird! Diese Art von Sentimentalität kann nur aus echten Verbindungen wie diesem Paar untereinander entstehen, die wirklich Freude bereiten – diese Ausdrücke kommen auf der ganzen Linie vor!

Wie würden Sie reagieren, wenn jemand sagen würde, dass diese Geschichten über gute Dinge, die in diesen Gemeinschaften passieren, zwar schön sind, aber anekdotischer Natur sind und nur Einzelpersonen oder kleine Gruppen betreffen – Sie werden keinen großen Unterschied für die Gesellschaft als Ganzes machen?

Nun, die Geschichte zeigt uns etwas anderes: So hat es immer funktioniert. Gruppen von Menschen kommen zusammen und beginnen, neue Fantasien und Ideen auszutauschen, die sich wie ein Lauffeuer verbreiten.

Südstaatler sagen gerne, dass man jemandem „wie aus dem Gesicht geschnitten" ist. Mein Großvater bezeichnete mich oft als sein „Ebenbild", was eine Abkürzung für „der Geist und das Bild" ist.
Nicht nur körperlich, sondern auch charakterlich.

Ich denke, was wir heute im Hinblick auf das Christentum am meisten hoffen, ist, Christen zu sehen, die immer mehr dem Bild von Jesus ähneln, ihm ähnlicher aussehen und sich ähnlicher verhalten, ohne sich von denen ablenken zu lassen, die seinen Namen beanspruchen, sich aber an verschiedenen anderen Aktivitäten beteiligen. Es gibt Leute, die wichtige Fragen stellen, nicht nur darüber, was sie vorhaben, wenn sie erwachsen sind, sondern auch darüber, wer sie werden werden – etwas, das meiner Meinung nach weitaus wichtiger ist.

Christian Wiman ist ein Dichter und Essayist, der zu seinem eigenen Erstaunen eine Stimme für den Glaubenshunger und seine Herausforderungen im heutigen Amerika gefunden hat. Seine Erziehung in Texas war sowohl von Gewalt als auch von charismatischem Christentum geprägt; Nachdem er sein Zuhause verlassen hatte, wurde er jedoch erst später aktiv religiös, als er seine Geliebte heiratete und bei ihm unheilbarer Krebs diagnostiziert wurde – drei entscheidende Wendepunkte, die für ihn den Kreis zum Christentum schlossen.

Hören Sie zu, wie Christian Wiman diesen Dialog zwischen ihm und Christian Wiman bespricht.

Christian, ich habe zahlreiche Geschichten darüber gehört und gelesen, wie Kindern Religion und Spiritualität vermittelt werden, aber Ihre Geschichte kommt mir besonders bekannt vor: Sie waren in eine religiöse Gemeinschaft vertieft, die alles bedeutete?

Je weiter ich mich entfernte, desto mehr verloren die religiösen Aspekte als Teil des Gesamtpakets an Bedeutung.

Ja. Ja, das war es für mich. Zunächst war mir nicht bewusst, welche tiefgreifenden Auswirkungen das haben würde, weil ich, wie so viele, einfach ganz aufgehört habe zu glauben und Atheist oder wie auch immer man es nennen möchte, geworden bin. Jetzt, da ich selbst Kinder habe, frage ich mich, wie ich meinen Nachwuchs am besten in spirituellen Angelegenheiten erziehen kann. da ihre Erziehung vollständig in diese Kultur eingebettet war.

Gehen Sie zweimal wöchentlich am Sonntag- und Mittwochabend in die Kirche?

Ja, das war auch Teil unserer Lebensaufgabe: Bibelverse auswendig zu lernen und zum späteren Nachschlagen aufzubewahren.

Das Singen von Kirchenliedern war schon immer Teil meiner Kultur.

Meine Welt wurde nicht durchbohrt; es gab nie Zweifel. Sogar bis zum College glaubte niemand, den ich kannte, nicht, ganz zu schweigen von den Zweiflern selbst. Und obwohl diese Welt meinem Leben Kohärenz, Intensität und Dynamik verliehen hat, stellte ich fest, dass sie auch Probleme verursachte; Viele Amerikaner sind einfach unzufrieden mit einem Aspekt ihres religiösen Glaubens, den sie bereits besitzen – vielleicht stimmt etwas nicht mit ihrem Verständnis von Heiligkeit oder Spiritualität überein, aber man kann nicht einfach alles, was existiert, zugunsten einer neuen Art des Glaubens abtun –
Kürzlich habe ich mit einem Stringtheoretiker gesprochen, der mit einer innovativen Form der mathematischen Sprache arbeitet und Poesie und Prosa als Analogien verwendet, um Wahrheiten zu vermitteln, die nicht mit Fakten allein vermittelt werden können; Ebenso kann es physikalische Realitäten geben, die eine Gleichung allein nicht vermitteln kann, die aber mit mehr visueller Mathematik gelöst werden könnten.

Meine Güte, das ist faszinierend! Die Physik scheint für viele Dichter eine große Faszination auszuüben; Moderne Dichter finden die Physik besonders interessant, da dort eine Art Realität entsteht, auf die wir über herkömmliche Kanäle keinen direkten Zugang haben. Mystiker wie Meister Eckhart und zeitgenössischere Mystiker wie Simone Weil sind für mich genau aus diesem Grund Mystiker; Ihr Gebrauch der Apophasis – bei der sie etwas ausdrücken, während die Bedeutung vage oder unklar bleibt – findet großen Anklang. Meister Eckhart sagte einmal: „Wir beten zu Gott, damit er frei werde." „Er hatte nicht die Absicht, die Religion als solche aufzugeben; der Gedanke wäre ihm nicht in den Sinn gekommen; vielmehr wollte er die Vorstellung aufgeben, dass Gott als etwas existierte, das von unserem Bewusstsein getrennt ist." Poesie kann uns in Räume führen, in denen die Realität ein wenig ins Wanken gerät, wie Gleichungen in der Physik, so dass sich unsere Wahrnehmung im Vergleich zu früher plötzlich radikal verändert. Und das muss auch nicht luftige Mystik bedeuten – ich glaube, dass es hier Parallelen zur Physik und zu den Naturwissenschaften gibt, die es der Poesie ermöglichen, diese Rolle einzunehmen.

Glaube ist nicht einfach ein Geisteszustand, sondern ein aktives Streben nach Veränderung und Fortschritt in der Gesellschaft.

„Ich habe es so definiert: Glaube hat greifbare Objekte, Glaube nicht. Glaube kann definiert werden, wie Sie wollen – als Lebensorientierung oder Energie Ihres Lebens oder was auch immer es sonst für Sie bedeutet – aber Objektlosigkeit sollte immer so sein als ein Attribut des Glaubens betrachtet."

Rechts. Und das hat mir geholfen, diese Begriffe besser zu verstehen und mir selbst zu erklären, warum ich eine Struktur in meinem Leben brauche; warum ich in die Kirche gehe, warum ich speziell religiöse Elemente benötige usw. Ich finde Trost darin, Bücher zu lesen, zu beten, zu meditieren und nachzudenken – aber wenn diese Bemühungen nicht irgendwann nach außen führen, können sie zur Verzweiflung führen; Ein Weg, wie wir erkennen, dass unsere spirituellen Tendenzen gültig sind, besteht darin, dass sie uns über uns selbst hinausführen.

Da es jedem schwerfällt, sein spirituelles Leben alleine zu wählen, glaube ich, dass die Situation äußerst gefährlich geworden ist. Es entsteht eine neue Sprache, die viele verwirrt. Während die traditionelle religiöse Sprache sicherlich eine wesentliche Rolle spielen wird, wird sich etwas völlig Neues herausbilden, das unterschiedliche Religionen und Praktiken insgesamt umfasst.

Dietrich Bonhoeffer saß kurz vor seinem Tod im Gefängnis, sah sich mit der harten Realität konfrontiert, dass alle Aspekte der Religion vom Bösen vereinnahmt worden waren, und sprach darüber, wie ein „religionsloses Christentum" aussehen könnte; Dabei wird anerkannt, dass einige Ausdrücke oder Ideen zwar mit der Zeit an Relevanz verlieren, die Kernwahrheiten jedoch bestehen bleiben und neue Formen entstehen würden, um diese Wahrheiten auszudrücken. Ich denke immer wieder an seine Erfahrung zurück.

Bonhoeffer hat mich schon immer fasziniert, aber eines, das er in einem Brief erwähnte, ist mir besonders aufgefallen: seine Anziehungskraft auf den Atheismus; Er versuchte zu verstehen, dass er sich unter ihnen wohler fühlte als unter den Gläubigen. Bonhoeffer bleibt eine inspirierende Persönlichkeit, nicht nur weil er nach Hause zurückkehrte, als es andere Optionen wie Amerika gab, oder weil er sogar bis zum Rentenalter dort blieb; vielmehr ist er trotz dieser persönlichen Offenbarung ein wahres Vorbild.
Er kehrte in die Vereinigten Staaten zurück und hatte das Gefühl, dass er sich ohne seine Beteiligung an der Zerstörung Deutschlands nicht glaubwürdig an dessen Wiederaufbau beteiligen könnte. Darüber hinaus fühlte er sich von Gott berufen – nicht wie viele andere, sondern wie wir, die warten, bis sich etwas richtig anfühlt; Gott sagte ihm, er solle nicht warten, sondern seiner Intuition folgen; irgendwann würde der Glaube kommen; Deshalb verlor er dafür sein Leben. An einer Stelle sagte er etwas in der Art: „Wir stehen mit Gott vor und nach außen." Seine Worte wirken wunderbar suggestiv.

Als Kultur streben wir meiner Meinung nach nach einem Gleichgewicht zwischen Sparmaßnahmen und Klarheit, das wir als Individuen meiner Meinung nach anstreben, auch wenn es aus allen erdenklichen Richtungen (diese ganze politische Rhetorik) so viel Widerstand dagegen gegeben hat. In der Gesellschaft besteht immer noch der Wunsch nach etwas weniger Frivolem, das zu schnell außer Kontrolle gerät; etwas, das nicht so vage oder albern ist, dass es uns nicht direkt zum Lachen bringt; aber auch etwas, das so zugänglich ist, dass es diejenigen Teile von uns einbezieht, die seine Absichten nicht so leicht verstehen.

Der Zweifel ist untrennbar mit meiner Vorstellung vom Glauben verbunden und kann nicht getrennt werden. Ich bin davon überzeugt, dass derselbe Gott, der mich in einem Moment dazu aufruft, über Gott zu singen, mich in einem anderen Moment auch zur Gottlosigkeit führt. Wenn man bedenkt, wie viel Energie in diesen Diskussionen zusammenkommt und wie viele Menschen nach Möglichkeiten suchen, ihre Glaubenssysteme zu definieren und zu teilen, scheint es manchmal möglich, dass einige vom Glauben abgebracht werden, damit er neue Formen annehmen kann.

Der Mensch besteht aus Fleisch und Knochen. Für manche Menschen ist diese Realität jedoch kein Trost, sondern sie müssen sich ihnen direkt stellen, um im Alltag zu überleben.

Mystiker und Mönche beten für diejenigen, die dazu nicht in der Lage sind. In einer Zeit voller unglaublicher offener Fragen wird Hoffnung zum Wohle der gesamten Menschheit zu einem Gebot für diejenigen von uns, die sie halten können. Hoffnung unterscheidet sich deutlich von Optimismus oder Idealismus; Anstatt in Wunschdenken zu leben, bezieht es sich auf Schritt und Tritt auf die Realität und verehrt die Wahrheit, während es mit offenen Augen mit der Dunkelheit als Teil des täglichen Lebens lebt, das manchmal überwältigend erscheint. Hoffnung kann zu einem spirituellen Muskelgedächtnis werden, wenn Entscheidungen getroffen werden, die zu einer Praxis werden, die einem hilft, sich in der Realität zurechtzufinden, anstatt zu erwarten, dass die Dinge so laufen, wie wir es wollen.
Die L'Arche-Bewegung feierte im vergangenen August ihr fünfzigjähriges Jubiläum – 50 Jahre, seit Jean Vanier Raphael und Phillippe aus einer Anstalt in Paris zu sich eingeladen hat, bei ihnen zu leben! Es war wirklich eine Ehre und Freude, Mitglieder aus Gemeinschaften in den gesamten USA mit Behinderungen, Kernmitgliedern und nichtbehinderten Assistenten zusammenzubringen, die alle die Schönheit tragen, die Zugehörigkeit mit sich bringt.
Zuerst brauchten meine Augen einige Zeit, um sich daran zu gewöhnen; Diese neue Landschaft ist beunruhigend und verunsichert mich ungemein; solch ein ungewöhnlicher Querschnitt der Menschheit. Zwei Personen führten den Angriff an. An der Liturgie nahmen verschiedene Teilnehmer teil, darunter ein stämmiger, 1,80 Meter großer Assistent in den Zwanzigern und ein Kernmitglied, das mehrere Fuß kleiner war und eine andere Hautfarbe hatte, beide strahlten vor Glück. Als wir es endlich zu unserer geplanten Pause schafften, war der Kuchen bereits bereitgestellt, sodass alle direkt nach unten gingen, um gemeinsam zu feiern!

Tim Stone aus Chicago antwortete schnell, dass L'Arche nicht nur eine Lösung, sondern vielmehr ein Zeichen sei, was ich zu schätzen wusste und für richtig hielt. „Hoffnung", war seine Antwort. Tim ist einer der Kernmitglieder von L'Arche, der behindert ist – diese Beschreibung könnte jedoch als eingeschränkt angesehen werden; Tim liebt seine Freunde und Familie sehr, kocht leidenschaftlich gerne und ist dafür bekannt, abstrakte Kunst zu schaffen. Sie strahlen emotionale Intelligenz aus und teilen gleichzeitig große Mengen an Wissen. Wie Tim selbst ist L'Arche eine bescheidene Quelle der Hoffnung – ganz so wie Tim, den L'Arche-Mitglieder wie Tim repräsentieren.

Neues Wissen über unsere Welt entfaltet sich oft im Stillen: von Projekten und Menschen, mit denen man nicht gerechnet hat, bis hin zu Zusammenhängen zwischen Punkten in Raum und Zeit, die auf den ersten Blick unwichtig erscheinen. In meinen täglichen Gesprächen geht es um „Zeichen, nicht um Lösungen", ein unendlich fesselnder Satz, der mit seinen wechselnden Formen und lebendigen Farbtönen mein Leben durchdringt und darauf besteht, dass ich ihn ernst nehme. Diese Zeichen entsprechen nicht den apokalyptischen Zeichen und Wundern der Religion aus meiner Kindheit, die ich ernst nahm, die aber immer unerreichbar waren. Bürgerrechtler waren oft auf der Suche nach Visionen und nicht nach der harten Arbeit, die nötig war, um das Leben einzelner Menschen zu retten. Vincent Harding erzählte mir von einer Begegnung mit jungen afroamerikanischen Männern und Frauen aus einer Innenstadt, die ihm sagten, sie wünschten sich „lebende menschliche Wegweiser", die ihnen helfen könnten, sich neue Möglichkeiten für sich selbst vorzustellen und daran zu glauben.

Hören Sie sich einen Austausch zwischen Vincent Harding und dem Autor an.

Einer der größten Mängel in unserem Bildungsprozess, insbesondere bei so genannten marginalisierten jungen Menschen, besteht darin, sie dazu zu erziehen, schnell aus der Dunkelheit ins Licht zu entkommen.
Was stattdessen benötigt wird, sind mehr Menschen, die bereit sind, in dieser Dunkelheit zu stehen, die nicht vor zutiefst verletzten Gemeinschaften fliehen, sondern Möglichkeiten eröffnen können, die nur Menschen sehen können, die sich darum kümmern.

Es war einmal, dass Karten, die die Ränder und Grenzen der bekannten Welt zeigten, Machtinstrumente waren, die nur von wenigen genutzt und in der Hand gehalten wurden. Jetzt leben wir in einer voneinander abhängigen Welt, die eher von Geschichten als von Eroberungen geprägt ist. eine, in der Verbindungen unsere Existenz als Punkte auf einer Karte erschaffen; Unsere Vorstellungskraft hat diese neuen, vom Menschen geschaffenen Grenzen noch nicht eingeholt, so dass wir alle gewissermaßen von traditionellen Schiedsrichtern über Wichtigkeit gefangen sind – oder den Status „unter dem Radar" haben; Bedauerlicherweise fällt mittlerweile fast alles und jeder, der unseren Planeten verändert, unter dieses „Unterradar". Das Radar ist kaputt.

Haben wir schon immer unter solchen Bedingungen gelebt? Joan Chittister erinnert mich daran, dass das Rom-Äquivalent der New York Times aus dem sechsten Jahrhundert keine Schlagzeilen enthielt, in denen es hieß: „BENEDIKT SCHREIBT DIE REGEL!" Benedikt von Nursia hatte einen stillen Plan: einen zugänglichen Lebensrhythmus zu schaffen, der sowohl Eremiten als auch Menschen von außen aufnehmen konnte, und die konkurrierenden religiösen Autoritäten dieser Zeit durch eine einheitliche Autorität zu ersetzen. Benedikts Mission verlief zunächst nicht reibungslos. Eine frühe Gemeinschaft, die ihn als ihren Anführer erkannte, versuchte, ihn zu vergiften; Er gründete zu seinen Lebzeiten zwölf Klöster mit jeweils nur zwölf Männern. Doch Benedict setzte etwas in Gang, das im Laufe der Zeit wiederkehrte und große Früchte erntete: Ohne es selbst oder irgendjemand um ihn herum zu bemerken, schuf Benedict etwas, das die westliche Zivilisation über Jahrtausende später am Leben hielt.

In dieser Geschichte steckt Mut. Trotz meiner größten Bemühungen als Journalist, mich auf das zu konzentrieren, was nützlich und nährend ist, sehe ich wahrscheinlich nicht alle erfinderischen Menschen da draußen, die die Welt in 100 oder 1000 Jahren retten könnten.

Dennoch bin ich erstaunt über all das Gute, das ich um mich herum sehe, und ich hoffe, dass ich auf diesen Seiten einiges davon weitergegeben habe – selbst nur ein oder zwei Bruchstücke davon haben mein Leben so sehr berührt, dass meine Arme und mein Herz voller Dankbarkeit sind.

Der Geist platzt vor Wissen darüber, was uns heilt, während ich schreibe, auch wenn wir es nicht bemerken oder danach fragen. Und mit Heilung meine ich die Schaffung von Möglichkeiten für ein vertieftes gemeinsames Leben: weiser und ganzheitlicher zu werden, statt nur älter oder klüger zu werden.

Meine Reise seit meiner Kindheit in Oklahoma hat mich so weit geführt, dass manche mir vielleicht vorwerfen, ich würde die Tugend der Hoffnung zu sehr übertreiben. Dennoch neigt mein Geist jetzt stärker dazu als je zuvor; Ich habe die Vorstellung aufgegeben, dass eine intellektuell glaubwürdige Perspektive immer aus Skepsis entstehen muss: Der Intellekt arbeitet nicht gegen das Mysterium; Toleranz ersetzt nicht die Liebe; noch ist Zynismus eine adäquate Alternative – im Gegensatz zu vielen lohnenswerten Unternehmungen im Leben wird Zynismus nie durch Korruption oder Katastrophe auf die Probe gestellt; noch generativ; Vielmehr beurteilt es die Dinge einfach so, wie sie existieren, ohne zu versuchen, sie weiter zu verändern oder mehr als nötig zu versuchen.

An diesem Wendepunkt der Geschichte beobachte ich, dass Menschen jeden Alters ehrgeizig sind. Das ist etwas anderes als Ehrgeiz; Ehrgeiz bedeutet vielmehr, dass wir uns dazu hingezogen fühlen, unser Bestes zu geben und herauszufinden, wie das aussehen könnte. Wir stellen fest, dass wir einander brauchen, um dies erfolgreich zu tun. Ich finde Inspiration darin, zu hören, was junge Menschen darüber sagen, wie und wer sie werden wollen, anstatt mich nur auf einen Aspekt dessen zu konzentrieren, wer oder was sie werden wollen. Sylvia Boorstein erinnert uns daran, dass unsere Kinder nicht immer darauf achten, was wir sagen, uns aber immer beobachten. Einige, wie Shane Claiborne, verwenden Wörter wie „einsam" und

„unhaltbar", um die Kultur des Erwachsenseins zu beschreiben, die ihnen als Kinder vorgelebt wurde.

Ich mache mir zu spät Gedanken darüber, ob meine Überlegungen und mein Schreiben ernst genug sind. Schließlich gibt es etwas erfrischend Verspieltes in mir, ebenso wie in dieser Welt, in der Weisheit schnell wächst – Hoffnung hat nicht immer eine schwere Bedeutung! Weisheit muss nicht allzweckorientiert sein, damit sie als Fortschritt gilt, was Romanautoren als einige unserer besten Verhaltenspsychologen, Neurowissenschaftler und Kosmologen untergraben würde. Wir sind dem Kaminfeuer nicht mehr entwachsen, wo wir spannende und gruselige Geschichten erzählten, die uns dabei halfen, uns leichter auf die wahren Wunder und Schrecken des Lebens vorzubereiten. Heute finden unsere Firesides auf großen und kleinen Bildschirmen sowie traditionelles Storytelling und Poetry Slams statt; Ich lese Belletristik als Teil meiner Freizeitlesegewohnheit.

Den Großteil meiner Freizeit beschäftige ich mit philosophischen Traktaten, während ich zu viel fernsehe, was kaum objektiv positive Auswirkungen auf mich hat. Während mich Mord- und Kriminalromane faszinieren, ist das Spielen für die menschliche Existenz von wesentlicher Bedeutung – einer ihrer Begründer, der Arzt Stuart Brown, betrat dieses Feld erstmals, indem er Mörder untersuchte, deren Kindheit oft von Spiellosigkeit geprägt war – etwas, das Stuart herausfand, als er ihren Geist als Teil des Spiels untersuchte Studium der Verspieltheit (raues und wildes Spielen in der Kindheit hilft, Mitgefühl zu entwickeln).

Der Mensch ist ein faszinierendes, aber auch komplexes Wesen, ein sich ständig veränderndes Wesen, das gleichzeitig im Sowohl-als-auch existiert. Wir sind Produkte unserer Zeit mit ihren zunehmend süchtig machenden Spielzeugen und verführerischen Bildern von Erfolg und schrecklichem Scheitern. Dennoch gibt es in uns selbst Raum – etwas mehr von uns, das wir ehren, schützen und pflegen – für das, was uns nährt und anstrebt; Hoffnung ist eine Orientierung, die dazu dient, Weisheit und Freude aus einer unvorhersehbaren Realität zu extrahieren, die vor uns allen liegt.

Teilhard de Chardins erste Leidenschaft galt der Geologie. Geboren und aufgewachsen in einer vulkanischen Bergregion in Frankreich, war er von Gesteinen – Materie im reinsten Sinne – fasziniert und verbrachte einen Großteil seiner Zeit damit, über ihre Eigenschaften nachzudenken, bevor er im Ersten Weltkrieg zum Krankenträger wurde und aus dieser Erfahrung heraus schrieb: Später beschrieb er die Menschheit als „Materie in ihrer explosivsten Phase".

Teilhard war sowohl kontemplativ als auch jesuitisch; Seine spirituellen und wissenschaftlichen Weltanschauungen führten ihn daher zu einer umfassenden Sicht auf die Geschichte. Er grub Fossilien aus, die den physiologischen Fortschritt der Menschheit über Jahrtausende hinweg belegten. Er gelangte zu der Überzeugung, dass die Evolution zu Bewusstsein und Geist tendiert, was ihm Hoffnung gab, die auf wissenschaftlichen Beobachtungen beruhte. „Mein Ausgangspunkt", bemerkte er mit einem Ansatz, der eher unserer Zeit entspricht als seiner, „ist die grundlegende Ausgangstatsache, dass jedes Individuum zwangsläufig durch alle Aspekte seiner physischen, organischen und psychischen Existenz mit allem, was es umgibt, verwoben ist." " Wie bereits erwähnt, glaubte Teilhard, dass menschliche Artefakte und Erfindungen die Noosphäre schaffen würden, ein imaginäres Konzept, das vom griechischen „noos" abgeleitet ist, was Geist bedeutet. Seine Theorie sagte vorausschauend voraus, wie Geologen unserer Zeit unsere Zeit als Anthropozän bezeichnet haben – eine Anerkennung, dass der Einfluss der Menschheit in unserer Geschichte nicht außer Acht gelassen werden kann.

Die Menschheit hat auf dem Planeten Spuren hinterlassen, die sich über geologische Zeitskalen erstrecken. So wie sich unser individuelles Verhalten individuell auf uns auswirkt, haben kollektive Handlungen seine Form erheblich verändert.

Teilhard de Chardin verstarb friedlich am Ostertag 1955, nachdem ihm seine jesuitischen Vorgesetzten verboten hatten, zu Lebzeiten andere Werke als die Paläontologie zu veröffentlichen. Als seine spirituellen Bücher („Das Phänomen des Menschen", „Das göttliche Milieu") in den 1960er Jahren endlich erhältlich waren, wurden sie schnell zu Bestsellern; Seine Ideen verbreiten sich jetzt mit neuer Energie auf der ganzen Welt.

Teilhards Vision fordert uns heraus, eine langfristige Sicht auf die Zeit mit einer Investition in die Weiterentwicklung des menschlichen Bewusstseins und der menschlichen Handlungsfähigkeit in Einklang zu bringen, aber nur wenige verfügen über das Vokabular für eine solche Forderung. Stattdessen geht es in den meisten Diskussionen um künstliche Intelligenz: Empfindungsfähige Computer werden verführerisch oder böse oder kommen an die Macht – noch nie habe ich gehört, dass wir über das Bewusstsein selbst diskutieren: wohin es uns führt oder ob es weiter geht oder nicht. Wie könnte spirituelle Entwicklung im großen Maßstab aussehen?

Und dort entdeckte ich einen faszinierenden Dialog, der direkt auf Teilhard de Chardins Ideen und Fragen aufbaut und diese vorerst auf produktive Weise adaptiert. Der Evolutionsbiologe David Sloan Wilson hatte Teilhard de Chardin noch nicht gelesen, bevor er 2009 an einer Konferenz im Vatikan teilnahm, die anlässlich des 150. Jahrestags seiner Veröffentlichung und des 200. Geburtstags von Charles Darwin stattfand.

Hören Sie diesem Austausch zwischen David Sloan Wilson und dem Autor zu, während sie Einblicke in ihre Interaktionen geben.

Natürlich kannte ich Teilhard, wie die meisten Evolutionisten. Aber hatten sie ihn gelesen oder seine Ideen für aktuell gehalten? Für die meisten Evolutionisten wäre die

Antwort auf diese beiden Fragen wahrscheinlich Nein; Zu meinem Erstaunen erfuhr ich jedoch, dass Teilhard seiner Zeit wissenschaftlich tatsächlich voraus war; Vieles von dem, was er schrieb, war aus der heutigen evolutionären Perspektive wertvoll. Seine Hauptbotschaft – die kürzlich wieder in Mode gekommen ist – war, dass die Menschheit zwar wie eine andere Spezies oder ein Primat erscheinen mag, wir aber in Wirklichkeit ein völlig neuer Evolutionsprozess sind und unsere Entwicklung als ebenso folgenreich wie die des Lebens selbst angesehen werden kann. In diesem Punkt hatte Teilhard Recht und es hat mich verblüfft. Symbolisches Denken als Vererbungsmechanismus und all unsere verschiedenen kulturellen Praktiken stellen tatsächlich neue Evolutionswege dar – eine Idee, die ich zu meinem Erstaunen bestätigt sah.

David Sloan Wilson ist ein Atheist wie Teilhard de Chardin; Dennoch untersucht er Religionen aus evolutionsbiologischer Sicht als äußerst effektive adaptive Gruppen, die sich oft eher in Richtung Niedergang als in Richtung Fortschritt bewegen. David Sloan Wilson hat einen Großteil seiner Arbeit der Anwendung evolutionsbiologischer Erkenntnisse zum Wohl der Gesellschaft gewidmet; arbeitet derzeit in diesem Sinne an Stadterneuerungsprojekten in Binghamton, New York, mit dem Ziel, diese Lehren auf die dortige Erneuerung anzuwenden; Sein Buch, das dieses Projekt detailliert beschreibt, enthält ein Kapitel zu Ehren von Teilhard de Chardin mit dem Titel „Wir betreten jetzt die Noosphäre".

Hören Sie sich den Austausch zwischen dem Autor David Sloan Wilson und sich selbst an.

Er sprach oft von „Gedankenkörnern". Für ihn bedeutete dies, dass die Menschen zunächst in kleinen Gruppen mit voneinander getrennten Symbolsystemen lebten. Im Laufe der Zeit begannen sich diese Gedankenkörner jedoch zu vereinen – als sich die Gesellschaften vergrößerten –, was zu einem globalen Bewusstsein namens „Omega-Punkt" führte.
Evolution im Spiegelbild gesehen.
Rechts. Während sich die Gesellschaft in immer größerem Ausmaß ausdehnt, von Mikrogesellschaften bis hin zu Megagesellschaften von heute, liegt jede Annahme, dass dies letztendlich zu einem globalen Gehirn führen würde, im Bereich des Möglichen, aber sicherlich keine Garantie; Ein Zusammenbruch bleibt jederzeit möglich. Vielleicht gibt es irgendwo da draußen einen Omega-Punkt, wenn wir nur hart genug daran arbeiten würden, ihn zu erreichen; Sonst verlieren wir alle!

Spiritualität muss die menschliche Evolution leiten; Dazu müssen wir seine Definition verstehen und auch verstehen, warum spirituelle Begriffe wie Geist und Seele im täglichen Leben eine so wichtige Rolle spielen.

Wenn wir das schaffen, können wir meiner Meinung nach eine zufriedenstellende Bedeutung für sie finden, die nicht auf übernatürlichen Kräften beruht. So können wir offen darüber sprechen, Seelen zu haben – unsere Gruppen haben Seelen, unsere Städte haben Seelen, sogar unser Planet hat Seelen! Das kann tatsächlich eine verständliche Interpretation haben.

Teilhard machte deutlich, dass es bei Spiritualität nicht nur um persönlichen Komfort gehen sollte; Vielmehr sollte es dafür sorgen, dass etwas Größeres als wir selbst ein größeres Wohl erreicht. Wenn ich darüber nachdenke, was Sie in Binghamton tun, scheint diese Denkweise dies zu unterstützen.

Auf jeden Fall ist es so. In evolutionärer Hinsicht sieht die Evolution nur Aktion; Was in Ihrem Kopf oder als Ihr Bedeutungssystem vorgeht, bleibt unsichtbar, bis es sich durch tatsächliches Verhalten manifestiert. Wenn also das, was in Ihnen vorgeht, bei Ihnen keine angemessenen Handlungen hervorruft, bedeutet das, dass Ihr Bedeutungssystem möglicherweise nicht so effektiv ist, um bei anderen wünschenswertes Verhalten hervorzurufen.

Sinn ist von entscheidender Bedeutung, um uns zu motivieren, das Richtige zu tun, was in der modernen Gesellschaft die Würdigung aller beteiligten Fakten einschließen muss.
Und wir müssen uns unserer Werte bewusst bleiben, um diese Fakten zur Planung von Maßnahmen in einer Welt zu nutzen, die immer komplexer wird und ein Management auf globaler Ebene erfordert.

Ein Ideal wie „Management auf globaler Ebene" scheint mir weit hergeholt; Es scheint absurderweise nicht im Einklang mit der heutigen globalen Ordnung oder allem, was hier und jetzt geschieht, zu stehen. Wenn also der Journalist und Umweltblogger Andrew Revkin eine Analogie zwischen aktuellen globalen Ereignissen und denen zieht, die in der Gehirnentwicklung von Teenagern beobachtet werden; beide weisen Unebenheiten auf, wobei Bereiche mit großem Fortschritt neben Bereichen mit Rücksichtslosigkeit liegen; Beide versprechen gleichzeitig Kreativität und Zerstörung.

Hören Sie zu, wie Andrew Revkin den Autor in ein Gespräch verwickelt.

Ob wir also die Aktienmärkte betrachten oder wie sich die Ereignisse auf dem Tahrir-Platz abspielten und sich dann über Twitter und Facebook modulierten, ich sehe, dass wir neue Verkabelungen testen, ohne deren Funktion noch klar zu verstehen. Durch das Bloggen erhalte ich Einblicke in dieses Gebiet. Sofortige Lügen können sofort aufflammen, aber dann kommt ihre Realität bald ebenso zum Vorschein – wenn nicht sogar schneller als bei der ersten Enthüllung.

Dies wirft einige interessante Fragen auf. Es gibt Leute wie Kurzweil, die das Potenzial sehen, dass unser System noch mächtiger als Menschen werden könnte; Aber ich denke, was im Moment tatsächlich viel wirkungsvoller ist, ist die zunehmende Fähigkeit dieses Systems, uns dabei zu helfen, gemeinsam Dinge zu erschaffen, zu fühlen und zu erleben, auf eine Weise, die vorher nicht möglich war – es ist diese Fähigkeit, Ideen zu teilen und zu formen, die am beeindruckendsten ist. Umwerfend. Es geht weit über die bloße Rechenleistung hinaus; Hier muss etwas Wesentlicheres im Spiel sein.

Andrew Revkin leitete den Begriff Knowosphäre von Teilhards Noosphäre ab.

Hier ist eine weitere Passage von Ihnen, die zeigt, wie stark die spirituelle Sprache in unserer Gesellschaft Einzug gehalten hat: Welchen Begriff man auch wählt – in diesem Fall „Knowosphäre" – es ist offensichtlich, dass unsere Welt schnell durch neue Arten des Austauschs von Beobachtungen und Erfahrungen miteinander verbunden wird Gestaltung von Ideen, die Auswirkungen auf den menschlichen Fortschritt haben. Das ist wahre spirituelle Sprache.

Nun ja, sicherlich; Fragen des Klimawandels erscheinen oft als wissenschaftlich. Bei näherer Betrachtung verlagern sich ihre menschlichen Entscheidungsprozesse jedoch schnell vom wissenschaftlichen Denken hin zu Werteüberlegungen und Bewertungen. Wenn wir alle Kompromisse zwischen der Abkehr von fossilen Brennstoffen und der Verlangsamung des Meeresspiegelanstiegs oder dem Risiko von Ernteausfällen (alles unwissenschaftliche Fragen!) berücksichtigen, wird klar, wie wir diese Vorteile gegeneinander abwägen. Bei diesen Entscheidungen geht es sowohl um wirtschaftliche als auch um Werteüberlegungen.

Und obwohl es für uns vielleicht einfacher ist, Fakten zu diskutieren, wird es viel komplizierter, wenn wir anfangen, über Werte zu diskutieren.

Ja. Diese Ära ist als Anthropozän bekannt geworden – oder als die Zeit, in der Menschen die Erde kontrollieren – und damit sie reibungslos abläuft, brauchen wir das, was ich „Anthropophilie" nenne, oder die Akzeptanz der Unterschiede untereinander.

Menschen jeder Bevölkerung neigen dazu, unterschiedliche Meinungen über einen gemeinsamen Wissensbestand zu vertreten.

Sobald wir durch die Wissenschaft miteinander verbunden sind, wird die Nutzung des Internets Teil unseres Lebens und die Wissenschaft ist besser dafür. Indem wir Teil von etwas Größerem sind, bleiben wir, wenn wir online gehen, nicht isoliert in unserer eigenen Blase, sei es grün oder libertär; Vielmehr suchen wir nach den Ansichten anderer Menschen, indem wir sie einbeziehen und auf sie zugehen. Das ist Teil der Wissenssphäre: Menschen mit unterschiedlichen Energieentscheidungen zu finden, die ähnliche Ziele für Energieeffizienz verfolgen, mit denen man möglicherweise gemeinsam an Lösungen arbeiten könnte – und dann zu erkennen, dass es einen Ort gibt, an dem wir zusammenarbeiten können – auch das gehört dazu.

Keines der Probleme, mit denen wir im Internet konfrontiert sind, betrifft nur diesen Bereich; Sie sind Teil des Menschseins. Wenn man sich in einem Raum voller Menschen aufhält, neigen diejenigen mit lauteren, wütenderen Stimmen dazu, die meiste Sendezeit zu gewinnen; Eine Sache, die ich in meinem Blog versuche, ist die Entwicklung von Tools, damit auch ruhigere Teilnehmer etwas mitreden können.

* * * Ich bin fasziniert von der transfigurativen Synergie, die entsteht, wenn stillere Menschen ihre Stimme finden, alte Wahrheiten ans Licht kommen und neues Wissen geschaffen wird – etwas, das viele Menschen schon lange wussten, dann aber vergessen haben.

Als sich die Wirtschaft Detroits veränderte und die Menschen ihre Lebensgrundlage verloren, wurden die inneren Widersprüche der Bequemlichkeit nur allzu deutlich. Ganze Stadtblöcke wurden geleert. Einige der Zurückgebliebenen begannen, auf unbebauten Grundstücken Nahrungsmittel anzupflanzen – zunächst nur um zu überleben, später aber als Ausdruck der Hoffnung; Diese Experimente inspirierten später Stadtgärten in ganz Amerika. Ich traf Myrtle Thompson und Wayne Curtis, deren Garten viele Wunder enthielt – von Sonnenblumenkernen und Kräutern bis hin zu Gemüse wie Kürbis. Auf die Frage, was ihre Ernte beinhaltete, gaben sie eine beeindruckende Liste:

Hören Sie sich den Austausch zwischen Myrtle Thompson, Autorin, und Wayne Curtis, Chefredakteur, an.
Grünkohl – drei Sorten – Grünkohl, Tomaten, Paprika, Peperoni, Auberginen, Kürbis, Erdbeeren, Himbeeren und Wassermelonen sowie Zwiebeln, Kartoffeln, Kräuter wie Koriander, Basilikum und Petersilie – werden hier in unserem Garten angebaut. Letzte Saison haben wir auch Sonnenblumen, Mais, Sonnenblumen, Sonnenblumen, etwas Mais angebaut. Okra zieht Menschen von nah und fern an, während unsere Auberginen Menschen aus der indischen Kultur anlocken, die wegen Rezepten kommen; Zu sehen, wie die Kinder reagieren, wenn wir lernen, dass etwas wächst, ist wirklich bereichernd, ebenso wie die Entwicklung der Dinge, obwohl wir

nie gedacht hätten, dass das so viel früher passieren würde! Zu beobachten, wie die Kinder reagieren, wenn wir jedes Mal mehr lernen, wenn etwas Neues auftaucht, überrascht mich und mich selbst noch mehr, als wir zunächst nicht damit gerechnet hatten, dass es hier blüht!

Myrtle und Wayne beweisen bei der Diskussion über die Nährstoffdichte genauso viel Scharfsinn und Wissenschaft wie Dan Barber oder Michael Pollan, während sie mit mir auch über das Bewusstsein diskutieren.

Hören Sie sich den Austausch zwischen Myrtle Thompson, Autorin, und Wayne Curtis, Autor, an.

Genauso wichtig wie der Anbau von Lebensmitteln ist unsere Aufgabe, Kultur, Gemeinschaft, Ideologie und andere Aspekte zu pflegen, um sicherzustellen, dass unser Fortbestand nicht länger gefährdet ist. Die Kultivierung des Bewusstseins ist von entscheidender Bedeutung, da es in diesem Garten nicht nur um den Anbau von Nahrungsmitteln geht, sondern darum, Teil eines Ökosystems zu werden, das bereits vor diesem Garten existiert und zu dem wir beitragen, indem wir Teil seines Existenzprozesses seit Anbeginn der Zeit werden – nicht nur den Anbau von Nahrungsmitteln, sondern auch das Werden Teil davon sowie die Ausübung einer humanistischen Praxis, deren Identität nicht mehr von Del Monte abhängt.

Die Wiederentdeckung dessen, was es schon immer gab, hat die Macht, die Kultur zu verändern, denn man erkennt, dass man vielleicht Dinge mit Wert übersehen hat; oder unter Paletten zu schauen, auf denen jemand Öl wechselt, und Pflanzen zu sehen, die möglicherweise uns alle ernähren könnten, verändert Ihre Beziehung sowohl zur Erde als auch zu den Menschen um Sie herum; denn jetzt müssen Sie Wege finden, ihnen alles zu erklären.

Ich verbrachte einen spannenden, spannenden Abend in Louisville mit dem Bürgermeister, dem Polizeichef, dem Schulleiter, Führungskräften der Glaubensgemeinschaft und Gewerkschaftsorganisatoren von Louisville sowie Mitgliedern seiner historischen Familien. Beim Abendessen besuchen wir einen intimen „Country Club", der sich eher wie das Zuhause der geliebten Großmutter anfühlt: muffiger Keller mit feinem Porzellan. Jemandem zufolge war dies schon immer der Ort, an dem sich die Elite versammelte. Der Ohio River fließt vor meinem Fenster; Seine Banken markieren eine historische Spaltung in Bezug auf Klasse und Reichtum. Aber heute Abend findet man diese vielfältige Gruppe von Stadtbewohnern zusammen, redet und hört zu. Nach seiner Wahl gab der Bürgermeister von Louisville, Greg Fischer, bekannt, dass sein Ziel für seine Stadt Mitgefühl sein würde; dass es in jedem Aspekt ihres bürgerschaftlichen Zusammenlebens eins werden sollte. Sie nehmen dieses Experiment sehr ernst. Jetzt haben sie die Romantik hinter sich gelassen und einen sozialen Wandel vollzogen. Langfristige Projekte in Schulen zu etablieren, bei denen es Jahre dauern kann, bis Ergebnisse sichtbar werden. Ein Sohn eines führenden Hauses sagte mir, es sei nur ein Wunsch; Allerdings haben bürgerliche Bestrebungen eine starke Wirkung: Sie geben der moralischen Vorstellungskraft etwas Greifbares, auf das sie hinarbeiten kann.

Herausragend unter diesen bemerkenswerten Entwicklungen war das bemerkenswerte Gefühl des Vertrauens, das in diesem Raum erzeugt wurde; Ängste ließen nach und Schwachstellen wurden ohne Angst offengelegt. Ein afroamerikanischer Pastor erzählt mir, dass der wirkliche Unterschied darin bestand, einen Politiker zu haben, der bereit war, den Schmerz der Menschen zu ertragen, ohne sofort eine Politik oder Lösung vorzuschlagen; Stattdessen lässt man es als etwas im Raum existieren, worüber man trauern kann, bevor man Trost spendet oder als Reaktion darauf klagt – man beklagt, wie es die alten Propheten über ihre Verluste taten! Während die Trauer um unsere Verluste per se niemals produktiv oder effektiv ist, könnten wir ohne diese Öffnung niemals auf anhaltenden Fortschritt oder Wachstum hoffen!
Wissen kann als Machtakt aufgegriffen werden, wenn wir uns dafür entscheiden, es gemeinsam in ein solches Unterfangen einzubeziehen. Bedauerlicherweise steht dieses Wissen jedoch im Widerspruch zu den Instinkten, die wir im Laufe des 20. Jahrhunderts entwickelt haben, um mithilfe von Kriegen für Lösungen für unsere Probleme zu kämpfen – eine Haltung, die jeden Aspekt unseres Berufslebens, unserer Außen- und Innenpolitik, unseres Erziehungsstils und unserer Kindererziehung durchdringt. Krieg nutzt Wut und Ehrgeiz als Treibstoff, während er neben Mitgefühl auch Wehklagen oder Trauergefühle aufschiebt; Sein Kalkül misst das Gewinnen auf Kosten des Verlierens. Nach dem 11. September in Amerika hatten wir viele Worte der Rache gegenüber unseren Feinden, aber keine Worte, die uns dabei geholfen hätten, mit der Trauer oder Trauer umzugehen, die durch den Verlust verursacht wurde – etwas, das wir durchstehen mussten. Nach dem 11. September in Amerika benutzten wir robuste Vokabeln der Rache und handelten ohne Pause, um uns die Zeit zu nehmen und zu verinnerlichen, was seitdem geschehen war.
Die Amerikaner waren von einem beispiellosen Gefühl der Verletzlichkeit innerhalb unserer stärksten Festungen betroffen. Das brachte die Amerikaner dazu, neue Kontakte zu Fremden auf der ganzen Welt zu knüpfen, die ein ähnliches Leben führen. aber unsere Reaktion entfremdete uns noch mehr voneinander.

Während die Gesellschaft beginnt, sich daran zu erinnern, dass Scheitern schon immer Teil der menschlichen Erfahrung war, von der Wirtschaft über die Bildung bis hin zur Psychologie, erkennen wir auch seine Rolle für spirituelles Wachstum und persönliche Weisheit. Ich würde diesen Gedanken weiterführen: Scheitern und Verletzlichkeit sind wesentliche Elemente für die spirituelle und persönliche

Entwicklung. Ganz gleich, was für uns schiefgeht – was auch immer als unsere Schwächen und Stärken wahrgenommen werden mag – diese Erfahrungen tragen dazu bei, dass Hoffnung vernünftig und gelebte Tugend möglich wird; Sie sind Teil unseres einzigartigen Beitrags für die Menschheit. Brene Brown ist zu einer gefragten Lehrerin in verschiedenen Bereichen und Führungsebenen geworden, da sie über die Fähigkeit verfügt, diese alte, grundlegende Wahrheit zu vermitteln, die über Generationen hinweg aus unserem gemeinsamen Wortschatz verschwunden war. Diese Arbeit begann am Graduate College of Social Work der University of Houston, wo sie außerordentliche Professorin ist.

Hören Sie als Autorin zu und Brene Brown tauscht sich aus.

Ich stelle den Leuten immer eine einfache Frage, um zu beurteilen, ob sie glauben, dass sie wirklich mutiges Verhalten gezeigt haben, entweder persönlich oder als Zeuge, wie eine andere Person etwas Mutiges getan hat. Und als akademischer Forscher mit 11.000 Daten, auf denen ich arbeiten kann, kann ich kein Beispiel für moralischen, spirituellen, Führungs- oder Beziehungsmut finden, der nicht aus Verletzlichkeit entsteht – und doch glauben wir allzu oft an Mythologien, dass Schwäche Schwäche als Ausrede für Nichthandeln darstellt mutig genug.

Brene Brown wurde durch diese Entdeckungen in ihrem eigenen Leben als bekennende klassische Perfektionistin tiefgreifend verändert. Sie beschloss, sie bei einem TEDx-Vortrag in Houston zu teilen, wo sie inzwischen viral gingen. „Listening to Shame" ist nach wie vor einer der meistgesehenen TED-Vorträge aller Zeiten, trotz des wenig ansprechenden Titels: Ich habe es sehr genossen zu erfahren, dass Dr. Sheen bei seiner Recherche zu einem aufrichtigen Leben auf Wahrheiten gestoßen ist, die in modernen Ohren negativ klingen.
Hören Sie zu, wie Brene Brown mit dem Autor spricht.

Ich fing an, Daten zu kodieren und in Worten nach Mustern und Themen zu suchen, und schon bald tauchten sie sehr schnell auf. Ich begann, Listen zusammenzustellen, die Dinge hervorheben, auf die sich Männer und Frauen mit ganzem Herzen bewusst konzentrieren, während sie gleichzeitig bestimmte Aktivitäten bewusst oder unwissentlich aus ihrem Leben streichen. Und als ich mir meine Do-not-do-Liste ansah, die mich genau beschreibt, wurde mir klar: Das war nicht einmal meine! Mir wurde klar, dass mein gesamtes Leben überhaupt nicht da war – meine gesamte Existenz kam mir fremd vor.

Was war also drin? Nun, lassen Sie mich Sie zunächst Folgendes fragen. Hätten Sie erwartet, Beweise dafür zu finden, dass diese Menschen eine bessere Erziehung erhalten haben oder weniger Traumata erlebt haben und ihnen stärkere Unterstützungssysteme zur Verfügung standen?

Zuerst war meine Reaktion etwas selbstgerecht. Ich ging davon aus, dass diejenigen, die an sich selbst glaubten und an ihren Wert glaubten, im Vergleich zur allgemeinen Bevölkerung ein Leben mit weniger Scheidungen oder Insolvenzen oder einer Vorgeschichte von Traumata oder Sucht geführt haben mussten; doch das war überhaupt nicht der Fall; Sie unterschieden sich in Bezug auf diese Variablen nicht – sie waren genau wie alle anderen!

Was stand auf Ihrer Liste, das Sie am besten definiert hat?

Perfektionismus, Urteilsvermögen, Erschöpfung als Statussymbol, Produktivität als Selbstwertgefühl, Coolness, was denken die Leute, Prüfungen durchführen und das Streben nach Gewissheit sind alles Elemente, die ein solch ansprechendes Bild zeichnen.

Sind diese Leben voller Hingabe von Verletzlichkeit geprägt, wie Sie es jetzt verwenden?

Ja absolut. Dies waren Personen, die ohne große Versprechungen oder Garantien in mein Leben traten. Als ich also ein paar Tage später an diesem Tisch saß und die Entscheidung traf, dass ich ihre Daten speichern und stattdessen einen Therapeuten suchen würde – und es funktionierte, Diese Entscheidung wurde Wirklichkeit.

Ich erinnere mich, dass ich mir diese Frage gestellt habe: Wenn das bedeutet, dass unsere Fähigkeit, mit ganzem Herzen zu sein, niemals unsere Bereitschaft, Verletzungen zu erleiden, übertreffen kann, wie ist das dann überhaupt möglich?

Es kommt auf unsere kulturelle Abneigung gegen Verletzlichkeit zurück – was wir mit unserem ursprünglichen Gefühl der Verletzlichkeit gemacht haben. Während es zunächst ein bewundernswerter Instinkt war, uns selbst und die Menschen, die uns am Herzen liegen, zu schützen, hat es sich im Laufe der Zeit zu etwas ganz anderem entwickelt. Wir neigen dazu, die Dinge besser zu machen, indem wir nach Perfektion streben, anstatt uns selbst und die Menschen, die uns am nächsten stehen, aufrichtig zu schützen.

Ich stimme zu. Was mich dazu brachte, Hilfe zu suchen und anders leben zu wollen, war das, was ich über die Erziehung als Eltern sah. Wie wir mit der Welt umgehen, ist weitaus aussagekräftiger für den Erfolg unserer Kinder als jedes Wissen, das wir über ihre Praktiken besitzen. Ich glaube, dass wir uns derzeit in einem Zeitalter des sanften

Erwachens befinden, obwohl meine Forschung erst sechs Monate vor dem 11. September begann. Im Laufe von 12 Jahren habe ich beobachtet, wie die Angst in Familien Amok grassiert, und habe gesehen, wie wir außergewöhnliche Anstrengungen unternommen haben, um uns und unsere Kinder vor der Unsicherheit in der heutigen Welt zu schützen – sowohl aus meiner Forschungsperspektive als Hochschulprofessor als auch als beides Ich bin selbst Eltern und Schüler.

Zu uns kommen Studierende, die noch nie mit echten Widrigkeiten konfrontiert waren und sich daher hilflos und hoffnungslos fühlen. Einer der faszinierendsten Aspekte ist es, dieses Spiel vor ihnen mitzuerleben.
Meine Erfahrung in diesem Bereich hat mich gelehrt, dass diejenigen mit echter Hoffnung oft eine weitere Eigenschaft gemeinsam haben: C. R. Snyders Forschung von der University of Kansas in Lawrence zeigt uns, dass Hoffnung durch Kampf entsteht.

Ihr Text hat mich mit einigen wirklich atemberaubenden Sätzen wie diesem wirklich in Erstaunen versetzt.

Hoffnung ist kein Gefühl; Vielmehr handelt es sich um einen kognitiven und verhaltensbezogenen Prozess, den wir entwickeln, wenn wir Schwierigkeiten bewältigen, vertrauenswürdige Beziehungen aufbauen und bei anderen Vertrauen in unsere Fähigkeit gewinnen, schwierige Situationen unbeschadet zu überstehen.

Was sich von unserer Tendenz unterscheidet, unseren Kindern blind zu glauben und den Schmerz so lange wie möglich zu ignorieren. Aber verstehen wir doch sicherlich unseren Wunsch, eine erstaunliche Welt, ein fantastisches Leben und eine wunderbare Erfahrung für diejenigen zu schaffen, die uns am Herzen liegen?

Aber wir verlieren oft die Schönheit aus den Augen. Einige meiner wertvollsten Erinnerungen im Leben stammen von Kampfausbrüchen, die ich nie für möglich gehalten hätte; Momente, in denen ich denke: „Gott hat mich zu dieser Person gemacht", sind Momente, die ich nicht erwartet oder erwartet habe.

Die Hoffnung ist auf ihrem Weg zur Vollständigkeit gebrochen; Hoffnung ist das Ergebnis eines Kampfes. Ich habe den Evolutionsbiologen David Sloan Wilson gefragt, ob es in evolutionärer Hinsicht etwas Unsinniges daran gibt, dass Menschen manchmal Fortschritte machen, indem sie Dinge neu lernen, die wir einst kannten, aber vergessen haben, wie etwa Nahrungsquellen oder Grünflächen im alltäglichen Leben; Ähnliches könnte beispielsweise für menschliche Erfindungen gelten; Vielleicht müssen wir lernen, dass der Kampf zum Erwachsenwerden gehört. Die Wiederentdeckung echter Lebensmittel oder Grünflächen kann Lebendigkeit in den

Alltag bringen oder Trost finden im Wissen, dass unsere Spezies erhalten bleibt. Seine Antwort? Hier ist seine Erklärung: Fische leben nicht außerhalb des Wassers und werden weder überleben noch gedeihen; Menschliche Erfindungen können genau das Gleiche bewirken, indem sie Dinge neu erlernen, die einmal bekannt und zuvor vergessen waren. Hier ist seine Antwort – etwas, was Fische von Natur aus nicht tun: Nehmen Sie sich aus dem Wasser und überleben oder gedeihen Sie nicht mehr wie Menschen, wenn Sie Dinge lernen, die wir einst wussten, bevor wir vergessen, was wir einst wussten, bevor wir vergaßen, was wir wussten und vergaßen, bevor wir uns hinauszogen aus dem Wasser und nicht mehr überleben oder gedeihen, so wie Fische sich aus dem Wasser nehmen und nicht mehr überleben oder gedeihen können, so wie Menschen durch kluge Erfindungen genau das Gleiche getan haben, indem sie durch Erfindungen dies auf unzählige clevere Arten tun können, also umlernen Der Kampf spielt darin, erwachsen zu werden, echtes Essen wiederzuentdecken oder den Trost darin zu finden, unsere Mitmenschen massenhaft am gemeinsamen Leben kennenzulernen, während wir Grünflächen bereitstellen, die das gemeinsame Leben beleben, oder den Trost, die Mitmenschen kennenzulernen und wieder zu lernen, etwas zu tun, indem wir uns von der Zeit lösen oder einfach nur etwas wissen, was wir vorher wussten, jetzt können; Der Fisch kann es nicht! Wenn wir außerhalb des Wassers nicht mehr überleben können/dann einfach nicht überleben/dann wird es irgendwann den gleichen Effekt haben, dass wir uns selbst herausnehmen. Hier finden Sie alle cleveren Möglichkeiten für alle Arten. neu lernen, was unser Rollenkampf bewirkt, indem wir lernen, dass wir uns gegenseitig kennen lernen, uns selbst verbessern, uns gegenseitig besser kennen lernen, wie gewohnt, uns auch im gemeinsamen Leben kennen, ohne uns zu kennen, indem wir wissen, wie bequem es ist, bei Bedarf alles zu wissen/es wieder zu wissen/es so schnell und so bequem zu wissen Das Kennenlernen eines anderen kann Ihnen vielleicht Trost spenden, den Sie schon vorher gewusst haben, oder das Kennenlernen anderer von Ihnen, das so gut ist, eigentlich als Umlernen (oder einfach als Kennenlernen) ausgegeben werden. Das Wasser könnte sich verkürzen. An

Nachbarn – diese Veränderungen sollten nicht als Rückschläge betrachtet werden, sondern eher als Erwachen zu dem, was wir in Bezug auf Evolution und spirituelle Menschlichkeit brauchen. Die Rückgewinnung überlebens- und vitalitätswichtiger Elemente ist ein Schritt in die richtige Richtung; eine andere Art, über Weisheit zu sprechen, wenn die Evolution sich selbst wieder offenbart.

* * *

Es macht mir Mut, dass Resilienz Teil unserer modernen Sprache geworden ist – von der Stadtplanung bis zur psychischen Gesundheitsversorgung. Resilienz bietet eine Alternative zu bloßem Fortschritt und Nachhaltigkeit und erkennt gleichzeitig an, dass dabei auch mal etwas schiefgehen kann. Alle unsere Lösungen werden irgendwann ihre Nützlichkeit überdauern. Wir werden Chaos anrichten, und Störungen, die wir nicht verursacht oder vorhergesehen haben, werden auf uns zukommen – das gehört einfach zum Leben dazu! Dieses Drama der Existenz hält uns auf dem Boden. Um widerstandsfähige Einzelpersonen oder Städte zu fördern, muss eine Denkweise vermittelt werden, die Härten antizipiert und ein Verständnis für die unvermeidliche Verwundbarkeit vermittelt. Resilienz als Konzept und Strategie respektiert die Realität unseres Seins und Lebens und macht sie zu einem stärkenden Leitfaden für die Schaffung florierender Systeme und Gesellschaften. Resilienz bewegt sich weg vom wunschbasierten Optimismus hin zur realitätsbasierten Hoffnung. Resilienz kann als bedeutungsvolles und anhaltendes Glück definiert werden – nicht abhängig von vorübergehenden Zuständen der Perfektion oder Zufriedenheit, noch einer emotionalen Reaktion auf aktuelle Umstände, sondern ein Lebensansatz, der alle Emotionen und Erfahrungen, ob hell oder dunkel, umfasst, die zusammenkommen das Leben selbst. Resilienz erfordert, proaktiv und dennoch pragmatisch zu sein und gleichzeitig bescheiden zu bleiben: anzuerkennen, dass sie genauso sehr auf die Unterstützung anderer angewiesen ist, wie sie Misserfolge überwindet – und sie in das zu integrieren, was bisher geschehen ist.

Andrew Zolli ist einer derjenigen, die diesen Begriff im unternehmerischen Sprachgebrauch populär gemacht haben; Er leitete zehn Jahre lang eine Wiederbelebung der PopTech-Community sozialer Unternehmer. Jetzt empfiehlt er Untersuchungen zum menschlichen Zustand an Orten wie Facebook. Mit seinem Finger am Puls unseres kollektiven Erwachens zu den Auswirkungen neuer wissenschaftlicher und kultureller Erkenntnisse zwischen den Jahrhunderten steht Zolli an der Spitze des Erwachens aus neuen wissenschaftlichen und kulturellen Erkenntnissen zwischen einem Jahrhundert und dem nächsten.
Hören Sie sich diesen Austausch zwischen Andrew Zolli und Andrew Tolliss an.

Etwas, was Sie gesagt haben und das meine Aufmerksamkeit wirklich erregt hat, war Ihre Forderung nach Systemen, die „sanft ausfallen" können. Diese Idee ist beispielsweise sehr relevant, wenn man Ereignisse wie den Wirtschaftsabschwung im Jahr 2008 oder den Hurrikan Katrina betrachtet; Dennoch denken wir in Bezug auf unsere Institutionen und die Art und Weise, wie sie das gemeinsame Leben verwalten und organisieren, selten so. Dieses Konzept macht absolut Sinn.

Wahr genug. Ein Teil davon liegt in unserem falschen Glauben, wir könnten uns selbst aus dem Scheitern herausholen; dass es irgendwie durch Technik oder Planung verhindert werden könnte. Meine persönliche Reise begann in den 1990er Jahren – es ist interessant, heute auf das zurückzublicken, was damals geschah. Die Sowjetunion war gefallen, wir befanden uns nicht im Krieg, das Internet blühte auf und die Leute veröffentlichten Bücher mit Titeln wie „Das Ende der Geschichte". Die Geschichte, wie wir sie kannten, war zu Ende – als ob ich einer großen Party beiwohnen würde, bevor alle gingen und ich das Haus verließ; Es war auch nicht das letzte Mal in meinem Leben, dass so etwas passierte – die Kämpfe beschränkten sich auf Wirtschaftlichkeit und Kreativität, nicht auf physische Ressourcen; so würden keine wirklichen Kriege zwischen den Nationen ausbrechen; wir hatten diesen Punkt überschritten.

Alles würde steigen; nichts würde untergehen.

Das ist richtig; Die Gesetze der Physik waren außer Kraft gesetzt und wir waren damit beschäftigt, unsere Friedensdividende auszugeben. Vergleichen Sie dies mit dem, was seitdem passiert ist – viele würden sagen, dass es mit einem beeindruckend erfolgreichen globalen Terroranschlag begann, gefolgt von riesigen, kostspieligen, komplizierten und schmerzhaften Angelegenheiten von internationaler Tragweite, deren Lösung Jahre brauchte.
Die Geschichte wird wahrscheinlich auf dieses Jahrzehnt als eines der schlimmsten in der amerikanischen Geschichte zurückblicken; Nicht, weil es uns allen gefallen wird, sondern vielmehr, weil die Dinge so schnell von relativer Ruhe zu echten Unruhen übergingen, etwas, das in die Kultur eingedrungen ist. Wenn man also über ein elegantes Scheitern nachdenkt, sollte die erste Prämisse lauten: Scheitern ist in komplexen Systemen intrinsisch, gesund, normal und notwendig.

Wenn es um Problemlösung und Service geht, sind Überforderung und Misserfolge unvermeidlich. Innovationisten und Aktivisten aller Zeiten haben ebenso häufig Burnout erlebt wie die Atomwaffenexperten, mit denen ich in meinen Zwanzigern zusammengearbeitet habe. Es ist ein schmaler Grat zwischen der Hilfe bei der Rettung der Welt und der Gestaltung anderer für unsere eigenen Zwecke, wie gut gemeint auch immer. Unternehmertum, einschließlich Sozialunternehmertum, kann manchmal Gedanken an den Selfmademan hervorrufen: den edlen, aber möglicherweise selbstzerstörerischen Impuls, die Welt durch eine Person allein zu retten. Meine eigene Hoffnung ruht jedoch auf den Jüngeren unter uns – insbesondere den jungen Menschen –, die ich erlebt habe, wie sie sich im Wandel auf unerwartete und belastbare Weise entfalteten und sich an sie anpassten. Eine Kerngruppe unter ihnen ist bereit, mit gutem Beispiel voranzugehen und wirksame und nachhaltige Veränderungen herbeizuführen. Courtney Martin, eine außergewöhnliche und charismatische Vordenkerin und Aktivistin in den Dreißigern, verstand, wie komplex und frustrierend die „Rettung der Welt" in ihren Zwanzigern sein konnte, und lehnte die inhärente Logik ab, die die Menschheit in „Retter" und diejenigen aufteilt, die gerettet werden müssen, und schlug vor: Die Welt könnte entsprechend aufgeteilt werden. Courtney schreibt: „Unser Lebenszweck besteht nicht darin, die Welt zu retten; vielmehr darin zu existieren, unvollkommen und wild, liebevoll und bescheiden. Überall, wo ich mich hinwende, lernen Courtney und ihre

Altersgenossen sowohl nachdenklich als auch aktiv – ihnen zu dienen." Älteste ebenso wie das Ermöglichen neuer Realitäten.

Einstein betrachtete spirituelles Genie als Gegengewicht zum technologischen Fortschritt – ein wirksames Mittel, um die Wissenschaft nutzbar zu machen, ohne der Gesellschaft durch unverantwortliche Anwendung zu schaden. Die heutige Weisheit wird mit Technologie kombiniert; wobei das Internet unsere Version der Atomspaltung ist. Es verfügt über enorme Kräfte, die sowohl gefährlich als auch vielversprechend sind und traditionelle Bildungsinstitutionen wie Universitäten auf den Kopf stellen können.

Uralte und ursprüngliche menschliche Aktivitäten wie Schaffen, Führen, Zugehörigkeit und Lernen. Meine größte Sorge, die meine Einschätzung unserer heutigen Welt erschwert, ist die Art und Weise, wie das Internet die Energien und Initiativen, die es ermöglicht, zerstreut. Auch Seth Godin ist sich dieser Gefahr bewusst. Aber wenn er das Leben durch die Linse des Internets betrachtet, erkennt er auch, dass wir jetzt über eine beispiellose Macht verfügen, über das hinauszugehen, was Menschen bisher träumen konnten. Jetzt erkennen wir uns selbst nicht nur dadurch, dass wir uns mit anderen über Verwandte und Stämme hinweg verbinden. Wir verfügen nun sowohl über die Mittel als auch über die Freiheit, unsere eigenen Stämme zu bilden, die durch Leidenschaft und Dienst verbunden sind, unabhängig von der Abstammung oder der geografischen Lage. Diese virtuellen Stämme dienen als digitale Gegenstücke zu John Paul Lederachs Konzept der kritischen Hefe; Sie können das katalysieren, was die renommierte Anthropologin Margaret Mead als „evolutionäre Cluster" bezeichnet.

Es gibt so viele digitale Stämme, die Intelligenz mit Weisheit über Raum, Cyberspace und Zeit hinweg verbinden. Nathan Schneiders Hackers of Benedict ist nur ein Beispiel; Maria Popovas Brain Pickings-Blog ist eine weitere solche Geschichte.

Hören Sie diesem faszinierenden Austausch zwischen Maria Popova und der Autorin zu.

Normalerweise sind meine Tage mit Bücherstapeln, Briefen, Tagebüchern und alten Philosophiebüchern vergangener Denker aus vergangenen Zeiten gefüllt. Es gibt diesen New-Age-Begriff „spirituelles Re-Parenting", den ich für meinen Geschmack etwas zu hippiehaft finde – obwohl es einen Aspekt gibt, den ich reizvoll finde: mich um diese vergangenen Denker zu kümmern und gleichzeitig ihre Weisheit an jüngere Köpfe weiterzugeben, während ich mich auf meiner Reise bewege der Wiedererziehung vergangener und gegenwärtiger Generationen.

Maria Popova wurde in Bulgarien zur Zeit des Eisernen Vorhangs geboren, als alle Vorstellungen von Seele verbannt waren. Aber Maria fand dennoch eine Stimme für sie.

Sie wuchs bei ihren Großeltern in einer von Büchern gesäumten Wohnung auf und studiert noch immer die Marginalien in seinen Büchern als eine Form spiritueller Nahrung. Nachdem sie Europa nach dem Zweiten Weltkrieg verlassen hatte, wählte sie Amerika als Studienort. Während sie in einem Büro arbeitete, um ihr Studium zu finanzieren, begann Maria, wöchentlich einen E-Mail-Newsletter für Kollegen im Büro zu veröffentlichen, in dem Ideen besprochen wurden. Ich denke, Marias mitteleuropäische Wurzeln verleihen ihr einen ausgeprägten Glauben an die Kraft der Ideen – etwas, das hier in Amerika nicht allzu häufig vorkommt! Und irgendwie schafft sie es, technologische Werkzeuge im Dienste traditioneller Weisheit einzusetzen. Als ich Maria mit 30 traf, war sie bereits seit 10 Jahren dabei; Brain Pickings hat große Anerkennung gefunden und das Erlösungspotenzial der Technologie hervorgehoben. Ähnlich wie Brene Brown hatte Maria ein umfangreiches Vokabular der Hoffnung zutage gefördert, während sie scheinbar unterschiedliche Fragen untersuchte.

Hören Sie sich ein Audiogespräch zwischen Maria Popova und der Autorin Anna Bell an.

Ihre Arbeit scheint aufgrund ihrer ehrgeizigen Qualität – im Gegensatz zu „disruptiv" – eine Anziehungskraft auf die Menschen auszuüben. Bei jungen Menschen gehen wir immer davon aus, dass es keinen Raum für Tiefe gibt; dass sie die Dinge nur in mundgerechten Stücken zu sich nehmen sollten; Dennoch enthüllen Sie den Menschen diese Wahrheit: dass sie wollen, dass ihr Gehirn gedehnt wird. Ich finde, dass Sie als Mensch etwas Besonderes und Großzügiges an sich haben, das in Ihrer Arbeit zum Ausdruck kommt – gibt es eine Erklärung für dieses Phänomen?

Nun, ich denke, es gibt bestimmte Grundüberzeugungen, die mir am Herzen liegen. Eine dieser Überzeugungen konzentriert sich auf die Beziehung zwischen Zynismus und Hoffnung: Kritisches Denken ohne Hoffnung ist gleichbedeutend mit Zynismus, während Hoffnung ohne kritische Analyse zu Naivität führt. Also versuche ich, beides in Einklang zu bringen; Wenn ich irgendwo zwischen diesen Extremen lebe, kann ich mein Leben auf einer soliden Grundlage aufbauen, anstatt dem Zynismus als Ausdruck der Resignation zu erliegen. In diesem Fall handelt es sich um einen Selbstschutzmechanismus.

Gleichzeitig führt das alleinige Vertrauen auf die Hoffnung aber auch zur Resignation, da wir keinen Anreiz haben, etwas zum Besseren zu verändern. Ich glaube, dass kritische Analyse mit Hoffnung gepaart sein muss, um sowohl als Individuum als auch als Zivilisation erfolgreich zu sein.

Ihre Inhalte für Brain Pickings scheinen oft eine Balance zwischen Aktualität und Zeitlosigkeit zu finden, etwas, das den Test der Zeit besteht.

Ein Großteil der Kultur konzentriert sich auf das, was jetzt dringend ist, und nicht auf das, was im Großen und Ganzen Priorität haben sollte, wodurch eine Art Zeitvoreingenommenheit oder Präsentismusvoreingenommenheit entsteht.

Präsentismus. Ich liebe es.
Das liegt zum Teil an der Struktur des Internets – von Twitter-Feeds und Facebook-Timelines bis hin zu Nachrichten-Websites –, auf denen die neuesten Nachrichten immer in umgekehrter Chronologie an die Spitze zu schweben scheinen, was uns dazu bringt, zu denken, dass das Neueste wichtiger oder wichtiger ist weniger, was uns fälschlicherweise zu der Annahme verleitet, dass alles, was zuvor passiert ist oder existierte, nicht mehr relevant oder wichtig war – selbst wenn es tatsächlich wichtig ist oder überhaupt existiert. Das hat zu unserer Überzeugung geführt, dass alles, was nicht auf Google sichtbar ist oder Nachrichten, nicht existiert, nicht existiert oder überhaupt nicht existiert – alles aufgrund dieser Konditionierung!

Die Schönheit des Internets liegt in seiner Fähigkeit zur Selbstverbesserung; Aber solange es ein werbefinanziertes Medium bleibt, wird seine einzige Motivation kommerziell bleiben – die Perfektionierung von Listen, Diashows und Orakeln, anstatt seine Benutzer mit humanistischen Werten und Ideen zu bereichern.
Anne Lamott sprach über Emily Dickinson, als sie über die Bedeutung der Hoffnung sprach. Emily Dickinson schrieb, dass Hoffnung unser Handeln in Richtung Fortschritt motiviert und „Hoffnung dazu inspiriert, Gutes zu zeigen".
„Wenn Menschen sagen, das Internet sei ein sich selbst perfektionierender Organismus, meinen sie oft, dass sie Technologie als einen Ort sehen, an dem der menschliche Geist gedeihen und sich vertiefen kann – diese Sprache kommt selten vor, wenn es um unser Leben mit Technologie geht."

Bedenken Sie Folgendes: Es handelt sich noch um ein sehr junges Medium, wir haben noch nicht einmal eine Generation damit gelebt, und wie bei jeder Grenze, die wir mit Pioniereifer erkunden, wird es wahrscheinlich sowohl gute als auch schlechte Ergebnisse geben. Leider werden wir erst viel später erfahren, wie es ausgegangen ist; Aber was in der Zwischenzeit zählt, sind die täglichen Entscheidungen, die wir treffen, und ihre Auswirkungen; Ich hoffe, dass die Menschen irgendwann gegen Dinge rebellieren, die ihren spirituellen, intellektuellen oder kreativen Bedürfnissen nicht mehr dienen.

Und wir sind auf einer bestimmten Ebene Zeuge davon. Jüngere Generationen – nicht unbedingt im Hinblick auf ihr Alter, sondern vielmehr auf Menschen, die erst vor kurzem in die Internetszene eingestiegen sind – scheinen eher bereit zu sein als ältere, für werbefreie Versionen von Veröffentlichungen zu zahlen oder ihre Beschäftigung einzuschränken und anzuerkennen, dass dies bei der Erstellung hochwertiger Veröffentlichungen der Fall ist erfordert von allen Beteiligten Zeit, Gedanken, Mühe, Ressourcen und Engagement; Darüber hinaus wird es in dieser Alterskohorte immer wichtiger, Entscheidungen auf der Grundlage der Gefühle zu treffen, die etwas bei Ihnen hervorruft, und auf dessen Gesamtbeitrag zur kollektiven Bilanz der Menschheit.

Als ich mir ein Interview mit Jimmy Wales, dem Gründer von Wikipedia, anhörte, hörte ich, wie er behauptete, dass Menschen kostenlos spenden, weil sie mit ihrer Zeit etwas Nützliches anfangen wollen. Ich stimme dem zu und glaube seit langem, dass dies wahr ist – die Menschen in der heutigen Gesellschaft sehnen sich nach etwas, das ihre Zeit veredelt – etwas, das sich nur schwer mit utilitaristischen Werten wie Nützlichkeit quantifizieren lässt. Meine Grundüberzeugung ist, dass die meisten von uns Gutes tun wollen – dass Menschen mehr Wert auf Tugend als auf Nützlichkeit legen, als es jede andere objektive Maßnahme kann. Ich bin fest davon überzeugt, dass den Menschen das Gute wichtiger ist als jedes andere Ziel, und bin zuversichtlich, dass dieses Phänomen bei uns allen existiert.

Dennoch streben wir alle danach, besser zu werden, uns weiterzuentwickeln und spirituell zu wachsen – dieses Medium gibt diesbezüglich Hoffnung.

Niemand sieht die Welt genau so, wie sie ist; Das liegt daran, dass jeder von uns etwas Einzigartiges dazu beiträgt. William James sagte: „Ich stimme zu, mich um meine Erfahrung zu kümmern, und nur die Dinge, die mir aufgefallen sind, haben meinen Geist geformt." Indem wir entscheiden, wie wir in der Welt sind und wie wir unseren Beitrag leisten, werden unsere Erfahrungen und unser Beitrag von uns selbst bestimmt – und prägen nicht nur die innere und äußere Welt, sondern letztendlich auch uns selbst. Das ist für mich der Kern einer spirituellen Reise – kein anstrengender, sondern ermutigender Gedanke, der mich Jahre persönlicher Entwicklung gekostet hat!

* * * Hoffnung ist wichtig, um das Entstehen des Guten zu fördern. Es nimmt das Gute als einen Teil des Lebens selbst wahr: man nimmt wahr, was gut ist. Dieser Satz kam mir zum ersten Mal durch einen amüsanten Artikel der New York Times in den Sinn, der vor einigen Jahren rund um Thanksgiving veröffentlicht wurde. Wissenschaftliche Untersuchungen haben die gesundheitlichen Vorteile der Dankbarkeit deutlich aufgezeigt; Zählen Sie einfach alles Gute an jedem Tag, auch das, was Sie als anstrengend empfinden. Es führte zu bemerkenswerten, messbaren Ergebnissen: gesünderer Schlaf, mehr Seelenfrieden, weniger Angstzustände und

Depressionen, freundlicheres Verhalten und insgesamt eine höhere Lebenszufriedenheit. Eine neue Studie demonstrierte diesen Effekt, indem sie zeigte, wie Dankbarkeit dazu führt, dass Menschen weniger aggressiv werden, wenn sie provoziert werden. Das könnte erklären, warum so viele Schwager Thanksgiving ohne ernsthafte Verletzungen überstanden haben."

Wie Hoffnung und Güte mag Dankbarkeit unschuldig und ohne Gewicht erscheinen. Wie Glück wird es oft fälschlicherweise als ein statischer Zustand dargestellt, mit dem man entweder geboren wird oder nicht; gesegnet oder nicht. Für mich persönlich kann es sich manchmal wirkungslos anfühlen, das Wort auszusprechen, aber wenn ich es als Weisheit würdige, wird es viel reicher – die Gewohnheit des Jubelns und der Freude. Lob ist eine weitere Form der Dankbarkeit, die in spirituellen Traditionen wie den Psalmen des Christentums zu finden ist und unseren Erfahrungen von der Demütigung bis zur Herrlichkeit Ausdruck verleiht – selbst wenn wir mit Leid konfrontiert sind. Lob kann eine ähnliche Funktion haben, wie es auch in den Psalmen der hebräischen Bibel funktioniert, die menschlichen Erfahrungen wie solchen, die mit Leiden verbunden sind, eine Stimme verleihen. Die Psalmen mit Lobpreisfunktion verleihen jeder menschlichen Erfahrung von Demütigung bis hin zu glückseliger Zufriedenheit eine Stimme.

Der Psalmist besteht jedoch darauf, dass heute tatsächlich Gottes Tag ist, und ermutigt seine Leser, sich darüber zu freuen und froh zu sein.

Meine Kindheitserinnerungen halten nicht viele tröstliche Gedanken für mich bereit; Dennoch kann ich mich noch daran erinnern, wie ich mich mit einer Mischung aus Freude und Erleichterung mit bestimmten Passagen aus der Bibel verbunden habe, als ich aufwuchs, während in meiner Familie eine schwere, aber nicht eingestandene Depression herrschte. Ich habe einige schöne, poetische Zeilen auswendig gelernt, die der heilige Paulus für die junge Kirche in Philippi geschrieben hat: „Schließlich, Geliebte, was wahr, ehrenhaft, gerecht, rein und angenehm ist, kann lobenswert oder lobenswert sein – was auch immer das sein mag, bedenke es sorgfältig." . „Tu, was ich dir gesagt und gezeigt habe, und der Herr des Friedens wird mit dir sein." Dieses Rezept für mentale und spirituelle Belastbarkeit wurde mittlerweile zwei Jahrtausenden wissenschaftlicher Forschung unterzogen – wobei die spirituelle Technologie aus diesen Tests als säkulare spirituelle Technologie hervorging.
Dennoch fragt man sich bei all dem, warum etwas so Natürliches und Erfrischendes wie die Aufnahme des Guten, wo und wann immer wir es sehen, überhaupt zusätzliche Anstrengung erfordert – warum es all dieser Worte bedarf. Positive Abweichung ist ein treffender sozialwissenschaftlicher Begriff, um Menschen zu beschreiben, die den Erwartungen widersprechen, die durch eine evolutionäre „Überleben des Stärkeren"-Sicht auf die Entwicklung der Menschheit geschaffen

werden. Meine Karriere, die ich sehr schätze, missversteht oft das, was wahr, ehrenhaft, gerecht, rein, erfreulich, lobenswert und ausgezeichnet ist, als positive Abweichung; Dies stellt die umgekehrte moralische Vorstellung dar, die am Werk ist. Jeder, den ich in diesem Buch erwähnt habe, kann als positiv Abweichender angesehen werden, der von Weltuntergangspropheten leicht als Ausnahme von der menschlichen Herrschaft abgetan wird. Und jetzt höre ich Kritik, weil ich Brain Pickings als Beispiel dafür wähle, was das Internet möglich macht, wenn die Fülle an Pornografie, Gewalt und Trivialisierung im Cyberspace so offensichtlich ist.

Die Realität ist sowohl/als auch. Genauer gesagt, wie Maria Popova feststellt, steckt das Internet noch in den Kinderschuhen und stellt eine neuartige Möglichkeit dar, unseren menschlichen Zustand und all seine Widersprüche – wie Erlösung und Sünde – in digitaler Geschwindigkeit und viraler Vervielfältigung zu betrachten. Darüber hinaus wirkt es wie ein Vergrößerungsglas für alle erdenklichen menschlichen Neigungen – seien sie schön oder schrecklich, trivial oder gemein oder großzügig und neugierig.

Beachten Sie, wie diese Erkenntnis uns wieder die Kontrolle über die Auswirkungen der Technologie auf uns gibt, die Macht wieder in unsere eigenen Hände legt und zeigt, dass selbst ihre extremste Manifestation des Bösen die Fähigkeit hat, persönliche Transformation und Reflexion herbeizuführen. Beachten Sie, wie die Erkenntnis, dass wir die Kraft zurückgewinnen; Wir können entscheiden, welchen Weg die Technologie einschlägt, um uns zu formen, und sehen, wie selbst die drastischste Manifestation seiner zerstörerischen Fähigkeiten oft als Quelle der Erleichterung und Heilung dienen kann.

Der Cyberspace zwingt uns, uns mit Mobbing auseinanderzusetzen, etwas, das in den physischen Räumen, in denen unsere Kinder aufwachsen, schon seit langem existiert. Seit Jahrhunderten haben die höchsten Ebenen der westlichen Zivilisation dies aktiv oder passiv als einen unvermeidlichen Teil des Erwachsenwerdens einiger weniger unglücklicher Menschen toleriert; Aber zu sehen, wie sich seine Auswirkungen auf einer Leinwand im Internet entfalten, hat Mobbing unerträglich gemacht und zu einem Bewusstseinswandel geführt. Kindern beibringen, wie sie Mobbing-Vorfälle umkehren können, und gleichzeitig Kampagnen starten, um Mobbing endgültig zu beenden – ein moralischer Wendepunkt in der Geschichte.

Während ich diesen Text in den letzten Monaten fertigstelle, ist eine kostbare Ladung eingetroffen: Gesichter und Leben, die durch die Fähigkeit der Technologie, unsere dunkle Seite in unmittelbaren, rohen Details zu enthüllen, deutlich hervorgehoben wurden. Zu diesen Namen gehören Kayla Mueller, Deah Shaddy Barakat, Yusor Mohammad Abu-Salha Razan Mohammad Abu-Salha und Clementa Pinckney, deren Leben zeigen, wer wir alle werden können, wenn wir unsere Perspektive ändern und entschlossen sind. Ich erinnere mich hier an sie, weil ihr Leben umfassendere

Erlösungsgeschichten darüber darstellt, wer wir mit jedem Schritt vorwärts werden können.

Kayla wurde von IS-Kämpfern als Geisel genommen, als sie eine Klinik von Ärzte ohne Grenzen in Syrien verließ, und starb 18 Monate später. Deah und Yusor waren verheiratete Zahnmedizinstudenten an der University of North Carolina, während Razan, Yusors Schwägerin, eine aufstrebende Filmemacherin war, die an der NC State eingeschrieben war. Alle vier beteiligten jungen Amerikaner waren gewöhnliche Menschen, in deren Nähe jeder von uns leben könnte – Nachbarn, die wir vielleicht kennen, und Mitglieder einer Generation, die wir oft als Maßlosigkeit abtun.

Meine natürliche Reaktion besteht darin, Nachrichten über Leiden zu vermeiden und mich hilflos zu fühlen, ihnen zu helfen oder sie zu lindern. Aber ich war fasziniert von einer exquisiten Meditation über Deah, Yusor und Razan von meinem außergewöhnlichen Freund und Kollegen Omid Safi – einem Islamwissenschaftler und Religionspädagogen. Deah und Yusor wurden für mich durch Fotos lebendig, wie Yusor in ihrem Hochzeitskleid kurz vor ihrem Tod; ein Bericht darüber, wie Deah und Yusor die Zahnheilkunde als Hilfe für Flüchtlinge in der Türkei und auch für Nachbarn hier in North Carolina nutzten; Dann geht es weiter zu Razans eindringlichem, aber zutiefst inspirierendem Video, das Dutzende junger muslimischer Amerikaner an der UNC mit Lächeln, Mut und hart erkämpfter Hoffnung zeigt – die Gesichter von Razan selbst eingeschlossen!

Auch heute noch sehen wir viele, die in jeder Pose kraftvolle Aussagen machen: Sie repräsentieren all unsere Stimmen, die über Zeit und Raum hinweg widerhallen:

„Es wäre unaufrichtig, zu behaupten, meine Generation sei desinteressiert und gleichgültig.

„In Zukunft hoffe ich, Teil einer integrativen Gemeinschaft zu werden, die ich selbst aufgebaut habe."

Kayla Muellers Briefe nach Hause waren weit über ihre Jahre hinaus Zeugnisse von Weisheit und Gnade, wie ihr Blog beweist: „Das ist wirklich meine Lebensaufgabe: dorthin zu gehen, wo es Leid gibt." Genau wie wir alle lerne ich, mit dem Leiden in der Welt in mir selbst umzugehen – meinen eigenen Schmerz zu bewältigen und gleichzeitig eine aktive Rolle als Teil der Gesellschaft beizubehalten. Sie folgte ihrer Berufung und begann, sich ehrenamtlich für Organisationen wie Amnesty International und Big Brothers/Big Sisters sowie für Big Brothers/Big Sisters in ihrer Heimatstadt zu engagieren. Darüber hinaus diente sie an Orten von Indien bis Guatemala, bevor sie in Syrien landete. Während der Gefangenschaft schrieb sie ihren Eltern einen Brief, der mich an meine Lektüre von Mystikern wie Julian von Norwich oder Mutter Teresa erinnerte: Ihr Brief erinnerte mich daran, ihre Mission unverzüglich auszuführen!

„Ich bin in meiner Erfahrung an einem Punkt angelangt, an dem ich mich im wahrsten Sinne des Wortes völlig unserem Schöpfer hingegeben habe, weil es für mich buchstäblich nichts anderes zu tun gab … und durch Gott und Ihre Gebete habe ich es getan." fühlte sich auch beim Fallen getröstet.

„Du hast mir Licht in der Dunkelheit gezeigt + ich habe gelernt, dass man sogar innerhalb von Gefängnismauern Freiheit finden kann. Dafür bin ich wirklich dankbar."

Um es klarzustellen: Kaylas Briefe hätten es nie in Zeitungen wie den Guardian und die Washington Post geschafft, wenn sie nicht in der Gefangenschaft gestorben wäre; Wir würden uns auch keine YouTube-Videos mit Yusor, Razan und Deah aus North Carolina ansehen, wenn sie dort nicht ermordet worden wären. Ohne die Technologie, die in meinem täglichen Leben so oft als Ablenkung dient, hätte ich auch nicht die Möglichkeit gehabt, so innige Beziehungen aufzubauen.

Also frage ich mich: Wie kann ich über das Erinnern hinausgehen? Wie kann ich diese Leben als Geschenke anerkennen und im Gegenzug meinen Respekt erweisen? Wie wirkt sich meine Erfahrung auf das Leben aus, das ich glücklicherweise weiterführen darf? Wie können wir – und ich verwende das Wort „wir" im weitesten Sinne – all die schönen Leben, die noch in vollem Gange sind, präsent und unterstützend sein, um uns an diejenigen zu erinnern, die wir verloren haben, und gleichzeitig diejenigen zu ehren, die noch unter uns sind?

Clementa Pinckney starb inmitten eines Jahres tragischer Ereignisse für schwarze Männer (und Frauen) in ganz Amerika, oft durch die Hand der Polizei. Er könnte durchaus als einer der Verantwortlichen in die Geschichte eingehen, der dafür verantwortlich ist, dass die Flagge der Konföderierten 150 Jahre nach dem Ende des amerikanischen Bürgerkriegs endgültig aus den Hauptstädten der Bundesstaaten South Carolina und Alabama entfernt wurde. Rückblickend scheint Clementa Pinckney sein Leben schnell gelebt zu haben; Mit 18 Jahren wurde er zum Priester geweiht und mit 23 Jahren Mitglied des Repräsentantenhauses von South Carolina. Damit war er der jüngste, der jemals zum Senator gewählt wurde – zwei Meilensteine, die sich nicht leugnen lassen, wie seine beruflichen Erfolge belegen. Als Vollzeitpfarrer der Emanuel AME Church in Charleston, dem geistlichen Herzen der Stadt, war er ein hervorragender Beamter. Tragischerweise wurden er und acht strahlende Mitglieder seiner Gemeinde genau in dieser Kirche von einem jungen weißen Mann getötet, den sie am Mittwochabend zum Bibelstudium eingeladen hatten.

„Wir haben eine hervorragende Gelegenheit, Licht und Einblick in diesen Prozess zu bringen und uns neue Augen zum Sehen zu verschaffen."

Unsere Welt ist erfüllt von der stillen Schönheit und dem Mut eines mit Freundlichkeit gelebten Alltags. Jede Minute bringen Millionen junger und alter Menschen Opfer im Dienst an anderen und riskieren die Hoffnung auf Besserung – diese Güte ist wichtig; Lassen Sie es unsere Realität stärker prägen als Schlagzeilen über Gewalt. Umarme sein Licht in der Dunkelheit, wie es Razan, Deah, Yusor Kayla Clementa und ihre Seelenverwandten getan haben. Die Suche nach dem Guten, wo und wann immer es erscheint, öffnet neue Fenster zum Leben selbst.

* * *

Ich wurde nach Youngstown, Ohio, eingeladen, um zu teilen, was ich über die Schaffung neuer Gesprächsräume und Beziehungen inmitten von Herausforderungen gelernt habe, die wir auf kreative Weise angehen müssen und die wir noch nicht benennen können. Youngstown begann als Industriezentrum, hat aber längst schwere Zeiten hinter sich; Generationen von Lebensunterhalt und Selbstachtung gehen durch die Armut verloren, da mehr als die Hälfte der Kinder von Youngstown heute unterhalb der Armutsgrenze leben. Mein Vortrag in einer Bischofskirche an einem schwülen und stürmischen Freitagabend im Juni lockt vor vollem Haus. Nachdem ich gesprochen habe, höre ich aufmerksam zu, während die Menschen Geschichten, Fragen, Antworten und Weisheiten austauschen – sowohl an diesem Abend als auch am nächsten. Stück für Stück konkretisieren sie, was ich in diesem Raum gefühlt habe, bevor jemand den Zusammenhang herstellt: Diese Gemeinschaft stirbt gleichzeitig und wird wiedergeboren."

Ihre Geschichte ist unsere Geschichte; das jeder einzelnen Gemeinschaft aus Familie, Ort und Verwandtschaft, die wir über Zeit und Raum hinweg bilden. Allzu oft fällt es uns schwer, darauf zu vertrauen, dass nach einem Verlust eine Wiedergeburt kommt, doch die Geschichte lehrt uns etwas anderes. Wenn wir vor der Entscheidung stehen, was als nächstes kommt, fühlen wir uns manchmal machtlos oder überfordert, nicht zu wissen, wo wir anfangen sollen. Doch gerade wenn wir zulassen, dass unsere tiefsten Fragen und sensibelsten Emotionen in unserer Mitte auftauchen, werden wir in der Lage, sie gemeinsam zu durchleben, anstatt uns abzuwenden. Die gleichzeitig verletzliche und starke Menschheit ist Zeuge der Existenz unserer heranwachsenden Spezies. Weisheit entsteht genau dann, wenn wir scheinbar gegensätzliche Realitäten zusammenbringen und in kreativer Spannung halten müssen: Macht und Zerbrechlichkeit, Geburt und Tod, Schmerz und Hoffnung, Schönheit und Zerbrochenheit, Geheimnis und Überzeugung, Ruhe und Lebendigkeit … all das trägt zur Schaffung von Weisheit bei .

Mein Dialogleben ist wie die Poesie eine Hommage an die unglaubliche Fähigkeit der Menschheit, Wahrheiten auszudrücken, die über das hinausgehen, was Worte ausdrücken können. Am Ende lässt mich dieses Schreiben über alles ängstigen und zittern, was meine Worte unausgesprochen oder unausgesprochen lassen – und erkenne ihre notwendige Demut.

Demut ist eine weitere Tugend, die es wert ist, hier gefeiert zu werden. Sie findet sich in allen Leben wieder, die von Weisheit und Belastbarkeit geprägt sind. Obwohl seine Bedeutung im Laufe der Zeit aus der Mode gekommen ist, haben mir Gespräche über Demut geholfen, seine Bedeutung wiederzuentdecken. Wie Humor und Schönheit macht uns Demut für Gastfreundschaft und Fragen sowie für alle anderen bisher erwähnten Tugenden empfänglich.

Spirituelle Demut bedeutet nicht, sich zu verkleinern, sich selbst zu erniedrigen oder seinen Wert herabzusetzen, sondern vielmehr, sich allem und jedem mit dem Eifer zu nähern, das Gute zu sehen und erstaunt zu sein. Jesus lobte dies, da es kindliche Demut demonstrierte, während wissenschaftliche und mystische Persönlichkeiten ähnliche Eigenschaften der Ehrfurcht vor anderen mit leichten Schritten und ohne Schwere des Herzens an den Tag legten.

Leichtigkeit ist mein wichtigster Test, um Weisheit zu erkennen, wenn ich sie in der Welt oder in mir selbst sehe oder spüre. Fragen, die uns führen könnten, sind bereits da und warten darauf, erforscht und verwirklicht zu werden – es ist eine Freude und ein Privileg, sie hervorzurufen, sie in unsere Sinne, Körper und Orte, an denen wir leben, einzupflanzen und durch sie zu heilen, die Verantwortung für ihre Heilung zu übernehmen als Abenteuer oder Berufung betrachten, unsere Liebe zueinander als Abenteuer oder Berufung beanspruchen, über die Realität staunen, die in uns selbst eingebettet ist, und gleichzeitig in ihrer Weite schwelgen – schließlich hat das Festhalten an etwas Robustem und doch Widerstandsfähigem namens Hoffnung die Macht, alles für immer zu verändern!

Die Kunst und das Geheimnis des Lebens sind riesig. Aber sie sind zum Greifen nah: Fangen Sie einfach damit an, in aller Stille nach all der Gnade, Schönheit, Heilung und Achtsamkeit zu suchen, die in diesem und im nächsten Moment verfügbar ist.

DAS ENDE

Milton Keynes UK
Ingram Content Group UK Ltd.
UKHW051034221123
433051UK00019B/801

9 798868 993411